Davisowi – mojemu przepięknemu chłopcu

PROLOG

Gdy samochód wjeżdża na podjazd, serce zaczyna mi walić jak oszalałe. Boję się.

„W porządku, Laro – mówię do siebie, oddychając głęboko. – Już czas".

Bez przeszkód wjeżdżamy do garażu, Andrew zatrzymuje samochód. Odwracam się do niego.

– Ty weź dziecko – komenderuję, otwierając drzwi i wysiadając. Ostrożnie, najpierw jedna noga, potem druga. Au!

Kulę się, kładąc jedną dłoń na brzuchu, w nadziei, że zapobiegnie to rozerwaniu mojej świeżej, fioletowej rany pooperacyjnej, i ruszam czym prędzej do środka, o ile „ruszanie czym prędzej" można zdefiniować jako posuwanie się z prędkością, w przybliżeniu, trzech kroków na minutę. Kiedy jednak mijam frontowe drzwi, mój żwawy marsz zostaje przerwany przez Zoey, psa, który natychmiast rzuca się na mnie i kładzie swoje łapy dokładnie na wspomnianej wyżej, świeżej, fioletowej ranie pooperacyjnej.

– Au! – wrzeszczę na nią. – Uważaj, Zo!

Zdezorientowana brakiem oznak mamusinej miłości po czterech dniach rozłąki, schyla łeb i zaczyna gorączkowo obwąchiwać moje nogi, próbując dociec, gdzie się podziewałam przez tak długi czas. „Hm – myślę. – Ciekawe, czy nadal posiadam tę niezwykłą umiejętność rozumienia mowy swojego psa, czy był to tylko skutek uboczny ciąży, podobnie jak zdolność wyczucia zapachu czyjegoś ciała z odległości czterech kilometrów".

– Zo? – wołam, szukając jej wzroku. Podnosi łeb i patrzy na mnie, ale jeśli cokolwiek mówi, ja tego nie słyszę. No cóż. I tak zaczynała działać mi na nerwy.

Głaszczę ją szybko po głowie, traktując to jako nagrodę pocieszenia, i idę dalej. Skupiam wzrok na schodach, które pojawiły się przede mną, i zbieram siły.

„No dobra – myślę. – Zróbmy to".

W głowie słyszę motyw przewodni z *Rydwanów ognia*. Podnoszę prawą nogę i stawiam ją na pierwszym stopniu, rozpoczynając wędrówkę w górę.

– Ba ba ba ba baaaaaaaaa ba. Au! Ba ba ba ba baaaaaaaaa. Au, au, au! Ba ba ba ba baaaaaaaaa ba. Cholera, boli. Ba ba ba ba baaaaaaaaa.

Jeszcze nie weszłam na górę, a już spociłam się z bólu. Korytarz przede mną jest taki długi, że czuję się jak przed przeprawą przez Pustynię Arabską. Przystaję, żeby odpocząć, i próbuję zagrzać się do dalszej walki.

„Daj spokój, Lara. To tylko kilka kroków. Czekałaś na tę chwilę dziewięć miesięcy. Weź się w garść, kobieto".

Biorę więc głęboki oddech i ruszam. Jeszcze przed drzwiami sypialni chwytam wiatr w żagle i teraz śpiewam pełnym głosem.

– Ba ba ba ba ba da da da da – ściągam bluzkę, rzucam ją na podłogę i idę do łazienki. – Ba ba ba ba baaaaaa – tu następuje dziwaczny łopoczący odgłos, nie mam pojęcia, jak to zapisać. Do bluzki dołącza biustonosz.

– Ba ba ba ba ba da da da da…

Spodnie wymagają nieco więcej uwagi. Nie ma mowy, żebym się schyliła, prawą stopą muszę więc przydepnąć lewą nogawkę i odwrotnie. Wreszcie wydostaję się z nich.

Zdejmuję zegarek i pierścionki i układam je na umywalce.

– Ba ba ba ba baaaaa ba.

A co tam. Zdejmę też kolczyki.

– Ba ba ba ba baaaaa.

Przez moment się waham, ale stwierdzam, że skoro już się tak przykładam, to mogę pójść na całość, sięgam więc do włosów i zdejmuję z kucyka elastyczną gumkę, kończąc crescendo.

– Ba ba ba ba baaaaaaa ba. Ba ba ba ba baaaaaaa.

I oto jestem. Zupełnie naga, z wyjątkiem opatrunku wielkości stanu Teksas i pary siateczkowych majtek jakości szpitalnej, zaprojektowanych na okoliczność Stanu Błogosławionego. Drżąc, modlę się bezgłośnie.

„Błagam, bądź miłościwa".

Wtedy zamykam oczy i wchodzę na wagę.

Otwierając je na powrót, wstrzymuję oddech i spoglądam w dół.

Nie. Przecieram powieki (może w ciągu tych minionych dziesięciu sekund rozwinęła mi się katarakta albo jaskra, albo inna choroba wzroku) i patrzę raz jeszcze. Ale wskazanie się nie zmienia.

„No dobra – próbuję nie panikować. – Pomyślmy logicznie". Zamykam oczy jeszcze na moment, żeby się uspokoić, a potem pojawia się ta myśl. Majtki, to musi być to. Zdejmuję je wraz z całym opatrunkiem, odpycham nogą, po czym wchodzę z powrotem na wagę. Nic. „O mój Boże. O. Mój. Boże".

Kuśtykam do toalety, siadam na sedesie, oczy zachodzą mi łzami.

– Andrew! – krzyczę. – Andreeeeeeeeeew!

– Tak? – odkrzykuje, a po chwili słyszę ciężkie kroki mojego męża biegnącego po schodach. – Trzymaj się, już idę!

Wpada do pokoju.

– Lar? Lar? Gdzie jesteś? Wszystko porządku? Coś ze szwami?

– Jestem tutaj – mówię łamiącym się głosem. Andrew wbiega z dzieckiem na rękach.

– Kochanie – mówi zaniepokojony. – Mówiłem ci, żebyś na razie zostawiła schody w spokoju. Powinnaś przez kilka dni zostać na dole, pościelę ci na kanapie. Wszystko OK?

– Nic mi nie jest.

Pociągam nosem. Wtedy właśnie Andrew dostrzega na podłodze zakrwawiony opatrunek i krzywi się.

– Czemu się rozebrałaś?

– Musiałam to wiedzieć – wyjaśniam, wskazując głową w stronę wagi. Andrew odwraca się, żeby zobaczyć, o czym mówię, a potem spogląda na mnie i przewraca oczami.

– Ważyłaś się?! – pyta. – Trzy minuty temu wróciliśmy ze szpitala, a ty już zdążyłaś się zważyć?

Kiwam głową, a jednocześnie głęboko w środku czuję, że tsunami jest coraz bliżej punktu kulminacyjnego, wznosząc się wyżej i wyżej z każdym moim oddechem. Próbuję się pozbierać.

– Zrzuciłam tylko trzy kilogramy – mówię, unosząc dłonie w geście dezorientacji. – Jak to możliwe? Po urodzeniu dziecko ważyło trzy i pół z hakiem. – Kręcę głową do siebie i spoglądam na sufit. – Czy mam przez to rozumieć, że właśnie przytyłam pół kilo?

Tsunami osiąga swój szczyt, a ja, ni stąd, ni zowąd, wybucham płaczem. Właściwie szlocham, okropnie i ciężko, wręcz się zanosząc, i nie potrafię nad tym zapanować, zupełnie nie potrafię. W zasadzie o nic mi nie chodzi, a jednak wiem, że tu chodzi o wszystko, i kiedy zalewa mnie wielka fala, czuję, jak wymywa ze mnie te resztki zdrowia psychicznego, które mi jeszcze pozostały.

Patrzę na Andrew. Trzyma Parker w ramionach, a ona mocno śpi. Jej maleńkie, czterodniowe usteczka ssą powietrze. Chcę myśleć, że jest śliczna. Chcę być przepełniona miłością do nich obojga. Chcę czuć radość z tego, że właśnie staliśmy się pełną rodziną. Ale czuję tylko wrogość. Wrogość, złość i jeszcze odrobinę urazy. Patrzę w oczy Andrew.

– Do końca życia będę teraz wielką, tłustą krową, i to przez ciebie – mówię roztrzęsiona. – I przez nią – dodaję, wskazując na Parker.

Andrew kręci głową.

– Boże – mruczy do siebie. – Zaczęło się.

1

No dobrze. Nie mam najmniejszego zamiaru się ukrywać i powiem to: Dziecko to coś wprost okropnego, i wcale nie jest tak, jak myślałam, że będzie. O nie, nigdy nie miałam złudzeń, że przeobrażę się w jakąś świrowatą mamuśkę, co to uwielbia macierzyństwo, ale pojęcia nie miałam, że będę ryczeć od rana do nocy i że dość regularnie nachodzić mnie będą fantazje o odesłaniu jej z powrotem. I powiem wam: naprawdę sprytnie to wymyślili, że tak trudno się zorientować, gdzie właściwie znajduje się to „z powrotem", bo gdybym tylko zdobyła tę informację, dziecko zniknęłoby z mojego życia.

Wiem, co myślicie. Myślicie mniej więcej tak: „A cóż w tym takiego strasznego? Co może być aż tak okropne?". No więc całkowity brak snu – to po pierwsze. Sądziłam, że jestem przygotowana, bo od czasu do czasu miewałam napady bezsenności, a jeszcze na studiach zdarzało mi się zarywać noce jedną po drugiej. Tyle że wtedy były to dwie, góra trzy noce. Amatorstwo. To znaczy: oddałabym lewą rękę za to, żeby skończyło się na trzech nocach. Co tam, oddałabym lewą rękę, żeby to się skończyło na trzech tygodniach. Dziś mija już pięć, i brak jakichkolwiek oznak zbliżającego się końca. I nawet nie ma chwili wytchnienia, nie można zrobić sobie przerwy. To nie tak, że nie śpisz całą noc, a potem odsypiasz w dzień. Nie, nie, to się zwyczajnie nigdy nie kończy. Nie śpisz całą noc, po czym zaczynasz całodzienny dyżur, jesteś na każde zawołanie tej maleńkiej, płaczącej osóbki, która w nosie ma twoje śmiertelne zmęczenie oraz to, że znajdujesz się na krawędzi wyczerpania nerwowego, jak również to, że zaczynasz zbyt dobrze rozumieć ludzi, którzy pewnego spokojnego dnia wchodzą do urzędów pocztowych i strzelają na oślep. Dodatkowymi niekorzystnymi okolicznościami są nękające ją kolki oraz niesamowita zdolność wrzeszczenia przez cały boży dzień zupełnie bez przyczyny, a w każdym razie nie z takich powodów, które ja potrafiłabym odgadnąć.

Dalej mamy karmienie piersią, które na początek można by nazwać piekłem na ziemi, a które z czasem coraz bardziej przypomina cierpienia grzeszników smażonych w ogniu piekielnym. Wystarczy, żebyście uprzytomnili sobie, że według jednej z wielu klasyfikacji psychologicznych, jestem klasycznym przypadkiem osobowości typu A, który wszystko musi robić na czas, co do minuty, i który nie potrafi żyć bez poczucia pełnej kontroli nad wszystkim wokół. Moje dziecko natomiast to wypisz, wymaluj Śpioszek z ferajny Królewny Śnieżki, który nie potrafi ssać nawet przez trzydzieści sekund, żeby nie wpaść w śpiączkę, i który budzi się nagle, umierając z głodu dwadzieścia lub trzydzieści, lub czterdzieści pięć minut później. Reasumując: nie ma najmniejszej nawet szansy, by Parker spożywała posiłki zgodnie z planem zaleconym przez pediatrę, czyli co trzy godziny, podjada więc na okrągło cały dzień, w związku z czym ja czuję się jak doprowadzona do szaleństwa, niepanująca nad sobą, wielka ludzka micha popcornu.

Ale to nie koniec. Jest coś jeszcze, coś gorszego niż ciągły płacz, wstawanie w nocy i pokryte strupami, bolące piersi czy brak możliwości karmienia co trzy godziny. Trudno to wyartykułować, ale tsunami, które czuję w sobie – o, tak, ciągle tam jest – bierze się chyba z tego, że kiedy masz dziecko i kiedy to ty jesteś tą nieszczęsną duszą nazywaną matką, twoje życie, to, które prowadziłaś, nagle i niespodziewanie się kończy. Nie ma już mnie. Nie ma nas. Jest dziecko i, ot tak, po prostu, nic poza nim.

W porządku, wyjaśnię to bardziej przystępnie. Zaledwie kilka tygodni temu mój typowy dzień przebiegał w taki oto sposób. Rankiem, około szóstej trzydzieści, budził mnie Howard Stern jednym ze swoich wywiadów z gwiazdkami porno nadawanym w radio, które włącza budzik. Po kilku próbach wyłączenia tego radia, czy raczej budzika, wstawałam, brałam prysznic, wklepywałam w twarz krem przeciwzmarszczkowy w cenie dwustu dolarów za tubkę i nakładałam różowy błyszczyk kupiony za dwadzieścia dolarów. Potem ubierałam się, wkładając wprost cudowne, choć całkowicie niepraktyczne wysokie szpilki, zjadałam miskę płatków śniadaniowych, zastanawiając się, gdzie tym razem fantazja poniesie Matta Lauera. Następnie udawałam się do pracy, gdzie kolejne osiem godzin zlatywało mi na przeprowadzaniu rozmów z rozpieszczonymi nastolatkami o tym, jaki college powinni wybrać, uspokajaniu rozzłoszczonych, rozkapryszonych rodziców, których pociechy nie dostały się do szkół, o jakich marzyły, oraz plotkowaniu przez telefon z moją przyjaciółką Julie, a także, jeśli czas pozwalał, rozwiązywaniu krzyżówki z „New York Times'a" online.

O czwartej klub fitness. Godzina na intensywnych zajęciach cardio (w czasie ciąży mniej intensywnych, rzecz jasna) z dobrą muzyką wykonywaną przez mało znanych, luzackich muzyków, którzy, tak się złożyło, byli bardzo bliskimi znajomymi fantastycznego instruktora/aktora dyżurującego tego dnia. Następnie wracałam do domu, siadałam na kanapie, kładąc zbolałe stopy na poduszce, i czytałam książkę bądź oglądałam telewizję aż do powrotu Andrew, który przynosił ze sobą gotowy posiłek kupiony w jednej z czterech restauracji, gdzie zamawialiśmy na wynos pięć razy w tygodniu. Po kolacji kładłam się i w łóżku oglądałam *Rodzinę Soprano* albo *Oprah Show* lub też cokolwiek innego, co nagrał nasz cyfrowy magnetowid TiVo. Jeśli akurat była to środa, uprawiałam bardzo solidny, śródtygodniowy małżeński seks, a potem odpływałam w głęboki sen na całe, nieprzerwane osiem godzin, z wielokrotnymi fazami REM.

A teraz dla porównania.

Obecnie o godzinie czwartej nad ranem budzi mnie dźwięk kojarzący mi się z odgłosem, który według moich wyobrażeń, wydają dusze potępione. Dźwięk dobiega z odbiornika niani elektronicznej. Wyskakuję z łóżka, narzucam szlafrok i biegnę do pokoju Parker, w którym powietrze przesycone jest mdląco-słodkawym zapachem kupki karmionego piersią niemowlęcia. Ponieważ nie sypiam w soczewkach kontaktowych, a zapomniałam założyć okulary, podczas zmiany pieluchy mażę sobie rękę kupą. Myję rękę, siadam w bujanym fotelu, wyciągam pierś, która rozmiarem oraz stopniem twardości przypomina niedojrzały melon, i wkładam ją dziecku do buzi. Po czterech minutach Parker zasypia, a ja, bardzo delikatnie i bardzo cicho, wstaję i staram się położyć ją do łóżeczka, nie budząc jej przy tym. Ale oczywiście dokładnie w momencie, gdy wysuwam ramię, małe powieki podnoszą się i rozlega się znajomy płacz, ponownie więc siadam w fotelu, wyciągam pierś i wkładam Parker do buzi. Próbujemy od nowa.

Kiedy zaczyna wrzeszczeć przy drugiej próbie położenia, opieram się wszechogarniającej pokusie, by uciec i nigdy nie powrócić. Przeciwnie – spaceruję z nią po pokoju, nucąc *Old MacDonald*, trzydzieści albo czterdzieści razy z rzędu, gdyż jakoś udało mi się odkryć, że to jedyna piosenka, która ją uspokaja – to pieprzone „i-ja-i-ja-ou".

Kiedy w końcu, półtorej godziny później, udaje mi się ją położyć, biegnę z powrotem do sypialni i nurkuję do łóżka, gdzie natychmiast zasypiam na jakieś, czy ja wiem, może dwadzieścia minut, po których budzi mnie wycie potępieńca.

Do tego czasu Andrew zdążył już wstać i szykuje się do pracy, ja natomiast następną godzinę spędzam, płacząc histerycznie i błagając go, by został w domu i pomógł mi. On nie spełnia mojej prośby, a kiedy wychodzi, dzwonię do niego na komórkę i wykrzykuję obelżywe wyzwiska, przeklinam go za zmarnowanie mi życia, aż do czasu, gdy dojeżdża do Beverly Glen Boulevard, gdzie traci zasięg, a ja uzmysławiam sobie, że wrzeszczę do głuchego telefonu.

Kolejne osiem godzin spędzam, na przemian karmiąc, szlochając, przemierzając pokój tam i z powrotem z wrzeszczącym dzieckiem na ręku, łkając histerycznie i przeklinając ludzi, którzy wymyślili foteliki i huśtawki dla niemowląt, i pozwolili mi wierzyć, że mój potomek będzie sobie siedział w nich cichutko, podczas gdy ja zjem spokojnie śniadanie i przejrzę poranną gazetę, a nie będzie wrzeszczał wniebogłosy, domagając się wzięcia na ręce i przemierzania pokoju od nowa. I przez ten cały czas – należałoby dodać, aby uzyskać pełny obraz sytuacji – jestem jeszcze w szlafroku.

O czwartej, kiedy nie mogę już znieść własnego zapachu, zapinam Parker w foteliku samochodowym, stawiam go na podłodze łazienki i biorę trzydziestosekundowy prysznic, podczas którego ona nie przestaje wrzeszczeć. Wkładam spodnie od dresu, T-shirt, tenisówki, spinam brudne włosy w kucyk i przez następną godzinę spaceruję po okolicy, pchając przed sobą wózek. Kiedy mijający mnie ludzie uśmiechają się i zadają pytania o dziecko, kiwam tylko głową i idę dalej, ponieważ nie potrafię wypowiedzieć zdania, nie wybuchając płaczem, a naprawdę nie mam ochoty na wielokrotne załamania, i to w obecności obcych mi ludzi, którzy udadzą się następnie do swoich domów, by tam opowiedzieć o mnie współmałżonkom, później zaś będą wskazywać mnie palcem przez okno podczas kolejnego spaceru z Parker.

Po powrocie do domu próbuję usiąść z nią na kanapie i poglądać jeden z miliona odcinków *Oprah Show*, które nagrane czekają na obejrzenie, ale to nigdy się nie udaje, bo Parker płacze, dopóki nie zacznę obnosić jej po pokoju. Około godziny później, gdy przemierzanie przestrzeni tam i z powrotem przestaje działać, znów ją karmię, a po minucie Parker zasypia. Tak więc następne pół godziny testuję różne techniki budzenia, bo chcę, żeby dokończyła posiłek, i właśnie gdy zastanawiam się, czy to byłoby coś złego, gdybym chwyciła ją za kostki i pokręciła nią nad głową, ona otwiera oczy. Ale kiedy wreszcie kończy ssać, zdając sobie sprawę, że mleko już nie leci, natychmiast znów zaczyna wrzeszczeć, wstaję więc i podejmuję przerwany spacer po pokoju. Trwa to do powrotu Andrew, który przynosi ze sobą coś do jedzenia z jednej z czterech restauracji, w których zamawiamy teraz jedzenie na wynos siedem razy w tygodniu.

Połykam kolację w trzy minuty, podczas gdy Andrew przemierza pokój z Parker na rękach, potem się zmieniamy. Jeszcze jedno karmienie, po którym z płaczem biegnę do sypialni, zamykając drzwi na klucz i zostawiając Andrew z dzieckiem aż do czasu następnego ataku głodu, kiedy to mój mąż delikatnie puka do drzwi, informując mnie, że dziecko chce jeść. Na co ja przez kolejne piętnaście minut wyjaśniam mu, przez łzy i przez zamknięte drzwi, że nic mnie to nie obchodzi, a kiedy on w końcu forsuje zamek, ponownie karmię Parker. Około dziesiątej trzydzieści udaje mi się położyć ją w łóżeczku. O dziesiątej trzydzieści jeden padam na swoje łóżko. Wstaję znów o północy, o drugiej, o czwartej. Łącznie przesypiam około dwudziestu siedmiu minut, podczas gdy Andrew leży sobie wygodnie, pogrążony w głębokim śnie. Czasami mam wrażenie, że zapadł w śpiączkę. A cały świat zgodnie twierdzi, że to ja, jako matka, powinnam promieniować szczęściem i pławić się w blaskach tego nowego życia, dzień po dniu, co do jednego.

Otóż, wiecie, co wam powiem? Wcale tak nie jest. Prawda jest taka, że tęsknię za swoim dawnym życiem, brakuje mi go. Chcę je z powrotem i mam za złe całemu światu, że nie ostrzegł mnie, jakie jest całe to macierzyństwo. Najbardziej jestem wściekła na magazyn „People". A także „Us Weekly". Dajcie spokój. Zamieszczają zdjęcia Kate Hudson czy Gwyneth Paltrow gdzieś na mieście, z całkiem nowym, trzydniowym noworodkiem, i wygląda na to, że dziecko to tylko kolejny modny dodatek. Jak, dajmy na to, nowa torebka, którą wszystkie gwiazdy obowiązkowo noszą w tym sezonie. Przysięgam, zawsze podświadomie oczekuję, że zobaczę list w stylu: „Droga redakcjo, we wrześniowym wydaniu waszego magazynu zamieściliście zdjęcie Courteney Cox z najsłodszym dzidziusiem na świecie. Czy mogłabym prosić o informację, gdzie znaleźć takie cudo? Dziękuję, Samy Smith, Knoxville, Tennessee".

Musicie przyznać, że to bardzo mylące. Całkowity brak dziennikarskiej odpowiedzialności. Przecież na podstawie takich właśnie publikacji uznałam, że po powrocie ze szpitala odzyskam swoje dawne życie, oczywiście z jedną sztuką bagażu więcej. Skąd, do jasnej cholery, miałam wiedzieć, że ta dodatkowa waliza będzie wyła od rana do wieczora i że będzie wymagała całej mojej uwagi, bez chwili przerwy? Tak, obok takich zdjęć powinni od razu zamieszczać odpowiednie uwagi. Coś w rodzaju:

Uwaga, prawdziwi ludzie: Co prawda na zdjęciach zamieszczonych powyżej można zobaczyć Gwyneth i Kate na zakupach w butiku oraz na lunchu w Santa Monica, w pełnym makijażu i wprost od fryzjera, zaledwie kilka dni po porodzie, nie dajcie się jednak nabrać, że wy również będziecie w stanie zebrać się do kupy na tyle szybko, by w najbliższej przyszłości wyjść z domu choćby na dziesięć minut, bo to bzdura. Redakcja.

I wiecie co, wy, dziennikarze? Jeśli ktoś z was to czyta, oddalibyście ogromną przysługę kobietom na całym świecie, gdybyście wydrukowali jakieś zdjęcia gwiazd w szlafrokach, o czwartej po południu, spasionych i z oczami podpuchniętymi od wielotygodniowego płaczu. Oto zdjęcia, które chciałabym zobaczyć.

W każdym razie, z historii tej wypływa morał, że jestem nieszczęśliwa, i to od dnia powrotu ze szpitala. Po części dlatego, że czuję się samotna. Oprócz wizyty u pediatry i wyskoku do apteki po kropelki mylecon na kolki (szóstego dnia byłam przekonana, że przyczyną jej płaczu są gazy, ale, jak zwykle, nie miałam tyle szczęścia; po podaniu myleconu płakała jeszcze głośniej.) od tygodni nie spotkałam żyjącej, oddychającej dorosłej istoty ludzkiej (Andrew się nie liczy, bo aktualnie nienawidzę jego i jego głupiego penisa za wpakowanie mnie w tę kabałę.) Po prostu muszę porozmawiać z kimś, kto rozumie, przez co przechodzę, dziś więc poddałam się i zadzwoniłam do mojej przyjaciółki Julie, jedynej znanej mi osoby z dzieckiem, a jednocześnie takiej, która może przynieść mi lunch, i to w porze lunchu, we wtorek.

Kiedy Julie jak huragan wdziera się przez moje drzwi, niosąc sałatki i prezent dla Parker, ściskam ją tak mocno, że niemal łamię jej żebra. Przysięgam – nigdy w życiu nie byłam szczęśliwsza na widok innej istoty ludzkiej, a ponieważ słowa te płyną z ust osoby, którą jedynie trzy małe kroczki dzielą od zostania absolutnym mizantropem, to nie byle co.

Wkładam Parker do huśtawki – oczywiście nie płacze, teraz, gdy jest tu ktoś inny i mógłby to zobaczyć. Julie wykłada sałatki na stół kuchenny, a ja siadam i obserwuję ją.

– Jul – zaczynam, starając się ukryć to, że jestem zaledwie setne sekundy od całkowitego załamania nerwowego – wiesz, że cię kocham, ale nie mogę uwierzyć, że nie przygotowałaś mnie lepiej. Powinnaś mi powiedzieć, że to tak będzie wyglądało.

– Czyli jak? – pyta, rozglądając się po kuchni i rejestrując bałagan.

– Czyli okropnie. Czyli że nigdy nie można wyjść z domu. Czyli że w ogóle się nie śpi i ciągle karmi. I ten płacz. Dlaczego nie powiedziałaś mi o płaczu?

Przechyla głowę w bok i przygląda mi się.

– Laro, uznałam, że wiesz, że dzieci płaczą. To nie taka znów wielka nowina.

Podchodzi do zlewozmywaka, który jest wypełniony po brzegi, i zaczyna wkładać sztućce do zmywarki. Nie rusza jednak talerzy – i nie mogę jej winić. Leżą tam od naszego wyjazdu do szpitala, tak że zdążył się na nich wyhodować jakiś gatunek grzyba. Ja stanowczo odmawiam dotknięcia ich, ponieważ, pomijając to, że i tak nie mam na to czasu, sprawdzam Andrew. Chcę się dowiedzieć, jak długo muszą tam pozostać, żeby zrozumiał, że ja nie zamierzam ich zmywać. Najwidoczniej pięć tygodni to za mało, żeby zorientował się w sytuacji.

– Nie chodzi o dziecko, Julie, chodzi o mnie. Nie powiedziałaś mi, że będę ryczeć co trzydzieści sekund.

Odwraca się do mnie, marszcząc czoło.

– Naprawdę? – mruga. – Ale dlaczego? Przecież jesteś mamą. Nie pracujesz, więc jedyne twoje zajęcie to twoja słodka, mała dziewczynka. Czy można sobie wyobrazić coś lepszego?

Spogląda na Parker i ta, jakby na znak, zaczyna wrzeszczeć. Wzdycham. Wiedziałam, że nie wytrzyma zbyt długo. Wstaję, ale zanim udaje mi się do niej dojść, Julie wyciąga ją z huśtawki i zaczyna obsypywać pocałunkami. Wrzask się wzmaga, a Julie promienieje.

– Boże – woła Julie, chcąc przekrzyczeć Parker. – Już zapomniałam, jakie są słodkie takie maluszki – przybliża twarz do główki Parker i wdycha jej zapach. – Mm… – mruczy Julie. – Zazdroszczę ci. Nie mogę się doczekać następnego.

Gapię się na nią jak robot, który znalazł się w sytuacji, jaka nie została zapisana w jego pamięci.

– Możesz ją sobie wziąć – informuję rzeczowo. – Oddasz, kiedy zacznie mówić i przesypiać całe noce.

Julie cmoka językiem.

– La-ro – zaczyna. – Jesteś okropna.

Potrząsa głową, jakbym powiedziała coś bardzo głupiego.

– Zobaczysz, urośnie tak szybko, a potem będziesz żałować, że nie jest już tym maleństwem.

– Bardzo wątpię – mówię, połykając łzy, które gromadzą się za białkami moich oczu. Wtedy Julie znów cmoka, a ja czuję w sercu ukłucie niepewności. Co jest ze mną nie tak? Dlaczego nie potrafię czuć się tak, jak powinnam zdaniem Julie?

Nagle Julie unosi palec, wskazując nim sufit, jakby właśnie doznała olśnienia.

– Rozmawiałaś o tym z lekarzem? – pyta. – Wiesz, może masz depresję poporodową.

Pociera palcem podbródek.

– Sądzę, że mogą ci coś na to przepisać, nawet jeśli karmisz.

– Błagam – odpowiadam, czując grudkę w gardle. O, już. Są łzy. Podchodzę do szafki, żeby wziąć chusteczkę, i zaczynam przecierać oczy. – Na całej planecie nie mają tyle xanaksu.

Prawdę mówiąc, możliwość depresji poporodowej przemknęła mi przez myśl już wcześniej. To znaczy, ja mam depresję – to akurat nie ulega kwestii. Około dwudziestu godzin na dobę płaczę. A ta kulka w moim gardle, która pojawia się, ilekroć otwieram usta, stała się tak znajoma, że nawet nadałam jej imię; właściwie jemu. To Luthor. A co czuję? Pamiętacie ten film z Molly Ringwald? Ten, w którym gra szesnastolatkę, zachodzi w ciążę, wychodzi za swojego chłopaka – zdaje się, że ten film nosił tytuł *Na zawsze*. W każdym razie, jest tam scena po urodzeniu dziecka. Molly leży w łóżku, z głową pod kołdrą, światło neonu z baru naprzeciwko oświetla nędzną kawalerkę, a ona nie chce ani trzymać dziecka, ani go nakarmić, ani nawet na nie spojrzeć.

Pamiętacie to? Tak? Super, bo właśnie tak się czuję. Dokładnie. Tyle, że nic z tego nie rozumiem. Przecież ja nie mam szesnastu lat, nie mieszkam w byle jakiej dziurze, a dziecko to nie wypadek, który pokrzyżował mi plany studiów i wyjazdu do Paryża, i w ogóle całą moją przyszłość. Nic z tych rzeczy. Ja – a jakże! – mam prawie trzydzieści jeden lat, mieszkam niedaleko Beverly Hills, w domu z czterema sypialniami, właśnie rozpoczęłam sześciomiesięczny, płatny urlop macierzyński, a dziecko było tak dobrze zaplanowane, że mogę podać z dokładnością co do minuty, kiedy zostało poczęte. W związku z tym czasem zastanawiam się, że może rzeczywiście jakieś zwoje w moim mózgu zawiodły. Problem w tym, że za bardzo się boję, by zapytać. Nie dlatego, że obawiam się depresji poporodowej. Wręcz przeciwnie. Jeśli przyczyna jest czysto medyczna, będę skakać z radości. Tak naprawdę jestem śmiertelnie przerażona, że jeśli zadzwonię i opowiem lekarzowi, co jest grane, dowiem się, że to nie depresja poporodowa. Powie mi, że to ja, i że osoby takie jak ja nie są stworzone do macierzyństwa.

– Więc naprawdę – mówię do Julie łamiącym się głosem – w ogóle nie płakałaś? I ani przez moment nie czułaś do Lily nienawiści?

Julie wydaje stłumiony okrzyk.

– Nie – odpowiada kategorycznie. – Nigdy. Nie płakałam ani razu i pokochałam Lily w chwili, kiedy się urodziła. (Dla porządku dodam, że trudno mi w to uwierzyć. Ten pierwszy moment, kiedy dziecko się rodzi, nie jest w ogóle taki, jak to opowiadają. Wyobrażałam sobie płaczliwą, romantyczną i pełną dramatyzmu scenę, bardzo filmową, tak jak zresztą każda kobieta. No wiecie, fantazjowałam, jak to pielęgniarka mi podaje córkę, ja biorę ją w ramiona, przytulam, nasze oczy spotykają się, płaczę, później mówię coś sentymentalnego, coś, czego w innych okolicznościach nigdy bym nie powiedziała, na przykład, że to najpiękniejsza chwila w moim życiu. Myślałam, że pobędę z nią kilka minut, rozmyślając o przyszłości, o wspólnych sobotnich popołudniach spędzonych na kanapie, z telenowelą i beztłuszczowym jogurtem prosto z kubka. W tle, podczas tego pierwszego spotkania, słyszałam The Beatles, jak śpiewają *In My Life*, a potem, gdyby trwało to wystarczająco długo, Stevie Wonder wystąpiłby z *Isn't She Lovely*).

W rzeczywistości pielęgniarka podała mi dziecko, ale ponieważ ciagle działało znieczulenie zewnątrzoponowe i nie czułam ramion, Parker leżała na moich piersiach, podczas gdy ja próbowałam podnieść głowę na tyle wysoko, by móc dojrzeć jej oczy, co okazało się bezcelowe, gdyż i tak pozlepiane były czymś przypominającym wazelinę. Tylko więc na nią patrzyłam, o ile można to tak nazwać, po czym oznajmiłam, że wygląda jak mój dziadek, do którego nie bardzo pasował przymiotnik „atrakcyjny". Pierwsza myśl, jaka przyszła mi do głowy, brzmiała: „Jak długo muszę czekać, żeby jej wszczepić implant podbródka?". Potem, kiedy przyjrzałam się dokładniej, zauważyłam, że z wierzchołków uszu wyrastają jej czarne włosy, na dolnej wardze ma obrzydliwy biały pęcherz, a całe jej ciało jest koloru winogronowego loda. Podsumowując: była straszna i mogłam myśleć tylko o tym, żeby oddać ją pielęgniarce i iść do swojego pokoju odpocząć, bo w końcu wstałam tego dnia o bladym świcie, żeby zdążyć do szpitala na piątą, mimo że zabieg wyznaczono na siódmą. Co do tła muzycznego, słyszałam, jak położnik zakłada szwy na moim brzuchu, a pielęgniarki liczą zakrwawione waciki, upewniając się, że nie zostawili mi czegoś na pamiątkę.

Robię do Julie minę, dając jej do zrozumienia, że jest beznadziejna, a ona kręci głową.

– Naprawdę, Lar, przyrzekam ci, że nie. Nic... takiego się nie zdarzyło.

Macha ręką w kierunku zlewozmywaka. O, to naprawdę podłe z jej strony. A przy okazji – właśnie mi się przypomniało, że pewna osoba imieniem Julie wynajęła pielęgniarkę do dziecka, obecną dwadzieścia cztery godziny na dobę przez pierwsze sześć tygodni życia swojej córki, i to nam wyjaśnia, dlaczego Julie nie miała okazji nienawidzić Lily. Nie musiała się nią opiekować.

Idę do szafki po następną chusteczkę. Dmucham w nią i spoglądam na Julie, która patrzy na mnie. Z litością.

– Co? – pytam, przyjmując postawę obronną. Chodzi po kuchni z Parker, która ostatecznie ściszyła ton do lekkiego kwilenia, uzupełnianego pojedynczymi okrzykami wydawanymi co kilka sekund.

– Nic – mówi, wzruszając ramionami. – Po prostu... zresztą nie wiem. Mam wrażenie, że skupiasz się tylko na negatywach, a w ogóle nie zauważasz dobrych stron. Przecież dziecko to cud. Ty i Andrew stworzyliście nowe życie.

Spogląda na Parker i uśmiecha się błogo, jakby była Maryją Dziewicą na obrazie Botticellego.

– Zdajesz sobie sprawę, że stworzyliście ją z niczego? Rozumiesz, jakie to zdumiewające? Naprawdę, Laro, powinnaś się bardziej postarać i cieszyć się tym, co masz.

No dobra. Po pierwsze, nie stworzyliśmy jej z niczego, tylko z jajeczka i spermy. Przecież to nie bocian, przelatując akurat w pobliżu, podrzucił ją na progu. A po drugie, jakim prawem mnie osądza? Boże.

Posyłam jej spojrzenie „mam dość ciebie i twojej idiotycznej gadki o cudach stworzonych z niczego". Prycham.

– Hm – odbijam piłeczkę – przepraszam, że nie potrafię sprostać twoim oczekiwaniom.

– Och, daj spokój – ignoruje mój sarkazm. – Kiedy rano zapytałam cię, jak się czujesz, powiedziałaś, że jesteś „cholernie nieszczęśliwa". Przyznasz chyba, że to nie jest normalne.

No tak. Chyba tak się właśnie wyraziłam. Ale przecież jestem tylko szczera. Znów zaczynam się mazać.

– Bo jestem nieszczęśliwa – szlocham. – Nie wychodzę z domu od tygodni, z trudem udaje mi się przespać w ciągu nocy dwie godziny, nie umiem uregulować karmienia, piersi dają mi się nieźle we znaki, z Andrew ciągle się kłócimy, od porodu nie oglądam telewizji, nie czytam gazet, nie włączyłam komputera i w ogóle nie miałam do czynienia z ludźmi. Więc co mam zrobić? Kłamać i powiedzieć ci, że to najwspanialszy okres mojego życia? Niestety, tak nie jest.

Płacz w pełnym rozkwicie: smarki, banieczki pod nosem i tak dalej.

– Wiesz – mówię, wskazując na nią palcem – może to ty nie jesteś normalna. Bo nie potrafię sobie wyobrazić, jak ktoś normalny może cieszyć się czymś takim.

Julie kręci głową, nie przywiązując wagi do moich zastrzeżeń co do jej kondycji psychicznej.

– Dobrze, już dobrze – uspokaja mnie. – Ale dlaczego w takim razie nie wynajmiesz niani? Wszyscy w Los Angeles to robią. No, może oprócz mnie. Nie mogłabym zostawić Lily z obcą osobą. Ale ja jestem w zupełnie innej sytuacji. Mam mamę, która mi pomaga. Tak czy inaczej, to nic wielkiego. Nie musisz robić z siebie męczennicy.

– Nie r-r-obię z siebie męczennicy – próbuję mówić przez łzy. – Uwierz mi, chciałabym mieć tu pomoc. Próbowaliśmy wynająć kogoś przed urodzeniem Parker, ale Andrew tak skąpił. Nie chciał agencji, żeby nie płacić prowizji, godził się tylko na nielegalne imigrantki, które nie mówiły po angielsku, bo twierdził, że tak wyjdzie taniej. Wszystko skończyło się wielką kłótnią, postanowiliśmy więc poczekać, aż będzie dziecko – biorę głęboki oddech i pociągam nosem. – A teraz z trudem udaje mi się rano ubrać, nie mówiąc o rozmowach z ludźmi czy podejmowaniu decyzji.

Julie zupełnie przestała mnie słuchać i zawzięcie szuka czegoś w torebce.

– Daj mi sekundę – woła, podnosząc palec. Wyciąga portfel, a potem z jednej z kieszonek wyjmuje około pięćdziesięciu wizytówek i zaczyna je przeglądać, jedna po drugiej.

– Mam – oznajmia gromkim głosem, natrafiając na to, czego szukała. – Proszę bardzo.

Wręcza mi kartonik, a ja biorę go od niej i czytam:

Agencja Szczęśliwe Nianie Sp. z o.o.
Bo tylko szczęśliwe nianie mogą uszczęśliwić mamy.
(310) 555-6438

Znów pociągam nosem, a potem dmucham w chusteczkę.

– Co to? – pytam.

– Dziewczyna, która chodzi na moje zajęcia „Mama i ja", dała mi to, gdybym kiedyś kogoś potrzebowała. Mówi, że mają najlepsze nianie w LA. Nie musisz nic robić. Powiesz im tylko, jakie są twoje wymagania, a oni następnego dnia przysyłają kogoś fantastycznego. Żadnych rozmów, żadnych problemów.

Gapię się na nią.

– Dużo biorą?

Julie wzrusza ramionami.

– Pewnie tak – mówi. – Ale to przecież twoje dziecko. Nie chcesz jej zostawiać z byle kim. Jestem przekonana, że mają świetny personel.

Ma rację. Oczywiście, że tak. Nie mam pojęcia, dlaczego w ogóle słucham Andrew i jego idiotycznych teorii. To także moje pieniądze, i jeśli mam ochotę wydać astronomiczne kwoty na prowizję dla agencji oraz na nianię, która płaci podatki, to, do cholery, zrobię to. Obracam wizytówkę w palcach, biorąc głęboki, niespokojny oddech.

– OK – decyduję w końcu, kiwając głową. – Dzięki. Porozmawiam z Andrew.

Julie zbiera swoje rzeczy i ściska mnie na do widzenia.

– Będzie lepiej – zapewnia, obejmując mnie. Potem odsuwa się, pozostawiając dłonie na moich barkach, i patrzy mi w oczy. Bardzo poważnie.

– Postaraj się tylko myśleć o niej pozytywnie – radzi z całą powagą. – To działa.

Gryzę wewnętrzną stronę policzka, żeby nie roześmiać się jej w twarz. Po chwili odprowadzam ją do drzwi.

– Cześć, Jul – żegnam się. – Dzięki za lunch.

– Nie ma sprawy – odpowiada. Odwraca się i rusza, ale w momencie, gdy już zamykam drzwi, słyszę, że mnie woła, ponownie je więc otwieram.

– Nie zapomnij powiedzieć im, że potrzebujesz kogoś, kto zajmie się naczyniami – poleca. – Bo twój zlewozmywak straszy.

2

URZĄDZENIE NALEŻY WŁĄCZYĆ DOPIERO WTEDY, KIEDY MISECZKI SSĄCE ZOSTANĄ NAŁOŻONE NA BRODAWKI SUTKOWE W SPOSÓB OPISANY W INSTRUKCJI. WCZEŚNIEJSZE WŁĄCZENIE URZĄDZENIA MOŻE GROZIĆ POWAŻNYMI USZKODZENIAMI CIAŁA.

O Boże. Nie mogę uwierzyć, że do tego doszło. Nie mogę uwierzyć, że za chwilę zacznę używać elektrycznego odciągacza pokarmu. Luthor siedzi mi w gardle i tylko czeka na właściwy moment, by pokonać barierę moich migdałków.

O nie! Nie pogorszę całej sytuacji i nie rozpłaczę się. Nie.

Ale jeszcze zanim ta myśl wybrzmiała mi w głowie, spostrzegam w lustrze swoje odbicie i wszystko przepada. Zaczynam się mazgaić jak, nie przymierzając, zdobywczyni trzeciego miejsca w konkursie piękności Miss Zachodniego Teksasu. Nie powinnyście mnie jednak za to winić. Gdybyście zobaczyły kiedyś siebie, jak siedzicie na podłodze, nago, nie licząc biustonosza do odciągania mleka bez pomocy rąk i pary bawełnianych, jaskrawozielonych pełnych majtek (rozmiar L), uwierzcie mi, też byście ryczały jak bobry. Już sam biustonosz może doprowadzić do rozpaczy. Wygląda jak strój niezbyt zamożnego sadomasochisty. Wyobraźcie sobie biustonosz bez ramiączek, zapinany z przodu na zamek, z dwiema okrągłymi dziurami wyciętymi na brodawki sutkowe, żeby sobie spokojnie wystawały. Do tego pięć kilogramów tłuszczu zwisającego ponad biustonoszem ze wszystkich stron.

Uspokajam się, co zajmuje mi kilka minut. Wzdycham.

„Nie myśl o wyglądzie – tłumaczę sobie. – Popatrz na to z innej perspektywy. Pomyśl, że dziś w nocy się wyśpisz, podczas gdy Andrew będzie wstawał, by nakarmić dziecko. Pomyśl o zemście".

Zbieram w sobie całą złość i żal do męża, kumulujące się od kilku tygodni – do męża, który wychodzi do pracy na cały boży dzień, przesiaduje tam sobie w ciszy i spokoju; do męża, który przesypia osiem godzin każdej jednej nocy; do męża, który poważnie zapytał mnie dzisiaj rano, czy mam coś przeciwko temu, żeby w sobotę umówił się na golfa – a Luthor od razu wślizguje się głębiej do gardła, jak żółw wycofujący się do swojej skorupy. Robię wydech i bez dalszych ceregieli przechodzę do nakładania miseczek ssących na otwory biustonosza. Naciskam włącznik. Pik, pik, pik, pik. Powietrze zaczyna krążyć w wężykach i widzę, że moje brodawki się wydłużają.

Nie jest tak źle. Przynajmniej włączyłam. Ostatnio, kiedy próbowałam odciągnąć pokarm, jakieś trzy tygodnie temu, nie udało mi się nawet przejść etapu biustonosza. Kiedy go założyłam, tak się rozbeczałam, że pękło mi naczynko w oku. I ogromna czerwona plama na twardówce umiliła mi następne dziesięć dni, jak cholera.

Po dziesięciu sekundach czuję dziwne pieczenie wypływającego mleka, a potem, nagle, całe strumienie zaczynają tryskać do butelki. Fuj! Biorę głęboki wdech, próbując powstrzymać kolejny atak łez, i pojawia mi się przed oczami mój własny wizerunek, w ulubionym stroju. Doskonałe czarne spodnie, proste, bez kieszeni, dopasowane, od Theory, obcisły, szary kaszmirowy sweterek z poszerzanymi dołem rękawami oraz szpilki z otwartą piętą od Zanottiego, na każdej jeden biały kwiat. Gdyby personel w Barneys mógł mnie teraz zobaczyć. Przeobrażenie światowej damy w krowę, i to zaledwie w ciągu dwóch miesięcy. Ale natychmiast wyobrażam sobie Andrew, o trzeciej nad ranem, przemierzającego pokój Parker, podczas gdy ja śpię – słodkim, rozkosznym snem – i uśmiecham się. Co mi tam Barneys! Czuję, że warto.

Kiedy Andrew wraca, nie odzywam się słowem. Bidulek nawet nic nie zrobił, ale tak się nakręciłam przy odciąganiu, że teraz jestem wściekła i mam ochotę napaść na niego tylko dlatego, że żyje. Przysięgam, czasami tak mi go żal. Tego dnia, gdy się ze mną ożenił, na pewno nie miał pojęcia, w co się pakuje.

– No cóż, i ty witaj – zwraca się do mnie, odkładając na miejsce swoją aktówkę. Oddycham głęboko, żeby się uspokoić, i podaję mu Parker, która oczywiście wrzeszczy. Kiedy układa ją wygodnie na ręku, znów rzucam mu wściekłe spojrzenie.

– Skończyłam – ogłaszam wszem wobec. Andrew patrzy na mnie, nie rozumiejąc.

– Z czym? – chce wiedzieć.

– Ze wszystkim – wyjaśniam. – Z byciem jedyną osobą w tym domu, która zajmuje się dzieckiem. Z pozwalaniem ci absolutnie nic nie robić, podczas gdy ja usycham w tych ścianach, odchodząc od zmysłów.

– To nieprawda, że nic nie robię – krzyczy Andrew. – Codziennie po powrocie noszę ją przez prawie godzinę. Cały czas zmieniam pieluchy. A ilekroć uda mi się przyjść wcześniej, zawsze ją kąpię.

– Super – odkrzykuję mu. – Ale to ja wstaję przez całą noc, a ty nigdy. Jestem zmęczona, mam dość. Rozumiesz?! Nie mogę tak dalej, po prostu nie mogę.

O, jest i Luthor. Daję sobie jeszcze trzy słowa, góra pięć słów, potem koniec. Andrew wyrzuca ręce w powietrze.

– Nie mogę karmić piersią, Laro. To nie moja wina. A skoro już o tym mowa, to powinnaś dziękować Bogu, że wyszłaś za mnie, do cholery, bo robię znacznie więcej niż większość mężów, jeśli chcesz wiedzieć.

Mrużę oczy i z całej siły próbuję wykrzesać z nich jakieś płomienie.

– Co to niby miało znaczyć? – Są i łzy. Tak, jak powiedziałam, pięć słów. – Pozwól, że ci przypomnę: jesteś tak samo odpowiedzialny za istnienie tego dziecka jak ja. Pięćdziesiąt procent! A nawet więcej, jeśli wziąć pod uwagę to, że ty mnie do tego namówiłeś. Więcej niż większość mężów? Powinieneś robić połowę, co najmniej połowę.

– Muszę pracować, zapomniałaś? – wydziera się na mnie. – Jeśli nie pójdę do pracy, nie będziemy mieli pieniędzy, a potrzebujemy pieniędzy. Rozmawialiśmy już o tym setki razy.

Przewracam oczami, zmęczona wysłuchiwaniem opowieści, jak to potrzebujemy pieniędzy. Hej, przecież nigdy nie twierdziłam, że myślę racjonalnie! Spróbujcie nie spać przez pięć tygodni, to pogadamy. Przez chwilę oddycham do chusteczki, próbując dojść do siebie, i przez ułamek sekundy oczekuję, że Andrew podejdzie i obejmie mnie. Ale nie robi tego, a ja nagle przypominam sobie, że to dlatego, że Wszystko Się Zmieniło.

Bo to jest tak: w moim poprzednim życiu, kiedy tylko dałam do zrozumienia, że mogę się rozpłakać, Andrew był jak wosk w moich dłoniach. Wystarczyło kilka łez i mogłam z nim zrobić wszystko. Wszystko. Na przykład kilka miesięcy po ślubie rozryczałam się, bo znalazłam ładniejszy serwis niż ten, który zamówiliśmy, i mimo że nigdy w życiu nie ugotowałam i na pewno nie ugotuję niczego, co wymagałoby eleganckiej porcelany, moja rozpacz tak go poruszyła, że poszedł i kupił cały zestaw. Na dwanaście osób. Kosztowało go to zapewne niemałą fortunkę. Od ślubu minęły cztery lata, a ja, to jasne, ani razu tego nie wyciągnęłam. Możliwe, że kartony do dziś leżą gdzieś w garażu. No właśnie, oto stopień frajerstwa, jakiego dopuszczał się Andrew. Zdenerwował się, bo ja się mazgaiłam o jakąś idiotyczną porcelanę. Nawet ja sama kazałabym sobie zamknąć się w tej sytuacji.

Ale od kiedy pojawiło się dziecko, moje łzy nie robią na nim najmniejszego wrażenia. Wygląda na to, że się na nie uodpornił, jak niektórzy studenci na piwo. Przysięgam, gdybym wypłakała cały ocean, Andrew po prostu zbudowałby tratwę i wiosłował co rano do pracy.

Cóż, skoro łzy nie działają, muszę odwołać się do Logiki Lary, która, dobrze to wiemy, w najmniejszym stopniu nie jest logiczna. Ale może nie zauważy.

– OK – mówię. – W takim razie, co powiesz na zamianę: ja pójdę do pracy, a ty zostaniesz w domu z Parker. Ha! Co ty na to?

Andrew prycha. W trakcie całej tej rozmowy trzyma Parker na ręku, przemierzając kuchnię ciężkimi krokami, zginając każde kolano, a potem podskakując lekko, przed wyprostowaniem go. Wygląda śmiesznie, jak jeden z tych zombi w *Thrillerze* Michaela Jacksona. Ale jest skuteczne, bo Parker przestała wrzeszczeć. Teraz kwili sobie. Dźwięk przypomina mi Zoey, kiedy śnią się jej koszmary. Zaczyna wtedy szybko przebierać łapkami, jakby uciekała przed wielkim odkurzaczem, czy przed czym tam psy mogą uciekać w swoich koszmarach.

– OK, Laro – Andrew przybiera ton sarkastyczny. – Wracaj do pracy. A następnym razem, gdy postanowisz kupić sobie buty za pięćset dolarów, zapłacisz za nie ze swojej pensji.

Wyciągam z pudełka następną chusteczką i wydmuchuję nos.

– Wiesz, Andrew, nie sądzę, żebym w najbliższej przyszłości potrzebowała butów, biorąc pod uwagę, jak bez przerwy każesz mi ganiać mnie dookoła boso i w ciąży.

Zaciska powieki i zgrzyta zębami, jakby nie chciał powiedzieć czegoś, czego potem będzie żałował.

– A skoro już o tym rozmawiamy – ogłaszam – dziś w nocy to ty wstajesz do Parker.

Podchodzę do lodówki, otwieram ją, wyciągam butelkę, w której znajduje się sto pięćdziesiąt mililitrów mojego własnego mleka, odciągniętego po południu, i pokazuję mu ją.

– To dla ciebie – wyjaśniam. – Kiedy obudzi się dziś o drugiej, ty możesz ją nakarmić.

Po czym bez słowa zamykam lodówkę i biegnę do sypialni, zatrzaskując za sobą drzwi. Z płaczem rzucam się na łóżko. Ale tym razem szlocham, bo czuję się okropnie, że tak na niego napadłam, i ponieważ nie cierpię tej osoby, którą się stałam – osoby, która wrzeszczy na swojego męża bez żadnej konkretnej przyczyny. Czuję się fatalnie również dlatego, że chociaż wiem, jak okropnie się zachowuję, nie potrafię zdobyć się na przeproszenie go.

Wtedy słyszę głos Andrew, dobiegający jakby znikąd.

– Jesteś podła – mówi. Rozglądam się, ale nie ma go w sypialni. Jakby mówił do mnie Bóg albo Orson z *Mork & Mindy*. – Naprawdę podła.

Próbuję zorientować się, skąd dobiega jego głos, i już wiem. To elektroniczna niania. Andrew jest w pokoju Parker i mówi do mikrofonu. Siadam i spoglądam na ekranik monitora ustawionego na nocnym stoliku. Andrew patrzy do kamery, a ja gapię się wprost na jego nozdrza. Muszę pamiętać, żeby kupić mu coś do przycinania włosów w nosie na tegoroczną Chanukę.

Uśmiecham się przez łzy nad absurdalnością całej sytuacji i obserwuję go dalej.

– Ale przymykam na to oko, bo jesteś zmęczona, i wiem, że hormony też robią swoje, że to nie twoja wina. Klient mówił mi, że zaczynał się już obawiać, bo może jego żona choruje na zespół Tourette'a, bo po porodzie nic, tylko obrzucała go wyzwiskami. Można więc chyba uznać, że ja mam sporo szczęścia.

Śmieję się. Nie potrafię się powstrzymać.

– W każdym razie, nie mam nic przeciwko nakarmieniu jej dziś w nocy. Uwierz mi, nikomu na świecie bardziej niż mnie nie zależy na tym, żebyś mogła się normalnie wyspać.

Odchodzi od kamery i zapada cisza.

Tak, tak, wiem. Dzięki ci, Boże, za Andrew. Inny facet już dawno by mnie zabił.

O dziesiątej wieczorem karmię Parker. Udaje mi się położyć ją około jedenastej czterdzieści pięć, czym ustanawiam nowy rekord. Klnę się na Boga – gdybyście widziały, przez co przechodzę co wieczór, próbując ją położyć, umarłybyście. Nikt mnie nie ostrzegł, że nie można tak po prostu położyć dziecka do łóżeczka i zostawić go tam. To męka. Zaczyna się jej „zasypianiem" na moich kolanach, kiedy kołyszę się w bujanym fotelu, ale, jak wskazuje użyty cudzysłów, nie następuje żadne zasypianie. Dziecko pozostaje w stanie czuwania, choć wygląda, jakby spało. Stan ten może zaburzyć najlżejszy szmer, wręcz niezauważalny ruch, jak również każda, najmniejsza nawet zmiana ciśnienia. Dlatego, trzymając ją dokładnie w takiej pozycji, w jakiej „zasypiała", bardzo powoli i niezwykle delikatnie wstaję z fotela, jednocześnie naśladując ciałem bujanie fotela, tak żeby się nie zorientowała.

Kontynuuję przez kilka minut, kołysząc się w przód i w tył, i kiedy jestem przekonana, że dziecko rzeczywiście zasnęło, powoli podchodzę do łóżeczka. Wciąż nie zmieniając jej pozycji, pochylam się tak bardzo, jak potrafię, i kładę ją na materacu. Potem, żeby się nie zorientowała, że nie jest już u mnie na rękach i nie śpi na mojej piersi, pozostaję pochylona nad nią, leciuteńko się o nią opierając. W którymś momencie delikatnie wyciągam spod niej jedną dłoń, po czym liczę do dwudziestu. Najwolniej jak potrafię.

Po upewnieniu się, że to jej nie obudziło, baaaardzo, baaardzo powoli wysuwam drugą rękę (ciągle pozostając pochylona tuż nad nią) i jeszcze raz liczę do dwudziestu. Następnie zaczynam się prostować, kręg po kręgu, pozostawiając na niej przedramię, by nie zauważyła zmiany stopnia nacisku ani temperatury. Kiedy jestem już wyprostowana, zastygam. Jeśli się poruszy, natychmiast wracam do poprzedniej pozycji i zaczynamy od nowa. Jeśli nie, padam na podłogę i wychodzę z pokoju na czworakach. W ten sposób unikam sytuacji, w której ona otwiera oczy i widzi mnie wymykającą się na palcach.

Udaje mi się w około dwudziestu procentach wypadków. W pozostałych zaczyna krzyczeć, gdy tylko wyjdę z pokoju, i czeka mnie wtedy średnio około sześciu powtórzeń, zanim rzeczywiście stamtąd wyjdę. Dziś jednak udało się za drugim razem i już mi cieknie ślinka na myśl o Andrew i jego zmaganiach bladym świtem, podczas gdy ja będę się w końcu wysypiać, nieczuła na jego cierpienia. W głowie rodzi się głęboki, nikczemny śmiech czarnego charakteru: ha ha ha ha ha ha ha, cały świat będzie mój, tylko mój, a potem zamykam oczy, naciągam kołdrę, układając się wygodnie, w końcu, do zasłużonego snu.

* * *

Punktualnie o drugiej daje się słyszeć głos potępieńca, a ja z radością kopię Andrew w nogę.

– Wstawaj – wołam do niego, może z odrobinę zbyt dużą dawką sadyzmu w głosie. – Twoja kolej.

Mruczy coś do mnie i wstaje, a ja kładę się na powrót, uśmiechając się w ciemnościach. Idzie do pokoju Parker, bierze ją na ręce, i słyszę, jak rozbija się po kuchni, gdy ona wrzeszczy.

„Idiota – myślę. – Powinien najpierw podgrzać mleko. A zresztą, nie mój problem". Układam głowę na poduszce. „No, Laro, idziemy spać".

Ale nie potrafię. Wrzask dochodzący z kuchni jest zbyt głośny, a teraz jeszcze Andrew zaczął jej śpiewać, co mnie denerwuje, bo nie umiem rozpoznać piosenki.

– Bomp bomp bomp bomp bomp bomp ba-ba-ba-bomp bomp bomp bomp bomp ba-ba-ba-bomp.

„Co to jest, do cholery? Brzmi jakoś znajomo". Przysłuchuję się, próbując dopasować linię melodyczną do właściwej muzyki. Zaraz, mam. *Safety Dance*. Śpiewa *Safety Dance* pięciotygodniowemu dziecku. No dobra. W porządku. Wiem już, co śpiewa, mogę więc iść spać. Zamykam powieki i staram się go nie słuchać.

– S-S-S-S-A-A-A-A-F-F-F-F-T-T-T-T-Y-Y-Y-Y... safety... dance. Bomp bomp bomp bomp bomp bomp ba-ba-ba-bomp, bo...

Boże. Walę pięścią w materac, próbując się opanować, ale nie umiem. Z całych sił wrzeszczę:

– E! Safety wymawia się przez „e"!

– Dzięki – odkrzykuje mi sarkastycznie. – Sądzisz, że się uspokoi, jeśli poprawnie to wymówię?

Olać go. Znów zamykam oczy, zaczynając liczyć od tysiąca w dół. Dziewięćset dziewięćdziesiąt dziewięć. Dziewięćset dziewięćdziesiąt osiem. Dochodzę do siedmiuset pięćdziesięciu sześciu, kiedy uzmysławiam sobie, że wcale nie zasypiam. Cholera jasna.

Dwadzieścia jeden minut później wraca Andrew.

To ma być jakiś żart?

Kiedy kładzie głowę na poduszce, ja siadam. Wszystko się we mnie gotuje.

– Co ty właściwie robisz?

– Wracam do łóżka. A co ty robisz?

Nie mam zamiaru mu opowiadać, co robiłam. Leżałam w łóżku, całkiem rześka, z oczami przyklejonymi do monitora, czekając niespokojnie, aż on zacznie cierpieć. I jeszcze, w myślach, układałam dokładne brzmienie mówki, coś w stylu: „mówiłam ci, że jest bezwzględnym terrorystą, więc teraz widzisz, dlaczego jestem taka nieszczęśliwa", którą zamierzałam go poczęstować, gdy tylko wróci i, sfrustrowany, zacznie walić pięścią w ścianę.

Ale cierpienie nie nastąpiło. Ani też pięść na ścianie, ani nawet frustracja. Poszło tak gładko, jak tylko można to sobie wyobrazić. Dał jej butelkę, zanucił *Rock-a-Bye Baby*, później zaś włożył Parker do łóżeczka. A ona nawet nie mrugnęła.

– Nic nie rozumiem – drę się na niego. – Jak to zrobiłeś?

– Ale co? – pyta zaspany Andrew.

– To – wrzeszczę na całe gardło. – Jak położyłeś ją do łóżeczka, że ona się nie obudziła? Jak. To. Zro. Bi. Łeś?

Wpadam w szał, widzę na czerwono. O Boże, jest więc tak źle? Nie myślałam, że może do tego dojść. Nie panuję nad sobą. Jakby z oddali dochodzi do mnie podniesiony głos Andrew.

– Laro! Uspokój się. Uspokój się!

Jestem zaskoczona, słysząc ten krzyk. Nigdy nie zwracał się do mnie takim tonem. Zaczynam płakać.

– Dlaczego na mnie krzyczysz? – kwilę.

Patrzy, jakby nie rozumiał, co się dzieje, i zniża głos.

– Kochanie – mówi Andrew – musisz wziąć się w garść. Poważnie. Nie wiem, ile jeszcze potrafię znieść.

– Ile ty potrafisz znieść? – wydzieram się piskliwie. – Myślisz, że mnie się to podoba? Że wręcz uwielbiam popłakiwać co pięć sekund? Że to dla mnie zabawne nienawidzić własnego dziecka? Że nic nie sprawia mi większej przyjemności niż całkowity brak równowagi? Tak myślisz?

Niewiele brakuje, a wpadnę w histerię, i obawiam się, że próbując mnie z tego wyrwać, da mi w twarz. Przyrzekam, że mu oddam. Ale on się nie rusza. Patrzy tak, jakby zobaczył mnie po raz pierwszy w życiu.

– Laro – mówi przez zaciśnięte zęby – czego ty właściwie ode mnie chcesz?

O mamo, od czego mam zacząć? Zaraz…

„Chcę, żebyś poleciał z powrotem dookoła świata i odwrócił czas do momentu sprzed ciąży, tak jak Superman w pierwszej części, kiedy Lois zginęła podczas trzęsienia ziemi".

Nie. Za dużo science fiction. Może więc tak:

„Chciałabym, żebyś postarał się o gruczoły mlekowe, zaczął produkować estrogen i żebyś karmił piersią i płakał co dwie minuty".

No tak, racja. To zwykła mściwość. OK, mam.

„Chcę, żebyś przyznał, że zajmowanie się dzieckiem to coś okropnego i że jeśli ty masz mieć żonę, która zostaje w domu, żeby to robić, to mnie też się taka należy".

Dokładnie.

– Chcę zatrudnić nianię, która z nami zamieszka – odpowiadam. – Od zaraz.

W geście frustracji podnosi ręce.

– W porządku – mówi poirytowany. – Zatrudnij nianię. Chciałem przecież wynająć kogoś jeszcze przed porodem, pamiętasz?

A jakże, pamiętam. Kobietę, której znajomość angielskiego ograniczała się do słowa „stół". O, przepraszam, jeszcze „babcia". Nie powinniśmy zapominać, że umiała powiedzieć po angielsku „babcia".

Sięgam do nocnego stolika i z górnej szuflady wyciągam wizytówkę, którą dostałam od Julie.

– Z tej agencji – dodaję, wymachując mu nią przed oczami.

Andrew siada i włącza swoją lampkę nocną, po czym studiuje kartonik, a ja tymczasem przygotowuję się do rundy drugiej. Ale, ku mojemu zaskoczeniu, Andrew tylko wzdycha.

– Wiesz co, Laro? – pyta, oddając mi wizytówkę. – Jeśli potrafią z ciebie zrobić szczęśliwą mamę, to niech im Bóg błogosławi...

I z tymi słowy gasi światło, przewraca się na bok i zasypia.

3

Dwa dni później, punktualnie o dziewiątej rano, rozlega się dzwonek u drzwi.

„Ho, ho" – myślę sobie. Zbiegam ze schodów z Parker na rękach, która obija się o mój bark, jak zwykle wrzeszcząc, podczas gdy ja staram się nie nadepnąć na własny szlafrok, co mogłoby się skończyć dość nieciekawie. W głowie układam piosenkę.

Jest moja niania, powraca radość, powraca życie, stracone życie, powraca znów. La, la la la la. La la la la la. La la la la.

Mimo ekscytacji czuję jednak dość spore motyle trzepoczące niespokojnie w moim żołądku, ponieważ poza ekipą sprzątającą, która pojawia się dwa razy w miesiącu, nigdy nie zatrudniałam nikogo w domu. A co dopiero mieszkać z kimś takim pod jednym dachem. Nie mam zielonego pojęcia, jak to się robi. Czy powinnam jadać z nią posiłki? Do której będzie zajmować się dzieckiem? Czy zamierza przesiadywać z nami przed telewizorem? Nie jestem aż taka towarzyska. Nie mam zamiaru zabawiać kogoś pogaduszkami we własnym domu.

Poza tym denerwuję się również dlatego, że po prostu nie wiem, czego się spodziewać. To znaczy, nigdy przecież nie rozmawiałam z tą kobietą. Zadzwoniłam tylko do agencji i powiedziałam, że chcę kogoś doświadczonego w pracy z niemowlętami, kto zgodzi się na pranie i lekkie sprzątanie, kto zna dobrze angielski i może zacząć od zaraz. Dwie godziny później dzwoni telefon i po chwili dowiaduję się, że znaleźli kogoś w sam raz. W ciągu ostatnich dwudziestu lat pracowała dla trzech rodzin, zaczynając zaraz po urodzeniu dziecka, sprząta, a angielski jest jej językiem ojczystym. „Super" – pomyślałam. Ale kiedy poprosiłam o bardziej szczegółowe informacje, żeby mieć lepsze pojęcie, kogo przyjmuję pod swój dach, kobieta poinformowała mnie, że ona nie zna niań, jest tylko recepcjonistką, a facet, z którym chciałabym porozmawiać, ma umówione spotkanie z dentystą – leczenie kanałowe, nie będzie go więc cały dzień. Tym samym ostatnie dwadzieścia cztery godziny spędziłam, próbując wyobrazić sobie moją wybawczynię, ale przychodziła mi do głowy jedynie Mary Poppins.

Ojej, a co innego miałabym pomyśleć? Czyż nie każdy myśli właśnie o niej, słysząc słowo „niania"? To tak, jak wyobrażać sobie *talk-show* i nie pomyśleć o Oprah Winfrey. Niemożliwe. Skojarzenie jest mimowolne. Ale nawet gdyby nie odcisnęła tak silnego piętna na kulturze amerykańskiej, mój mózg i tak poszedłby w tym właśnie kierunku, ponieważ czuję się związana z Mary Poppins w sposób szczególny. Powinniście wiedzieć, że jako dziecko miałam obsesję na punkcie tego filmu. Obejrzałam go chyba pięćset razy i do dziś znam na pamięć każdą kwestię wypowiedzianą przez aktorów. Nie mam pojęcia, o co chodziło; to znaczy – w tamtym okresie uważałam, że rodzice są fantastyczni. A jednak z jakichś powodów chciałam mieć brytyjską nianię, która pokierowałaby moim życiem, wprowadziła na właściwą ścieżkę i pomogła rozwiązać wszystkie moje problemy jedną zgrabną piosenką, może nawet w stylu Pollyanny.

Zabawne, ale to pozostało ze mną do teraz. Nie obsesja na punkcie filmu – nie widziałam go od lat – ale to, co ten film reprezentuje, przynajmniej dla mnie. A konkretnie, zauważyłam, że czasami, kiedy jestem szczególnie spięta, miewam sny o kominiarzach i tańczących pingwinach. Jakby moja podświadomość mówiła mi, że powinnam przestawić się na tryb Mary Poppins i zacząć panować nad rozwojem wydarzeń. Chyba nie muszę wspominać, że ostatnio sny były nad wyraz barwne.

Teraz jednak, kiedy rzeczywiście zjawia się prawdziwa, żywa niania... Nie mogę się powstrzymać. Jakbym znów miała dziesięć lat. Marzę o kimś, kto przyfrunie tu gdzieś z góry, przejmie stery i wszystko naprawi. Nie uwierzycie, ale kiedy kobieta z agencji zapytała mnie o oczekiwania, musiałam zebrać całą siłę woli, żeby nie powiedzieć, że chcę kogoś, kto potrafi latać i wskakiwać na obrazki rysowane kredą. Zresztą wiem, że to śmieszne, ale jest taka malutka cząstka mnie, która żywi nadzieję, że kiedy otworzę drzwi, zobaczę Julię Roberts z dywanikową torbą w dłoni.

Podchodząc do drzwi, przybieram swój najcieplejszy uśmiech, poprawiam fryzurę i otwieram je. Na progu mojego domu stoi ogromna, czarna kobieta, trzymając w dłoni jedną z tych sztywnych, skórzanych walizek w kolorze awokado z lat siedemdziesiątych. Ma przynajmniej metr osiemdziesiąt wzrostu, jakieś sto, może sto pięć kilogramów, a jej włosy, obcięte na linii podbródka, sprawiają wrażenie dopiero co zdjętych z lokówek. Ma na sobie dżinsy, czerwony T-shirt oraz buty sportowe firmy Reebok.

Dobrze, nie jest to więc Julia Roberts, a i torba nie do końca dywanikowa. Nie szkodzi. Nikt przecież nie powiedział, że Mary Poppins nie może być czarna. Może to jej zmodyfikowana wersja z dwudziestego pierwszego wieku.

– Jestem Deloris – przedstawia się niania, posyłając mi uśmiech oraz próbując przebić się głosem przez wrzask Parker. Słyszę silny jamajski akcent. – W „Szczęśliwych Nianiach" mówią, że potrzebuje pani pomocy.

No tak. To z całą pewnością niedopowiedzenie roku.

Deloris stawia torbę na ziemi i wyciąga ręce, biorąc ode mnie Parker, która natychmiast milknie i zamyka oczy.

– Właśnie tak, cukiereczku – mówi pieszczotliwie Deloris. – Nie trzeba płakać, Deloris jest już z tobą.

Mija mnie, wchodząc do domu, podczas gdy ja zostaję w drzwiach. Łapię jej walizkę i biegnę za nimi, w przelocie dostrzegając swoje odbicie w lustrze: szlafrok, okulary, brak makijażu.

„Boże – myślę – wyglądam okropnie".

– Lara – teraz ja się przedstawiam, wołając za nią. – A to Parker. Ma prawie sześć tygodni i częste kolki. Uspokaja się jedynie, gdy ją nosisz. W innym wypadku płacze cały dzień.

Spieszę do pokoju i widzę, że Deloris usadowiła się już na kanapie. Parker przypatruje się jej, nie wydając najmniejszego dźwięku. Kręcę głową.

– Nie wiem, jak to zrobiłaś. Mnie nigdy nie pozwala usiąść.

Deloris mierzy mnie wzrokiem od stóp do głów, po czym uśmiecha się.

– Dzieci są mądre, pani Laro. Parker potrafi rozpoznać, kiedy jest pani zdenerwowana, a z tego, co widzę, powiedziałabym, że jest pani zdenerwowana przez większość czasu.

Czując skrępowanie, sięgam dłonią do włosów i przygładzam je.

– Hm, dzisiejszy dzień wydaje się szczególnie nieudany.

Deloris unosi brew, jakby chciała powiedzieć, że wie, że nie chodzi tylko o dziś. Wzdycham.

– Tak, pewnie masz rację.

– Mam propozycję – odpowiada Deloris. – Proszę iść zrobić, cokolwiek ma pani do zrobienia, a Deloris zajmie się panną Parker – spogląda na dziecko. – Pobawimy się, prawda, słoneczko?

– Naprawdę? – pytam. – Jesteś pewna? Bo ona wciąż jest głodna, a ja karmię piersią. Nie mogę zostawić jej na długo...

– Kiedy ostatnio jadła? – wtrąca Deloris.

– Jakąś godzinę temu. Jadła dziesięć minut z jednej piersi, a przy drugiej zasnęła po czterech minutach i trzydziestu sekundach, pewnie więc niedługo...

Deloris mi przerywa.

– Proszę iść. Nie będzie jadła przez następne dwie godziny. Obiecuję.

Unoszę brwi. Kobieta najwyraźniej nie ma pojęcia, o czym mówi. Parker nigdy jeszcze nie zrobiła sobie między posiłkami przerwy dłuższej niż czterdzieści minut. Od samego urodzenia. Ale co tam. Niech się sama przekona.

– Dobrze – mówię sceptycznie. – Będę w sypialni, gdybyście mnie potrzebowały. A przy okazji, twój pokój jest na końcu korytarza. Jeszcze nie jest do końca przygotowany, ale zaraz w ten weekend się tym zajmę. Na razie zaniosę tam walizkę.

– Dobrze – odpowiada, trącając twarzyczkę Parker swoim nosem i uśmiechając się do niej. Ruszam do góry, ale znów się zatrzymuję i wracam.

– Pieluchy są w pokoju Parker – informuję, wskazując na piętro, w kierunku pokoju dziecka. – Nie używamy nasączanych chusteczek, mój lekarz mówi, żeby przez pierwsze trzy miesiące przecierać ją wilgotną gazą, używam też filtrowanej wody, bo ta z kranu zostawia dziwny osad, który nie bardzo mi się podoba... i...

– Pani Laro, proszę się nie gniewać, ale chyba potrzebuje pani odpoczynku. Poradzimy sobie.

Podnoszę ręce, dając do zrozumienia, że nie będę ich więcej niepokoić.

– OK. Utnę więc chyba sobie drzemkę.

Stawiam walizkę na podłodze w jej pokoju. Kładę się na swoim łóżku i włączam telewizor, ale nie mogę się skupić. „Potrzebuje pani odpoczynku". Mary Poppins nigdy w życiu nie powiedziałby czegoś podobnego. Jakie to protekcjonalne. To nie ona zajmuje się wiecznie głodnym niemowlakiem, który w dodatku wydziera się cały dzień. To nie ona bez przerwy użera się z mężem i nie ona nie uprawiała seksu od czterech miesięcy. I to nie ona spędziła ostatnie pięć i pół tygodnia swojego życia w szlafroku, ani razu przez ten czas nie goląc nóg. Odpoczynek – dzięki za radę. Chciałabym widzieć, jak ona odpoczywa w spokoju na moim miejscu. Robię głęboki wdech i wydech.

„Dobra – myślę sobie. – Zostaw ją. Masz wolne, dlatego ciesz się chwilą". Zamykam oczy i zaczynam liczyć od tysiąca w dół...

Podrywam się ze snu półtorej godziny później i nie wiem, co jest grane.

„Chwileczkę – myślę. – Co się stało? Gdzie Parker?"

I zaraz wszystko sobie przypominam. Agencja. Deloris. Zielona walizka. Jamajski akcent. Wyciągam ręce nad głową, rozciągając się, i wstaję. Boże, cudownie się spało. Ciekawe, jak sobie radzi Deloris. I czy Parker umiera z głodu. Wkładam spodnie od dresu i bluzkę – żadnych szlafroków! – i wychodzę z pokoju. Idąc korytarzem, odnoszę wrażenie, że coś jest nie tak. Jakoś tak dziwnie... cicho. Właśnie, to jest to. W domu jest cicho. A potem nagle uświadamiam sobie, że to przecież Parker nie płacze.

„O nie – myślę. – Deloris ją zabiła. Nie mogła znieść krzyku i zadusiła ją poduszką".

Biegnę do salonu, ale tam ich nie ma.

„Boże, nie. Błagam, nie, Boże".

I wtedy do moich uszu dobiega dźwięk. Z pokoju Parker. Śpiew? Wpadam tam i co widzę – oto Deloris siedzi na podłodze przed Parker, która leży sobie spokojnie na biało-czarno-czerwonej macie. Z rogów maty wychodzą dwa pałąki, które krzyżują się w powietrzu nad dzieckiem. Drążki obszyte są materiałem i zwisają z nich różne zabawki, między innymi coś, co chyba miało być ośmiornicą, ale bardziej przypomina czerwoną paprykę z oczami i nogami. Całość nazywa się chyba gym-coś-tam. Gymini, o właśnie. Ha! W ogóle zapomniałam, że to mamy. Leżało w szafie od tego dnia, kiedy w dziewiątym miesiącu ciąży Julie zawlokła mnie do sklepu, żeby kupić jakieś rzeczy dla dziecka. Deloris znalazła zresztą dużo więcej. Wyciągnęła płytę z muzyką klasyczną, którą dostałam od kogoś w prezencie, ale wciąż zapominałam rozpakować. Podobno utwory, które tam nagrano, stymulują pracę mózgu niemowlęcia, i chyba coś w tym jest, bo Parker kopie nóżkami i macha rączkami, i nawet jakby gaworzy, dokładnie jak dzieci w reklamach pieluszek.

„Co jest, do cholery?"

Mrużę oczy i patrzę na Deloris, a potem na Parker.

– Cześć – zaczynam od drzwi. Zaskoczenie w moim głosie jest prawie nie do wykrycia. – Wygląda na to, że dobrze się bawicie.

Deloris podnosi głowę.

– To taka słodka dziewczynka – komentuje. Pochyla się nad dzieckiem i delikatnie szczypie jej nóżkę. – Prawda, że jesteś słodka, mała dziewczynko?

Teraz to ja unoszę brew.

– Nie jestem pewna, czy nazwałabym ją słodką. Jedyne, co robi, to je i płacze.

Deloris patrzy mi prosto w oczy.

– Nie z Deloris – stwierdza. – Nie zapłakała ani razu.

Jest coś takiego w jej głosie – osąd? chorobliwa przyjemność? – że to nie tyle spostrzeżenie, ile pewna sugestia. Stoję i przyglądam się Parker, która jeszcze nigdy w swoim krótkim życiu nie wydała mi się taka zadowolona, i nie wiem, czy powinnam uściskać Deloris, czy może ją wylać.

– Hm – mówię, nie decydując się na żadną z tych rzeczy. – Pewnie jest już głodna.

– Tak, prawdopodobnie już czas – zgadza się Deloris.

Podnoszę więc Parker z podłogi, a dziecko natychmiast zaczyna wyć. Patrzę na Deloris. Chyba spodziewam się, że będzie się śmiała z tego, jak bardzo nie cierpi mnie moje własne dziecko, ale ona, nawet jeśli uważa, że to zabawne, nie daje tego po sobie poznać. Odczuwam wszechogarniającą potrzebę udawania, że jestem bardzo kochającą mamusią i że Parker i ja bardzo dobrze się rozumiemy oraz łączy nas ta szczególna więź, mój głos przechodzi więc trzy oktawy wyżej.

– Szszsz, szszsz – mówię. – Już dobrze, słoneczko. Mama jest z tobą. Po prostu czas na lunch.

Siadam w bujanym fotelu i układam Parker do karmienia, ale Deloris wciąż siedzi na podłodze, gapiąc się na nas. O nie, na pewno nie zamierzam karmić w jej obecności. Niedoczekanie. W kwestii karmienia jestem nieugięta. Żadnych świadków. To coś, czego inni absolutnie nie powinni oglądać. A obwiązywanie dziecka chustą niewiele zmienia, zrozumiano?

– Ee... nie czuję się swobodnie, karmiąc w obecności innych – wyjaśniam. – To nic osobistego, ale po prostu tak to odczuwam.

Deloris wstaje.

– Nie ma sprawy – mówi. – Ale naprawdę nie wiem, jak pani sobie poradzi, jeśli tak będzie dalej. Nie będzie mogła pani wyjść z domu na dłużej niż dwie godziny.

Sama też już do tego doszłam. Decyduję się zdradzić jej sekretny plan.

– Wiem o tym. Planuję skończyć karmienie. Po prostu nie bardzo się do tego nadaję.

Oczy Deloris rozszerzają się.

– Skończyć po sześciu tygodniach? – cmoka na mnie. – To duży błąd. Mleko matki jest pokarmem Boga. A to w proszku zakwasza dzieci od środka. Mają brzydki oddech, a kupka zaczyna śmierdzieć. To nie jest naturalne. Powinna pani wytrzymać przynajmniej trzy miesiące.

Wykrzywiam twarz. Pewnie, teraz więc będzie mnie jeszcze osądzała i za to. Może się ustawić w kolejce, bo Andrew jakby zmonopolizował rynek mleka. Przysięgam, facet jest najnormalniej nazistą, jeśli chodzi o karmienie piersią. Słuchając go, można by pomyśleć, że był wśród członków założycieli La Leche League.

Sami widzicie, wszystko zaczęło się od mojego głupiego pediatry. (Przy okazji, gdyby to był serial telewizyjny, w tej części obraz na chwilę zostałby rozmyty, a po kilku sekundach aktorzy pojawiliby się w perukach z lat osiemdziesiątych – dziewczyny wystrojone w turkusowe skarpety podciągnięte na legginsy, z kolei chłopcy w koszulkach Van Halen lub też żywcem wyjętych z *Miami Vice*, tak żeby widzowie zorientowali się, że to wspomnienie.) Tego dnia, kiedy Parker przyszła na świat, leżałam jeszcze na stole operacyjnym, gdzie zszywali mój brzuch, gdy pielęgniarka, która przygotowywała łóżeczko dla noworodka, krzyknęła do mnie przez cała salę.

– Hej, mamusiu – zawołała (i minęło dobrych kilka sekund, zanim zorientowałam się, że mówi do mnie) – karmisz piersią czy butelką?

Wszystkie oczy zwróciły się na mnie (i były to dosłownie, co przyprawiło mnie o gęsią skórkę, właśnie oczy, gdyż wszyscy mieli na twarzach maski chirurgiczne), z uwagą czekając na odpowiedź.

– Ee... ee... – jąkałam się, próbując zyskać w ten sposób na czasie i podjąć decyzję. Teraz już wiem, że większość ludzi podejmuje taką decyzję wcześniej. Chodzą na zajęcia o karmieniu piersią i (lub) czytają na ten temat i mają wyrobione zdanie w tej kwestii (przez „większość ludzi" rozumiem tutaj ten typ, który zwykło się nazywać „yuppie" w czasach, gdy jeszcze puszczali w telewizji *thirty something*). Nie widomo dlaczego zachowałam się bardzo nietypowo dla osoby mojego pokroju, jakby wyjętej z *thirty something*, która wszystko musi mieć zbadane, przemyślane i pod kontrolą, a mianowicie nie poszłam na zajęcia, nie czytałam i w efekcie nie miałam pojęcia, co odpowiedzieć. Przypuszczam, że w tej sprawie zdałam się na los (mimo że nigdy wcześniej tego nie praktykowałam), zakładając, że będę wiedzieć, kiedy dziecko się już urodzi. Bo wcześniej na samą myśl o karmieniu piersią odrzucało mnie. Chciałam jednak wykazać się otwartym umysłem, na wypadek gdyby moja osobowość uległa po porodzie dramatycznej zmianie i gdybym niespodziewanie stała się opiekuńczą, kochającą dzieci osobą o silnym instynkcie macierzyńskim, którą to osobą nie byłam w ciąży (i chyba nadal nie jestem).

Ale nie sądziłam, że będę musiała podjąć decyzję natychmiast, dlatego pytanie zupełnie mnie zaskoczyło. A jednak, zanim miałam szansę zastanowić się nad całą sprawą, głos dobiegający z drugiej części sali – tej części, w której pół tuzina ludzi ważyło, mierzyło i pobierało odciski palców mojego dziecka, a także, o ile mi wiadomo, przesłuchiwało je na okoliczność zbrodni wojennych – wyręczył mnie w odpowiedzi.

– Piersią – powiedział głos. Głos z bardzo wyraźnym nowojorskim akcentem i pochodzący chyba od najniższej z osób w tamtej części pomieszczenia.

„Zaraz, chwileczkę. Kto to powiedział?"

Ale po chwili, mimo odurzenia lekami, uświadomiłam sobie, że to doktor Newman, wysoki inaczej człowiek z Brooklynu, którego wybrałam jako swojego pediatrę z jednego i wyłącznie tego jednego powodu: gdyby zdarzył się nagły wypadek, chciałam lekarza, który potrafi podjąć szybką decyzję i nie boi się dyrygować ludźmi, i uznałam, że nowojorczyk z kompleksem Napoleona wspaniale załatwi sprawę.

Wtedy zdałam sobie sprawę, że rzeczywiście powinnam bardziej uważać na życzenia, które wypowiadam.

Zobaczyłam uniesione brwi pielęgniarki, która spojrzała na mnie, chcąc się upewnić, że kontroluję sytuację. Ale wtedy znowu, zanim zdążyłam cokolwiek wykrztusić, doktor Neman skinął do niej.

– Tak będzie lepiej dla dziecka – oznajmił wszem wobec, a potem zwrócił się do Andrew po wsparcie. – O wiele lepiej – zapewnił go, kiwając uroczyście głową.

I tak właśnie rozpoczęła się moja przygoda w świecie piersi wielofunkcyjnych.

Powinnam była wiedzieć, że nic z tego wyjdzie już przy pierwszym spotkaniu ze szpitalną konsultantką w dziedzinie laktacji. Pojawiła się w moim pokoju trzy godziny po porodzie, akurat na czas, żeby pomóc mi w pierwszej sesji. W jednej klapie miała wpiętą białą oznakę, na której odbijały się czerwone drukowane litery: „Wybieram pierś", w drugiej zaś szpitalny identyfikator imitujący brąz. Wystarczyło mi jedno spojrzenie i już wiedziałam, że jestem w tarapatach. Zauważyłam, że na imię ma Marge i jak przystało na kogoś o tym właśnie imieniu, była dużą, szorstką i bardzo poważnie traktującą życie dziewczynką, którą, to nie ulega dla mnie wątpliwości, w szkole średniej prześladowały osoby mojego pokroju. Teraz oddawała się zemście na każdej pacjentce po cesarskim cięciu.

Po pierwsze, zażądała, bym usiadła, co było śmieszne, biorąc pod uwagę to, że leżałam zupełnie płasko, na plecach, a niecałe trzy godziny temu rozpruto mięśnie mojego brzucha. Ale Marge nie uznawała kompromisów. Próbowałam jej wytłumaczyć, że właściwie każdy ruch sprawia mi teraz ból, a co dopiero podnoszenie całego tułowia, ale ona swoim wzrokiem po prostu ciskała we mnie pioruny, jakby mówiła: „Trzeba było pomyśleć o tym, zanim poprosiłaś o cesarkę, głupia ciućmo".

Nie miałam wyboru. W odpowiedzi rzuciłam jej tak samo wściekłe spojrzenie i podniosłam się z zaciętą miną. Nawet nie mrugnęłam. (Jeśli nie robi to na was wrażenia, to powinno – kochani, ostatecznie przeszłam poważną operację brzucha.) Po tym wyczynie Marge przeszła do sedna. Odsunęła moją szpitalną koszulę i zaczęła uciskać mi piersi, mocno, podobno po to, „żeby przekonać się, czy coś poleci". I właśnie wtedy, kiedy zaczynałam już myśleć, że Marge jest szczególnie okrutna wobec mnie, oraz rozważać złożenie pozwu grupowego w imieniu wszystkich matek, które na własną prośbę poddały się zabiegowi cesarskiego cięcia, rzeczywiście coś wypłynęło. Marge nazwała to siarą i najwidoczniej było to bardzo pozytywne zjawisko, bo na jej twarzy pojawił się najprawdziwszy uśmiech. Ja natomiast byłam przerażona, i to z różnych powodów. Po pierwsze, z mojej piersi wypływała nieciekawa żółta substancja, a po drugie, nieatrakcyjna kobieta, której bardzo przydałaby się depilacja wąsika, obmacywała moją lewą pierś.

Tak czy inaczej, gdy tylko ujrzała „płynne złoto" (jej terminologia, nie moja, początkowo myślałam, że mówi o jakimś środku nawilżającym do celów seksualnych, zastanawiając się, czy ona może ma na mnie chrapkę), Wielka Marge złapała Parker wpół i dosłownie wepchnęła ją pod moje prawe ramię. Potem jedną dłonią chwyciła tył głowy Parker, a drugą zaczęła maltretować moją drugą pierś, i zanim zdążyłam się zorientować, Parker i ja zostałyśmy połączone.

I wtedy właśnie krzyknęłam.

Przysięgam na Boga – czułam się, jakby jakiś krab wziął moją pierś w swoje szczypce albo jakby trzynastoletni chłopaczek zaczął wykręcać moje brodawki. To znaczy – bolało. Marge zapewniła mnie jednak, że wszystko jest tak, jak należy.

Powiedziała, cytuję: „Może potrwać kilka dni, zanim się pani – a raczej pani brodawki – przyzwyczai". Koniec cytatu.

I przyzwyczaiły się. Pękały, krwawiły, pokrywały się strupami, przeżyły nawet atak pryszczy – dajcie spokój, ostatni raz miałam pryszcze podczas ferii zimowych w dziesiątej klasie, kiedy zwąchałam się z tym Kanadyjczykiem poznanym na plaży w Boca Raton – aż stwardniały tak, że mogłabym je włożyć do maszynki do mięsa, a one wyszłyby nienaruszone.

A ilekroć jęknęłam, zakwiliłam, poskarżyłam się, wydałam z siebie jęk, kiedy koszula podrażniła moje otarte, poranione piersi, chociażby najlżej, Andrew był przy mnie, biegając o każdej porze dnia i nocy po ochraniacze na piersi i krem z lanoliną, szepcząc mi do ucha słowa otuchy:

„Lepiej dla dziecka. Lepiej dla dziecka. Lepiej dla dziecka".

Później zaś, kiedy zdałam sobie sprawę, że karmienie piersią to nie żart, i oznacza, że jestem na każde skinienie, czy raczej zawołanie Parker, dzień i noc, że to ja muszę wstawać do niej o drugiej, czwartej i szóstej nad ranem, co dnia, że nie mogę wyjść z domu, chyba że chcę pokazywać obcym ludziom moje ogromne, nabrzmiałe piersi, Andrew znów był przy mnie, ale tym razem słowa otuchy zamieniły się w pomruki poczucia winy:

„Lepiej dla dziecka. Lepiej dla dziecka. Lepiej dla dziecka".

Pierwszą próbę zakończenia całego procesu podjęłam podczas wizyty kontrolnej po dwóch tygodniach życia Parker. Oznajmiłam, przez łzy, że chcę przejść na mleko w proszku, ale Andrew i doktor Newman pokręcili tylko głowami. Kiedy jednak nie dałam za wygraną, doktor Newman błyskawicznie wyciągnął z jednej ze swoich teczek ulotkę propagandową i wręczył mi ją nad biurkiem.

Mleko matki: Doskonałe pożywienie Natury.
Statystyki wskazują, że dzieci karmione piersią:

§ *Mają wyższy współczynnik IQ*
§ *Rzadziej chorują*
§ *Rzadziej cierpią na alergie*
§ *Mają prostsze zęby*
§ *Rzadziej grozi im nadwaga w wieku dojrzałym*
§ *Częściej otrzymują nagrody Pulitzera*

Dobra, tego ostatniego nie było w wykazie, ale przecież nic nie stoi na przeszkodzie, żeby to tam wpisać.

– Idealnie byłoby – oznajmił doktor Newman – gdyby karmiła pani tylko piersią przez co najmniej trzy miesiące.

I w tym momencie zaczęłam ryczeć na dobre.

Trzy miesiące?! Trzy miesiące?! Nie mogłam w to uwierzyć. W końcu trzy miesiące to bardzo długo. To na przykład cały jeden kwartał roku podatkowego. Albo trymestr w college'u. Nawet niektórzy skazańcy dostają krótsze wyroki.

W każdym razie, kiedy już do mnie dotarło, że doktor Newman ma dość blade pojęcie o moich matczynych ambicjach, postanowiłam przekonać Andrew, który ma przecież pełniejszy obraz skaz na moim charakterze. Jak dotąd jednak efekty nie są imponujące. Ilekroć obwieszczam, że nie cierpię karmienia piersią i że jestem już gotowa z tym skończyć, czyli codziennie, robi nadąsaną minę i kręci głową.

– Przecież chcemy dla naszego dziecka tego, co najlepsze – odpowiada. – A może nie? Naprawdę nie chcesz zapewnić własnemu dziecku wszystkiego, co dla niego najlepsze?

Po czym, nie chcąc przyznawać głośno, że mam to gdzieś, czy weźmie je i wyrzuci na śmietnik, ustępuję. Niemniej jednak w żałosnej próbie udowodnienia, że wcale nie potrzebuję jego pozwolenia (chociaż potrzebuję go, z tej prostej przyczyny, żeby za piętnaście lat nie wypominał mi tego, jeśli okaże się, że Parker ma krzywy zgryz, jest gruba albo nie opanuje dzielenia liczb wielocyfrowych), informuję go, że mam zamiar kontynuować jeszcze tylko przez tydzień, a potem koniec. KO-NIEC. Koniec.

Ale ponieważ mówię to już regularnie od czterech tygodni, a teraz siedzę znów w fotelu i mam zamiar nakarmić Parker po raz piąty dzisiejszego dnia, nie wydaje mi się, żebym bardzo zbliżyła się do celu, czyli do złamania Andrew.

– Cóż – mówię do Deloris, patrząc jej w oczy. – Nie podjęłam jeszcze ostatecznej decyzji. Zobaczymy.

Deloris robi minę i kiwa głową, a potem znika w przedpokoju.

– Będę w swoim pokoju, rozpakuję rzeczy – woła do mnie.

– W porządku – odkrzykuję, udając wesołość. – Dzięki!

Kiedy w końcu znika, oddycham z ulgą. Parker wydaje gniewne pomruki, gorączkowo usiłując dostać się do mleka przez bluzkę.

– Już, już – mówię do niej, odsuwając materiał i odpinając właściwą miseczkę biustonosza. Kiedy zaczyna ssać, patrzę na nią.

– I jak to z tobą jest, co? – zwracam się do niej z pytaniem. – Czyżbyś bardziej ode mnie lubiła tę dużą jamajską panią?

Wzdycham i próbuję dojść do ładu z własnymi emocjami. Zastanówmy się... Bez przerwy narzekam, jaka to nieszczęśliwa jestem przez Parker, a jednocześnie jest mi przykro, że woli Deloris. Chcę, żeby Deloris radziła sobie z Parker, ale nie chcę, żeby Parker ją lubiła. Chcę, żeby Deloris była jak Mary

Poppins i przejęła kontrolę, ale nie chcę, żeby mi mówiła, co mam robić. Kręcę głową i sama do siebie przewracam oczami.
Kiedy to wszystko się tak skomplikowało?

No więc, na wypadek gdybyście się też nad tym zastanawiały, Deloris kończy pracę o siódmej. Punkt. Jeśli mam być szczera, nigdy czegoś takiego nie widziałam. O szóstej pięćdziesiąt dziewięć siedziała z Parker w bujanym fotelu w pokoju dziecinnym, śpiewając jej *The Itsy Bitsy Spider*. Natomiast punkt siódma, gdy właśnie sadowię się na kanapie, żeby zobaczyć *Access Hollywood*, śpiew milknie, piosenka przerwana w samym środku (pajączka nie zdążył nawet zmoczyć deszcz, nie mówiąc już o osuszającym działaniu słońca, które przecież wychodzi dopiero potem) i nagle Deloris pojawia się w salonie, wręczając mi dziecko.

– Proszę – mówi. – Deloris kończy pracę.

Hm. Może powinnam zainstalować w kuchni zegar i wręczyć jej kartę, którą mogłaby odbijać dwa razy dziennie.

– OK – mówię, posyłając jej ogromny uśmiech, i starając się ukryć to, jak bardzo mi żal, że nie zobaczę, co nowego u Demi Moore i Ashtona. Wyciągam ręce do Parker i gdy tylko ją zabieram, zaczyna się wrzask. Deloris patrzy na mnie i kręci głową.

– Już, już, dobrze, panno Parker. Deloris musi po prostu iść teraz spać, żeby odpocząć, a ty spędzisz trochę czasu ze swoją mamusią. Zobaczymy się jutro rano, nie ma co płakać.

Tak dla porządku, okropnie irytuje mnie to, że Deloris mówi o sobie tylko w trzeciej osobie, i zaczynam czuć się obrażona jej pewnością, że Parker woli ją ode mnie, nawet jeśli tak jest rzeczywiście. Ale nic nie mówię, bo nie chcę uchodzić za babę, która wiecznie upomina nianię i czuje się zagrożona byle drobiazgiem, nawet jeśli tak jest. Uśmiecham się więc.

– Właśnie, Parker, chyba nie jestem taka zła, prawda? – pytam Parker, na co ona wrzeszczy jeszcze głośniej, dlatego zmieniam temat.

– Deloris, w zamrażarce jest pizza, jeśli masz ochotę, albo możesz zamówić coś z nami, kiedy wróci Andrew.

Deloris unosi brwi.

– Jaka pizza?

– Czy ja wiem – odpowiadam. – Zwyczajna.

Deloris kręci głową.

– Nie, nie, pytam, jakiej firmy?

Mrużę oczy. To jakiś żart?

– Nie wiem.

Przecież nie byłam w sklepie prawie dwa miesiące, nie pamiętam nawet, kiedy ją kupiłam. To mogło być i dwa lata temu. Idę do kuchni, żeby sprawdzić.

– Tombstone – przekrzykuję Parker.

Deloris krzywi się.

– Nie, dziękuję. Jadam tylko Wolfgang Puck.

Hm, no cóż, niezmiernie mi przykro.

– A co zamawiacie na kolację?

– Chińszczyznę – odpowiadam. – Mamy tu gdzieś menu.

Znów się krzywi i kręci głową.

– Nie, dziękuję. Za dużo glutaminianu sodu. Jedyne wschodnie jedzenie dla Deloris to sushi.

O rany. Moja niania – prawdziwa primadonna.

– Ale to nic – kontynuuje Deloris. – Przyniosłam sobie coś na dzisiaj. A jutro może pójdzie pani na zakupy. Zrobię listę na cały tydzień.

„Ależ oczywiście. A po drodze z przyjemnością odbiorę z pralni twoje pranie i kupię prezencik urodzinowy dla siostrzeńca, bo przecież to chyba należy do obowiązków osobistej asystentki".

Uśmiecham się do niej promiennie.

– Nie ma sprawy – odpowiadam. – Mam kilka rzeczy do załatwienia, od tego więc zacznę, zanim urwę się na dłużej.

– Dziękuję – mówi szorstko. – Dobranoc.

A potem, tak po prostu, idzie do swojego pokoju i zamyka za sobą drzwi.

* * *

Godzinę później wchodzi Andrew z naszym niespełniającym wymagań Deloris azjatyckim posiłkiem, podczas gdy Parker drze się głośniej niż zwykle. Boże. Ktoś mógłby pomyśleć, że Deloris, słysząc to, wyjdzie i pomoże, ale nic z tego. Można odnieść wrażenie, że wyjechała za granicę. Chyba nie będę musiała się martwić jej przesiadywaniem z nami przed telewizorem.

– Gdzie niania? – pyta Andrew, rozglądając się.

– Poszła spać. O siódmej.

Przekazuję mu Parker i kiedy on przemierza z nią pokój, ta dalej ryczy.

– O – w jego głosie pobrzmiewa rozczarowanie. – No i jak ci się podoba? – szepcze. – Jest sexy?

Stąd to rozczarowanie. Andrew uważa chyba, że skoro korzystamy z usług agencji i nie wynajęliśmy kogoś, kto przyjechał do tego kraju, ukrywając się w beczce pełnej mąki na tym czy innym statku, powinniśmy dostać dziewiętnastoletnią Szwedkę. I rzeczywiście, kiedy mu rano powiedziałam, że przysyłają kogoś dzisiaj, odrzekł, że za prowizję, jaką biorą, lepiej, żeby to była Szwedka i miała dziewiętnaście lat.

– Sexy? Nie. Nie sądzę, żebyś uznał ją za seksowną. Ale wydaje się w porządku. Żadna z niej Mary Poppins, ale radzi sobie z dzieckiem, to pewne. Parker uspokaja się u niej na rękach. Właściwie to jest trochę irytujące.

Andrew kręci głową i sam wydaje się poirytowany.

– Jesteś niemożliwa, wiesz o tym? – pyta.

– Niby dlaczego?

– Dlatego. Chciałaś kogoś do pomocy, kogoś, kto umie zajmować się dziećmi, a teraz, kiedy już tego kogoś masz, złościsz się, że jest za dobry.

Wypycham policzek językiem od środka, zastanawiając się, kiedy to Andrew rozwinął w sobie taką intuicję.

– Wcale nie – kłamię. – A nawet gdyby tak było, nie chodzi o to, że jest dobra. Ona po prostu ciągle daje mi to do zrozumienia. Nie było cię tutaj. Nie widziałeś, jak na mnie patrzy ani jak się do mnie odnosi. Ten ton. Ciągle insynuowała, że Parker woli być z nią niż ze mną.

Andrew milczy, gdy to mówię, i to milczenie jest bardzo wymowne.

– Wielkie dzięki, Andrew. Nawet jej nie widziałeś, ale już wiesz, że Parker woli ją. Super, naprawdę. Wspaniałe wsparcie ze strony męża.

Beczę. Nie potrafię się powstrzymać. Robiłam to cały dzień, bo nie chciałam mazgaić się przy Deloris, ale już dłużej nie mogę trzymać tego w sobie.

Andrew wzdycha.

– Posłuchaj, skarbie. Jestem przekonany, że wcale nie próbowała dawać ci niczego do zrozumienia. Ale jeśli nie podoba ci się sposób, w jaki się do ciebie zwraca, powinnaś jej o tym powiedzieć. Płacisz tej kobiecie, pamiętasz? Ona dla ciebie pracuje.

Przewracam oczami.

– Jasne, jasne – mówię sarkastycznie. – Powiem jej, że zauważyłam w jej oczach, że mnie osądza, i że nie podoba mi się, jakie wzbudza we mnie uczucia, i to, że muszę z nią konkurować, chociaż jedyne, co powiedziała, to że Parker ani razu nie zapłakała, kiedy mnie nie było.

Prycham na niego.

– Na pewno dobrze to przyjmie.

Teraz Andrew wywraca oczami.

– OK – poddaje się. – Zrobisz, co zechcesz. Ale mogłabyś wziąć pod uwagę, że Parker dobrze wie, że jesteś nieszczęśliwa, i po prostu reaguje na to. Może gdybyś ty była szczęśliwsza z nią, ona byłaby szczęśliwa z tobą.

Udaję, że powalił mnie jego geniusz.

– Kurczę, Andrew – wołam. – Że też ja nigdy o tym nie pomyślałam. Racja. Masz całkowitą rację. Powinnam być szczęśliwsza. Pomysł jest wprost genialny. Wiesz, powinieneś to opublikować. Jestem przekonana, że ludzie w depresji na całym świecie po prostu czekają na twoje odkrycie.

Andrew uśmiecha się fałszywie.

– Jesteś naprawdę zabawna, Laro. Chyba powinnaś pomyśleć o karierze estradowej. Albo nie, czekaj, mam lepszy pomysł. Może zadzwonisz do swojego lekarza i opowiesz mu o tym, zamiast czekać, aż samo przejdzie.

– Nie zmieniaj tematu – mierzę w niego palcem. – Nie chodzi teraz o moją depresję. Chodzi o to, że bierzesz stronę kobiety, której nawet nie znasz, a żonę zostawiasz na lodzie, o to chodzi.

Andrew przekłada Parker na drugie ramię i wzrusza ramionami w poczuciu porażki.

– Jak sobie życzysz. Jeśli tak właśnie chcesz, niech będzie, że o to chodzi. Idę ją wykąpać.

Odwraca się i wychodzi z kuchni, z płaczącą Parker na ramieniu. Ale w holu jeszcze się obraca.

– Ale i tak wiesz, że mam rację. Nie musisz tego przyznawać, ale wiesz, że tak jest.

Bystrzak. Pan Wiem Wszystko Najlepiej.

Wzdycham, siadając na taborecie. Muszę przyznać, że ma wyczucie czasu. Właśnie jutro mija sześć tygodni, idę więc do doktora Lowensteina. Może już czas powiedzieć mu, jak się czuję. Ale w środku, w żołądku, czuję grudkę lęku. Jak już mówiłam, wcale nie jestem pewna, że chcę usłyszeć, co ma mi do powiedzenia.

4

Całą noc nie spałam, myśląc o tym, co powiedział Andrew. Właściwie i tak bym nie spała, bo co dziesięć minut karmiłam Parker, ale w przerwach rozmyślałam nad jego słowami. Że muszę być szczęśliwsza. I uznałam, że rzeczywiście ma rację. Jasne, nigdy mu tego nie powiem, ale coś w tym jest. Postanowiłam więc, że muszę wziąć się w garść. W końcu minęło sześć tygodni, mam nianię, czas chyba skończyć opłakiwać dawne czasy i zacząć normalnie żyć. Oczywiście zapytam lekarza, co o tym myśli, bo jeżeli jest jakaś tabletka, to pierwsza ustawię się kolejce po szklankę wody, ale niezależnie od wszystkiego trzeba skończyć z tym mazaniem się. Wrócić do świata i do życia. No i najwyższy czas na manicure. Zdecydowanie.

Jakie to ożywcze i energetyzujące, takie podjęcie decyzji. Znów czuję się sobą – jakbym powymiatała pajęczyny i przejęła kontrolę nad sytuacją. A czy nie o to właśnie chodzi, przynajmniej ze mną? O kontrolę? Oczywiście, że tak. Dlatego pierwszym krokiem w moim Wielkim Planie powrotu do normalności (nazwa robocza „Weź się w garść!") będzie zakończenie tego idiotycznego karmienia. To przecież nonsens. W rundzie pierwszej muszę zmniejszyć rozmiary biustu. Sorry, wpadłam na chwilę w nastrój Judy Blume. Tak, wiem, że już to mówiłam, ale tym razem jest inaczej. Tym razem przygotowuję amunicję.

Podnoszę słuchawkę i wybieram numer mojej przyjaciółki Stacey.

– Biuro Stacey Horowitz.

– Jest Stacey? – pytam. „Błagam, błagam, niech będzie..."
– Mogę zapytać, kto prosi?
– Lara Stone. Proszę jej powiedzieć, że to bardzo ważne.
Od kilku dobrych miesięcy, odkąd Stacey dowiedziała się, że ma szansę zostać wspólnikiem w swojej firmie, nie wolno mi do niej dzwonić. Chyba że może wystawić rachunek za poświęcony mi czas. I najwidoczniej, jeśli nie może wystawić faktury za wizytę w szpitalu czy też dziesięciominutową wizytę w domu przyjaciółki, by zobaczyć jej nowe dziecko, tego też nie zrobi. Naprawdę, minęło sześć tygodni, a ona nawet nie widziała Parker. Gdyby to był ktokolwiek inny, wyparłabym się go. Ale ze Stacey tak już po prostu jest. Poza tym wiem przecież, jak to jest w kancelarii prawniczej, i rozumiem jej obsesję, dlatego jej wybaczam. Nawet zastosowałam się do jej idiotycznej strategii „żadnych telefonów". Aż do dziś. To po prostu nie może czekać.
Słychać „klik" i Stacey podnosi słuchawkę.
– Lepiej, żeby naprawdę było ważne.
– Przepraszam cię, muszę ci zadać jedno pytanie i oczekuję natychmiastowej odpowiedzi.
– O co chodzi? – Chyba jest zła. Boże, jak ja się cieszę, że nie jestem już prawnikiem. Jest taka zestresowana tym wspólnictwem. Jak się jej nie uda, naprawdę nie wiem, co zrobi. Wiem tylko, że nie chcę być wtedy w pobliżu.
– OK. Czy byłaś karmiona piersią?
– Co takiego?
– Jako niemowlę. Czy matka karmiła cię piersią, czy dostawałaś butelkę?
Stacey wypuszcza głośno powietrze.
– I to ma być takie ważne? Laro, czy ty nie rozumiesz, przez co ja teraz przechodzę? Jeśli nie wystawię rachunku za dwa i pół tysiąca godzin do końca sierpnia, już po mnie. A na razie mam widoki na dwa tysiące sto. Muszę więc teraz znaleźć dodatkowe czterysta godzin pracy, za które ktoś

zapłaci. W ciągu najbliższych trzech miesięcy. A ty mi zadajesz idiotyczne pytania w stylu, co jadłam jako dziecko. To mi naprawdę nie pomoże.

– Właściwie – mówię oburzona – gdybyś po prostu odpowiedziała krótko „tak" lub „nie", zamiast robić mi wykład, zaoszczędziłabyś tak cenną jedną dwudziestą godziny. Rany, Stacey. No więc, tak czy nie?

Znowu wypuszcza głośno powietrze.

– Nie wiem. Czekaj. Nie sądzę. OK? To wszystko?

Uśmiecham się.

– Tak. Doskonale, dzięki.

Już chcę się pożegnać, kiedy wchodzi mi w słowo.

– Do czego ci to potrzebne?

– Nieważne. Nie chcę zabierać ci czasu. Porozmawiamy za trzy miesiące.

– Nie, powiedz.

– Dobra – mówię, tonem „pamiętaj, że to ty mnie zapytałaś". – Robię rozeznanie wśród wszystkich inteligentnych ludzi, których znam, żeby się dowiedzieć, czy byli karmieni piersią. Bo chcę z tym skończyć, ale Andrew wzbudza we mnie z tego powodu poczucie winy. Jeśli znajdę mądrych ludzi karmionych butelką, będę miała argument. OK?

Jeszcze raz wypuszcza głośno powietrze.

– Postradałaś swój cholerny rozum. Mam nadzieję, że chociaż zdajesz sobie z tego sprawę.

– Doskonale sobie zdaję, dzięki.

Mój rekonesans wypada lepiej, niż przewidywałam. Wydzwaniałam cały ranek i tylko dwie osoby przyznały, że były na piersi. Pierwsza to mąż Julie, Jon, a choć nie można mu odmówić inteligencji, nie jest typem człowieka, jaki chciałabym zobaczyć któregoś dnia w moim dziecku. Na litość boską, jego ulubiony zespół to Miami Sound Machine, chyba więc aż tak inteligentny nie jest. Druga osoba to, niestety, ja sama. Tak, tak, właśnie ja. Okazuje się, że moja matka jest jedną z tych trzech kobiet, które w latach siedemdziesiątych karmiły swoje dziecko piersią. Przez prawie osiemnaście miesięcy.

To mnie doprowadza do szału. Gdyby mnie nie karmiła, poczucie winy na pewno nie byłoby aż tak wielkie. Ale karmiła i w zasadzie mogłabym zostać wzorcem z tych cholernych ulotek La Leche League, które Andrew rozkłada po całym domu, żebym sobie poczytała. Wszystko, co opisują jako dobroczynne skutki karmienia piersią, sprawdziło się w moim wypadku. Nigdy w dzieciństwie nie miałam infekcji ucha, nigdy nie miałam prawdziwego problemu z nadwagą, studiowałam na jednym z najlepszych uniwersytetów, do cholery, nigdy nie potrzebowałam aparatu na zęby, nie mówiąc już o takim na stałe. Rozumiecie więc, dlaczego się martwię? Przecież to całkiem możliwe, że wszystko i tak by się potoczyło tym torem, gdybym nie była karmiona mlekiem matki, ale to, że nie mogę wyeliminować piersi jako głównego powodu tych wydarzeń, jest okropnie denerwujący. Chociaż dodanie Stacey do kolumny „nie" odrobinę mnie uspokaja. To jedna z inteligentniejszych osób, jakie znam, i dziewczyna, która nigdy nie miała na sobie grama tłuszczu.

Tak. Został mi jeszcze jeden telefon. Podnoszę więc słuchawkę i wystukuję numer.

– Halo?

– Cześć, mamo, tu Lara.

Nie, nie, to nie moja mama, to mama Andrew.

– Och, witaj, kochanie. Jak ma się dzisiaj moja mała wnusia?

– To terrorystka. Ale od wczoraj mamy nową nianię, myślę więc, że będzie coraz lepiej.

– Dzięki ci, Boże. Nie mogę uwierzyć, że tak długo ciągnęłaś to sama. Przyrzekam, w życiu nie słyszałam o nikim, kto nie miałby pełnoetatowej pomocy.

Wywracam do siebie oczami i zniżam głos do szeptu.

– Wiesz, Arlene, słyszałam o takim plemieniu w zachodnim Zimbabwe, które zmusza kobiety, by zupełnie same wychowywały swoje dzieci. Ale podobno mają ujemny przyrost naturalny. Przeżyć dzieciństwo to już dla nich za dużo.

– Ha, ha – mówi Arlene. – Zobaczysz, Laro. Wkrótce nie będziesz mogła uwierzyć, że kiedyś radziłaś sobie bez niej.

Och, Arlene, Arlene. Powinniście wiedzieć, że kiedy Andrew był mały, miał nie jedną, ale dwie nianie na stałe. Właściwie to była para, mąż i żona, mieszkali w osobnym skrzydle domu, a do kompletu mieli kierowcę i kucharza. Tak, dobrze słyszycie. Kierowcę. W Los Angeles, mieście obfitującym w wolne miejsca parkingowe oraz parkingowych przed każdym sklepem spożywczym. Prześmieszne, wiem.

W każdym razie, Andrew upiera się, że był karmiony piersią, ale ja jakoś tego nie widzę. Arlene nie wydaje mi się kobietą, która dałaby się uwiązać do dziecka na całe miesiące, podczas gdy do zrobienia są porządne zakupy na Rodeo Drive, postanowiłam więc sprawdzić fakty.

– Właściwie – zmieniam temat – chcę cię o coś zapytać. Andrew chyba uważa, że przez pierwszy rok życia karmiłaś go piersią. Czy to prawda?

Po drugiej stronie słuchawki daje się słyszeć śmiech, tak gromki, że niemal czuję na sobie jej ślinę.

– On to mówi poważnie? Dostawał butelkę od pierwszych chwil swojego życia. Nigdy nie karmiłam piersią, to obrzydliwe.

Dzięęęękiiiii. Tak właśnie myślałam.

OK, uśmiecham się do siebie. Pierwszy etap zakończony.

Reszta dnia zapełniona po brzegi. Wizyta u doktora Lowensteina o jedenastej trzydzieści. Potem lunch z Julie, no i zakupy dla Deloris. Ponownie. Rano, jak tylko się pozbierałam, koło siódmej wyszłam do sklepu na rogu, ale, niestety, nie mają tam tego rodzaju sera, który lubi Deloris, teraz więc czeka mnie wycieczka do Whole Foods, bo przecież nie mam nic lepszego do roboty w swój pierwszy dzień z nianią, niż jeździć do Brentwood w godzinach szczytu.

Sprawdzam godzinę: dziesiąta. Czas ruszać. Muszę ściągnąć pokarm, żeby mała nie głodowała, a później się ubrać. Zakładam więc mój ulubiony biustonosz sado-maso, siadam na podłodze naprzeciwko łóżka i podłączam się do odciągacza. Już nie płaczę, gdy to robię – ten etap mam za sobą – ale, jak rany, nie mogę się doczekać, kiedy zwrócę to ustrojstwo do szpitala i pozbędę się obrzydliwego, starego łacha. Zapewniam was, nie uronię ani jednej łzy, kiedy to się stanie. Po napełnieniu dwóch butelek zdejmuję miseczki ssące, wkładam butelki do lodówki i wracam do sypialni. Pozostaje mi jedynie znaleźć coś do ubrania.

„Boże. Co ja mam na siebie włożyć?"

À propos – po stronie plusów można zapisać, że od pierwszego heroicznego wejścia na wagę zaraz po powrocie ze szpitala, zrzuciłam już dziesięć kilogramów. Dziesięć kilogramów bez diety, gimnastyki czy snu. Jeśli zastanawiałyście się kiedykolwiek, skąd biorą te modelki do tandetnych reklam środków na odchudzanie, zamieszczanych zazwyczaj na ostatnich stronach czasopism – dziesięć kilogramów w trzy tygodnie! – to przestańcie. Muszą czatować przed szpitalem, oferując gotówkę wszystkim kobietom, które wyjeżdżają stamtąd z niemowlęciem.

Po stronie minusów należałoby zanotować, że kolejne dziesięć kilogramów wciąż jeszcze pozostało mi do zrzucenia. Dziesięć kilogramów, które umiejscowiły się Bóg jeden wie, gdzie, bo, jak dotąd, bałam się poszukać. Naprawdę – od szyi w dół jestem jak wampir. Bardzo się staram unikać luster i nie eksponować mojego ciała w świetle dziennym. Prysznic biorę z zamkniętymi oczami. Ale teraz nie mam wyboru. Wychodzę do ludzi – w środku Beverly Hills – dziś po południu i nie chcę wyglądać byle jak. A co, jeśli spotkam kogoś z pracy albo któregoś z uczniów? Albo pracownika kancelarii – mojej byłej firmy? Nie. Nie chcę, żeby ludzie plotkowali, co to się ze mną porobiło po tym dziecku. Mam wizerunek, który muszę chronić, i zrobię to bez względu na koszty. Nawet jeśli oznacza to spojrzenie na siebie w lustrze. Nago.

I tu dochodzę do drugiego etapu Wielkiego Planu: żadnych ograniczeń, żadnych ustępstw, żadnych forów, tylko uczciwa, rzetelna, profesjonalna ocena rzeczoznawcza.

Chyba nie muszę dodawać, że jestem przerażona.

Zbierając się w sobie, wchodzę do garderoby, zamykam drzwi i z zamkniętymi oczami zrzucam z siebie szlafrok. Staję przed wielkim lustrem wiszącym na ścianie. Podnoszę jedną powiekę, potem drugą.

Ho, ho, ho. Badam wzrokiem biust, brzuch, ramiona, biodra, uda, odwracam się, patrzę na swój tyłek. Szybko odwracam się z powrotem. Kilka głębokich oddechów. Dobra. Jest źle. Nie tak źle, jak to sobie wyobrażałam – a mianowicie jeden zwisający wałek skórki pomarańczowej za drugim – ale i tak źle. Kilka kroków w tył i jeszcze jeden ogląd, centymetr po centymetrze. OK. A więc mamy tu kolejno (niezbyt) szczupłe:

Biust: jak już wiecie, piersi są obscenicznie wielgachne. Mówimy tu o wielkościach satysfakcjonujących gwiazdy porno. Ale, niestety, niezbyt piękne. Mam jednak nadzieję, że skurczą się i wrócą do normy, kiedy tylko przestaną służyć za dzbanki do mleka. Co nastąpi już wkrótce.

Ramiona: choć większe niż normalnie, prawdopodobnie nie spowodują, że mijające mnie na ulicy psy pomylą je z pysznymi serdelkami, co spokojnie mogłoby się przydarzyć w czasie ciąży. Kiedy je jednak prostuję, by sprawdzić tricepsy, z przykrością stwierdzam, że łopoczą. Jak skrzydła.

Biodra: zdecydowanie się poszerzyły, ale Julie zapewniła mnie, że po kilku miesiącach wrócą do normy, nie będę się więc tym stresować.

Uda: owszem, jest jakaś dodatkowa wyściółka, ale przynajmniej nie nachodzą jedno na drugie, kiedy stoję prosto, a to już ogromny postęp. Ogromny.

Tyłek: równie ogromny. Prawdziwa stodoła. O tak. Czeka mnie sporo pracy, co do tego nie ma wątpliwości.

I wreszcie, jestem przekonana, że właśnie na niego wszystkie czekałyście. Każda kobieta chce to wiedzieć. Szanowni Państwo, gwóźdź programu tego poporodowego cyrku, najbardziej przerażający show na ziemi: upewnijcie się, że wasze dłonie są wolne, i powitajcie gorąco... mój brzuch.

Dobrze. Nie będę owijać w bawełnę. Żadnych mięśniowych drabinek, to na pewno. Ale, trzeba przyznać, nie jest też aż tak źle. Jest w pewnym sensie płaski, płaski w tym sensie, że nie blokuje widoku podłogi, na której się stoi, i nie mam rozstępów, dzięki Bogu, przynajmniej więc kolor jest normalny, a nie w fioletowe paski. Nieco sflaczały, cóż, ale najbardziej martwi mnie sama skóra – przypomina krepę i jakby zwisa. Szczególnie tuż nad blizną. Tworzy się tam taki mały woreczek, aż się prosi, żeby go naciągnąć i przyciąć. Korekcja brzucha, tak to nazywają, chyba. Hm... Może powinnam zweryfikować swoje poglądy w kwestii operacji plastycznych.

OK. Wiecie co? Zmieniam poprzednie stwierdzenie. Nie jest nawet tak źle. Cholera, w porównaniu ze mną w wersji ciężarnej, teraz mogłabym uchodzić za supermodelkę. Posunęłabym się nawet do stwierdzenia, że żyją na świecie ludzie, którzy byliby zachwyceni, mogąc mieć moje ciało. No, nie w Los Angeles, to jasne, ale na przykład w Minnesocie albo, o, w Nebrasce. Chcę przez to powiedzieć, że mogło być gorzej.

Uśmiecham się i zaczynam przymierzać ubrania.

Wkładam w nogawki moich niebieskich dżinsów Blue Cult, rozmiar dwadzieścia siedem, najpierw prawą nogę, potem lewą i zaczynam wciągać ciuch do góry. Ale wciąganie kończy się raptownie mniej więcej w okolicy kolan, i uśmiech natychmiast znika z mojej twarzy, bo uświadamiam sobie coś okropnego: cały czas porównywałam siebie teraz ze sobą w ciąży, grubą i niezdarną, bo nawet nie pamiętam już siebie innej.

„O Boże – myślę znów, w miarę jak rzeczywistość stopniowo do mnie dociera. – Kogo chcę nabrać? Oczywiście, że wyglądam świetnie w porównaniu z ciążą. Ale w ciąży byłam potworem".

Z dżinsami na kolanach robię półzwrot w tył w stylu pingwinka i jeszcze raz oceniam swój tyłek. Tak. Jestem gruba. Gruba przez wielkie „G". Powiem więcej: gruba przez wielkie „G", wielkie „R", „U", „B" oraz „A", skoro już o tym mowa.

Zaczynam szaleńcze poszukiwania czegoś, czegokolwiek, w co, być może, się zmieszczę.

Zaraz. Czy nie mam przypadkiem pary sztruksów, które zawsze były trochę zbyt luźne? No tak. Brązowe, kupiłam je w Nowym Jorku. Świetnie.

Przetrząsam kąt, w którym trzymam rzeczy nienoszone od lat. Są. Wkładam, ale nie jestem ich w stanie naciągnąć nawet na biodra.

Cholera. Mam! Te z Banana Republic, które kupiłam, jak zdawałam egzamin adwokacki i przytyłam siedem kilo?

Wykopuję je spod sterty, którą miałam zanieść do pralni dwa lata temu, i której nie ruszyłam, odkąd zaszłam w ciążę. Wkładam je. Wciągam do góry. Do samej góry.

„Tak – myślę. – Udało się". Ale kiedy chcę zapiąć zamek, nie mogę zbliżyć guzika do dziurki na odległość krótszą niż siedem centymetrów. Ćwiczę głębokie oddychanie. Może powinnam przymierzyć bluzki?

Przymierzam pięć. Żadna nie pasuje. Są zbyt ciasne i o siedem centymetrów za krótkie przez ten cholerny biust. Spoglądam na ciążowe ciuchy, schludnie ułożone w torbach na dnie szafy, w oczekiwaniu, aż któraś z przyjaciółek, kuzynka lub koleżanka z pracy ogłosi, że zaszła.

Mowy nie ma. Prędzej wyjdę nago, niż włożę to raz jeszcze. Przecież musi tu coś być. Musi.

Ostatecznie przymierzyłam każdą rzecz, którą mam w szafie. Każdą. Byłam tak zdesperowana, że włożyłam nawet parę beżowych, opalizujących, udających wężową skórę spodni z elastycznym pasem, kupionych na bal przebierańców pięć lat temu – poszliśmy jako Dennis Rodman i Carmen Elektra – i gdyby nie to, że mój tyłek wyglądał w nich jak gigantyczny boa dusiciel, który właśnie połknął dwugarbnego wielbłąda, przysięgam, że bym je włożyła.

Cóż mogę powiedzieć? Dzięki ci, Boże, za spódnice. Bo, widzicie, odkryłam właśnie, że jeśli spódnica się nie zapina, kiedy masz ją na biodrach, możesz ją zapiąć, jeżeli tylko podciągniesz ją do góry, do miejsca, gdzie twój tułów ma najmniejszy obwód (u mnie akurat to wypada pod biustem). Jeśli do tego dopasujesz bluzkę, spod której nie będzie widać, gdzie kończy się spódnica, masz gotowy strój. Dlatego właśnie, mimo że jest lato i na zewnątrz panuje dziś temperatura około trzydziestu dwóch stopni Celsjusza, mam na sobie długi brązowy golf i kremową wełnianą spódnicę, która powinna sięgać połowy łydki, ale dochodzi mniej więcej do połowy uda.

Jedyne pocieszenie, że mini znów jest w modzie.

* * *

Kiedy w końcu doszłam do siebie po przeżytym szoku, poprawiłam makijaż, który zdążył się rozpłynąć w trakcie gorączkowego przymierzania. A teraz widzę bardzo wyraźnie, że jeśli natychmiast nie wyruszę, spóźnię się do lekarza, czym prędzej więc idę na dół, do pokoju Deloris, powiedzieć jej, że wychodzę. Podchodzę do drzwi i nieruchomieję. Nie chcę jej szpiegować, ani mi to w głowie, ale drzwi są uchylone, a Deloris stoi na środku pokoju z zamkniętymi oczami, obracając się w kółko i machając trzymanym w dłoni patykiem. Drugą ręką rozsypuje wokół siebie jakiś proszek niewiadomego pochodzenia. Odchrząkam.

– Ehm, Deloris? – Chyba mnie nie słyszy, a ja trochę się boję przerywać jej te czynności. Delikatnie pukam w drzwi, i tym razem Deloris przystaje i otwiera oczy.

– Przepraszam – mówi do mnie. – Nie słyszałam. Czasami, kiedy odprawiam swoje czary, wchodzę w trans.

Czary? Jej czary? Otwiera drzwi i gestem zaprasza mnie do środka.

– O – ja na to, starając się jej nie osądzać. – Rozumiem.

Kątem oka dostrzegam, że pokój wygląda inaczej, i przyglądam mu się baczniej, kiedy Deloris odwraca się do mnie plecami. Wczoraj nie było w nim nic oprócz starej pościeli i kompletu mebli z wikliny, którymi kilka miesięcy temu uszczęśliwiła mnie mama Andrew, a dziś pokój stanowi mieszankę kapliczki wudu, przykładu wystroju wnętrza w złym guście oraz sklepu z kadzidełkami.

Na łóżku leży gruba krwistoczerwona narzuta, a na niej cała rodzinka czarnych misiów ubranych w luźne koszulki w afrykańskie wzory i takież czapeczki. Na oknie udrapowany został, również czerwony, lśniący lambrekin, wykonany chyba z perkalu, a na ścianie zawieszono grafikę przedstawiającą trzy dość makabryczne stworzenia pod czerwonym słońcem. Regał cały zastawiony. Są tu świeczki, buteleczki olejków, miniaturowa głowa aligatora, wiązka kolorowych kadzidełek, maleńki czarny kociołek, który, jak sądzę (mam nadzieję), służy jako podstawka dla kadzidełka, oraz kolekcja maleńkich ludzików ze słomy – jestem prawie pewna, że to laleczki wudu. Cóż. Gdyby ktoś miał jeszcze jakiekolwiek wątpliwości, w tym miejscu możemy oficjalnie ogłosić, że Deloris to nie Mary Poppins.

Jeszcze raz chrząkam, zastanawiając się, kogo sprowadziłam sobie do domu.

– Chciałam ci tylko powiedzieć, że wychodzę.

Rozglądam się i nagle zdaję sobie sprawę, że Deloris jest sama. To znaczy – bez Parker.

– Gdzie Parker? – pytam podejrzliwie, myśląc, czy dziecięce ucho było może jednym ze składników jej porannych czarów.

Deloris odkłada patyk – a może różdżkę? – i strzepuje pył z bluzki.

– A, ucina sobie małą drzemkę – informuje.

Patrzę na nią z niedowierzaniem.

– W łóżeczku? – pytam.

Parker nigdy nie ucina sobie drzemek w swoim łóżeczku. Setki razy próbowałam ułożyć ją tam, kiedy zasnęła mi na rękach, ale zawsze w chwili, gdy jej głowa dotknęła materaca, budziła się nieodwołalnie.

– Tak – potwierdza Deloris. – Próbowałyśmy kilka razy, ale w końcu magiczny dotyk Deloris zrobił swoje. – Mruga do mnie przy słowie „magiczny".

O nie. Rzuciła urok na moje dziecko? To dlatego Parker nigdy nie płacze? Muszę pomyśleć, czy a) w to wierzę i b) czy to dopuszczalne, niezależnie od mojej odpowiedzi na pytanie dotyczące punktu a). Uznaję, że odpowiedzi brzmią: „Nie" i „Nie, do cholery", ale jestem spóźniona, nie mogę więc teraz zaczynać dyskusji.

– Wspaniale – mówię z wielkim uśmiechem. – Powinnam wrócić w ciągu dwóch godzin. W lodówce są dwie butelki mleka, w kuchni zostawiłam numer komórki. Aha, zostawiłam też numer do lekarza, bo w gabinecie trzeba wyłączać komórkę. Na wszelki wypadek zapisałam również numer komórki męża (ma na imię Andrew; kiedy wczoraj wrócił, byłaś już w swoim pokoju) oraz numer pediatry. W razie jakiegoś wypadku, no wiesz, dzwoń na dziewięćset jedenaście.

Deloris przygląda mi się, jakbym postradała zmysły.

– Proszę się nie martwić, pani Laro. Damy sobie radę.

Biorę głęboki wdech.

– Tak, wiem. Po prostu nie zdążyłam się przyzwyczaić, że mogę tak po prostu wyjść.

„I – mam ochotę dodać – całkiem możliwe, że już nie wrócę".

Deloris kiwa głową.

– Czy ma pani coś przeciwko temu, żebyśmy wyszły na spacer po okolicy, gdy pani nie będzie?

– Nie, oczywiście, że nie mam. Idźcie, idźcie, wózek jest w garażu – odwracam się, machając jej na pożegnanie. – Na razie.

Łapię torebkę, klucze, i biegnę, a kiedy już dom znika powoli w tylnym lusterku, oddycham głęboko. Nareszcie bez dziecka. Wolna. Mimo nadwagi czuję się lekka jak piórko. Bez obciążeń. Bez krępującej kuli u nogi. Idiotka, jak mogłam nie zatrudnić kogoś wcześniej.

Spuszczam osłonę przeciwsłoneczną i uśmiecham się do siebie w lusterku. Dziś pierwszy raz od urodzenia Parker nałożyłam makijaż.

„Kochanie, nareszcie wróciłaś".

5

U lekarza zjawiam się pięć minut po czasie i od razu zostaję wprowadzona do gabinetu. Kładę się na swoim miejscu pacjentki, zamykam oczy i natychmiast zasypiam. Kiedy drzwi się otwierają, a doktor Lowenstein wpada jak burza, dosłownie spadam z łóżka, tak mnie przestraszył.

– No tak – mówi, śmiejąc się. – Chyba nie muszę pytać, czy dzidziuś przesypia już noce?

Przewracam oczami na tę sugestię i kręcę głową.

– Niezupełnie.

Wspinam się z powrotem i siadam. Doktor Lowenstein zagląda do mojej kartoteki.

– A więc, jak się sprawy mają?

– W porządku, jak sądzę – odpowiadam, chociaż mój ton wskazuje na coś innego.

Doktor Lowenstein zauważa to i rzuca mi zaniepokojone spojrzenie.

– Jest pani pewna? – dopytuje się. – Bo nie zabrzmiało to zbyt przekonująco.

Kiedy pojawia się Luthor, przypominam sobie, że dziś przecież mam wziąć się w garść. Nie poddam się w gabinecie ginekologa. Oddycham, żeby się uspokoić, i połykam łzy.

– Nie, jest OK – mówię z wahaniem. – Chodzi o to, że... Czuję się trochę... Sama nie wiem, trochę nie bardzo.

Lowenstein mruży oczy.

– Nie bardzo? To znaczy?

Wzruszam ramionami.

– Zwyczajnie, przygnębiona... wie pan.

Doktor Lowenstein przygląda mi się uważnie.

– Czy miewa pani myśli samobójcze? Albo myśli o skrzywdzeniu dziecka?

Jestem nieco zaskoczona obraną linią przesłuchania. To znaczy – przecież powiedziałam, że jestem przygnębiona, a nie nienormalna.

– Nie – mówię. – Nic z tych rzeczy.

Ale doktor Lowenstein nie daje się tak łatwo zbyć.

– Jest pani pewna? Bo takie reakcje się zdarzają, ale musi mi pani o tym powiedzieć. To ważne.

Kręcę głową.

– Nie, przysięgam. Żadnej przemocy. Tylko że ciągle płaczę. I nie czuję się zbyt szczęśliwa. To znaczy… często łapię się na myśleniu, że wolałabym nie mieć dziecka.

Na twarzy doktora Lowensteina maluje się ulga.

– O – mówi, kiwając głową. – To nie depresja poporodowa.

– A więc co? – pytam go.

Serce zaczyna mi walić. Na pewno zaraz stwierdzi, że to nic medycznego, po prostu jestem złą matką.

– Niektórzy nazywają to *baby blues* – wyjaśnia. – Głównym winowajcą są hormony. Zwykle mija po dwóch, trzech tygodniach.

Unoszę brwi.

– Dlaczego więc u mnie nie minęło po sześciu?

Wzrusza ramionami, jakby chciał powiedzieć: „Czego ty się właściwie spodziewałaś, kobieto?".

– Przyzwyczajenie się do macierzyństwa, odnalezienie się w nowej sytuacji u jednych trwa dłużej, u innych krócej. Z czasem wszystko się ułoży, może mi pani wierzyć.

A, więc jednak powiedział, że jestem do niczego, nieprawdaż? Nie mówiłam? Po co ja go w ogóle pytałam? Mrugam powiekami trzy, cztery razy, mocno, żeby powstrzymać łzy.

I nagle, bez ostrzeżenia, doktor Lowenstein podchodzi i podnosi mój sweterek. Szukając paska spódnicy, wydaje się zdezorientowany. O, nie. Boże, ale wstyd.

– Tutaj – zakłopotana, spieszę mu z pomocą, rozpinając zamek i ściągając do właściwego poziomu. – Inaczej nie pasowała.

Doktor Lowenstein kiwa głową, jakby widział to już nieraz, i odsuwa górną część stringów, które wcisnęłam jakoś na mój tłusty tyłek, zgodnie z teorią, że prędzej piekło zamarznie, niż pozwolę, by jakikolwiek mężczyzna – włącznie z lekarzami – zobaczył moje gigantyczne reformy babuni, które nosiłam od siódmego miesiąca, kiedy to wylazł mi hemoroid.

– Blizna ładnie się goi – mówi, przeciągając wzdłuż niej palcem. – Boli jeszcze?

– Nie, właściwie nie – odpowiadam zgodnie z prawdą. – Czuję ją czasami, gdy wstaję albo kaszlę, ale nie można tego nazwać bólem.

Uśmiecha się do myśli o dobrze wykonanej robocie.

– Świetnie. To dobry znak.

Podchodzi do biurka i ponownie siada, zaczynając bazgrać coś w karcie. Kiedy kończy, spogląda na mnie.

– W tej chwili żadna forma aktywności fizycznej nie jest już dla pani niebezpieczna. Bliźnie nic nie grozi.

Patrzę na niego i nagle połykane łzy ustępują miejsca radosnemu podnieceniu.

– To znaczy, że mogę wrócić do ćwiczeń?

Potakuje.

– Jak najbardziej. Przez kilka tygodni ostrożnie z brzuszkami, co do reszty, nie widzę przeciwwskazań.

– Tae-bo? Wspinaczka? Mogą być?

– Mogą – potwierdza. Ale potem rzuca mi surowe spojrzenie. – Tylko niech pani nie przesadzi. Ciąża to duży wysiłek dla organizmu. I tak nie będzie pani w stanie zrzucić wagi, dopóki nie skończy pani karmić, niech więc się pani nie katuje w siłowni. W czasie laktacji organizm pozostawia od dwóch do pięciu kilogramów tłuszczu jako zapas.

Czy ja dobrze słyszę? Karmienie też tuczy? O nie, to załatwia sprawę ostatecznie.

Doktor Lowenstein uśmiecha się do mnie i wstaje, jakby zamierzał wyjść.

– Jeszcze jedno – zatrzymuję go delikatnie.

Odwraca się więc i znów siada, patrząc wyczekująco. Przybieram poważny wyraz twarzy.

– A gdybym chciała przejść na butelkę? Co powinnam zrobić?

Marszczy brwi.

– Chce pani przejść na butelkę po sześciu tygodniach? – pyta. – Wie pani, że najlepiej jest karmić co najmniej trzy miesiące?

Znowu te trzy miesiące. Czy nikt na tym świecie nie rozumie, jak długo trwają trzy miesiące?

– Tak, słyszałam coś o tym. Ale, załóżmy, na razie teoretycznie, że chciałabym przestać karmić. Jak to się robi?

Wzdycha.

– Są dwa wyjścia. Może pani poczekać, aż laktacja ustanie. Jeśli nie będzie pani karmić, organizm w końcu zrozumie pani intencje. Ale to może potrwać kilka tygodni i okazać się bolesne, ze względu na przepełnione piersi. Druga opcja to tabletki. Mogę je pani przepisać teraz, a kiedy się pani zdecyduje, proszę zażywać dwa razy dziennie przez osiem dni. W ciągu dziesięciu dni sprawa powinna być załatwiona.

Bingo.

– Wezmę chyba tabletki, dzięki.

– Bardzo proszę – mówi, wyciągając bloczek recept. – A co z antykoncepcją? Jeśli nie zamierza pani karmić, możemy wrócić do tabletek.

Antykoncepcja? Chyba żartuje. Z Andrew nie udaje nam się obecnie nawet kulturalnie porozmawiać. Poza tym, zakładając, że jakimś cudem miałabym ochotę, to niby kiedy? Kiedy mielibyśmy się kochać? Podczas tych czterech nocnych godzin, kiedy Parker rzeczywiście śpi? Nie sądzę.

– Dziękuję – odpowiadam. – Ale nie wydaje mi się, żebym w najbliższej przyszłości ich potrzebowała.

Kręci głową.

– Powinna pani znaleźć czas na seks. Jeśli nie wróci pani w siodło od razu, łatwo potem o tym zapomnieć, a niech mi pani wierzy, nie chciałaby pani tego.

– Dobrze, w takim razie niech będzie – daję się przekonać. – Niech pan wypisze. Któregoś dnia pewnie polubię znów mojego męża, będzie jak znalazł.

Doktor Lowenstein odrywa dwie wypisane recepty i wręcza mi je, po czym pomaga mi podnieść się z kozetki.

– OK – mówi, całując mnie w policzek. – Zobaczymy się za sześć miesięcy. Życzę powodzenia z dzieckiem.

Wychodzi po raz kolejny, ale jeszcze raz się odwraca, wkładając głowę między drzwi.

– A może jednak spróbuje pani wytrwać te trzy miesiące. To naprawdę jest dla niej najlepsze.

Tak, tak, wiem. Który to raz już to słyszę?

Kiedy zjawiam się w restauracji, od razu spostrzegam Julie. Siedzi już przy stoliku. Z Lily. Próbowała przekonać mnie, żebym zabrała Parker („urządzimy sobie babski dzień", powiedziała), ale pomysł nie wydał mi się najlepszy. Wielki Plan nie przewiduje oznajmiania całemu światu, jak bardzo nienawidzi mnie własne dziecko.

– Cześć – witam się, całując ją w policzek.

– Cześć – odpowiada. – Świetnie wyglądasz!

Patrzę na krzesło obok niej.

– O Boże, spójrz tylko na Lily! Ależ urosła.

Jeśli dobrze liczę, Lily ma teraz osiem miesięcy. Julie udało się zebrać jej włosy w maleńki kucyk na czubku głowy. Siedzi w wysokim krzesełku, z gryzakiem w ustach, nie wydając ani jednego dźwięku. Kiedy mnie dostrzega, uśmiecha się szeroko.

– Zawsze taka jest?

– Zawsze – odpowiada Julie. – Odkąd się urodziła.

Zamykam oczy w poczuciu porażki. To jak z jajkiem i kurą. Czy Parker płacze, bo wyczuwa, że ja jestem nieszczęśliwa, czy też ja jestem nieszczęśliwa, bo ona płacze?

– No tak – zmieniam temat. – Co nowego?

– O – wzdycha Julie. – Niewiele. Stresuję się tym całym żłobkiem. Zdecydowałaś już, gdzie poślesz Parker?

O czym ona mówi? Żłobek?

– Julie – mówię, otwierając kartę dań. – Ona ma sześć tygodni. Chyba jest jeszcze trochę czasu.

Julie robi wielkie oczy i kręci głową.

– Niestety, nie – zaczyna. – Powinnaś zacząć o tym myśleć teraz. Ja się zapisałam jeszcze w ciąży na listę oczekujących. Jest duża konkurencja.

Czy ona mówi poważnie?

– Błagam. Przecież ja pracuję w szkole, pamiętasz? Pomagam się dostać uczniom do college'u. Gdzie może być większa konkurencja?

Julie kręci głową.

– Właśnie tutaj, Lar. Mówię ci. Zastanów się tylko. College'ów są tysiące w całym kraju, a ile jest dobrych żłobków w Los Angeles? Może cztery. A dobre przedszkola przyjmują tylko dzieci z tych czterech żłobków. Uwierz mi, powinnaś zacząć dzwonić już teraz – znów wzdycha. – Chcemy się dostać do Instytutu. Składam podanie o przyjęcie na program dla najmłodszych, zaczyna się w przyszłym roku. Chodzisz tylko raz w tygodniu, ale jeśli się dostaniesz, automatycznie przyjmują dziecko na następny rok. Nie masz pojęcia, przez co muszę przechodzić.

Instytut? Rozmawiamy o żłobku czy zakładzie zamkniętym?

– Jakiego Instytutu? – pytam więc. Julie patrzy na mnie, jakbym pochodziła z innej planety.

– Instytut Wczesnego Rozwoju Dziecka. Najlepszy żłobek w całym mieście. Każdy chce się tam dostać. Mają najlepszy obiekt, najlepsze referencje, najlepszy program, najlepszych nauczycieli. Jak cię po nim oprowadzą, nie będziesz nawet chciała spojrzeć w inną stronę, możesz mi zaufać.

Czuję, jak siedzący we mnie typ A, uwielbiający współzawodnictwo, zamierza się włączyć do akcji, słuchając Julie, biorę więc głęboki wdech i staram się ją uspokoić.

Nie mam zamiaru dać się w to wciągnąć. Nie mam najmniejszego powodu, żeby to robić.

Powinniście wiedzieć, że to bez znaczenia, do którego żłobka uczęszczać będzie Parker, ponieważ wszystkie zdolne dzieci i tak trafiają do mojej szkoły, w której mamy zarówno podstawówkę, jak i liceum. Błagam. To jeden z powodów, dla których wzięłam tę pracę.

– Chcę wysłać Parker w jakieś normalne miejsce. Przecież pracuję w Bel Air, pamiętasz?

Julie wzdycha z żalem i kiwa głową.

– Szczęściara z ciebie. Nie uwierzyłabyś, co muszę zrobić, żeby dostać się na rozmowę kwalifikacyjną. W ogóle nie możesz się starać o miejsce, jeśli najpierw nie odbędziesz wycieczki po ośrodku, którą organizują tylko pięć razy do roku, a chętnych znajdują w dwadzieścia minut. Z tym, że nawet jeśli złożysz wniosek, nie oznacza to, że od razu cię wybiorą. Tylko kilka rodzin dostaje się na rozmowę. Kryteria selekcji są owiane tajemnicą. Teraz właśnie jest czas podejmowania decyzji, czuję się więc jak lobbysta w Waszyngtonie. Dzwonię, do kogo się da, z prośbą o wstawiennictwo – wzrusza ramionami. – Zobaczymy. Nawet po rozmowie nie możesz być pewna, ostateczne wyniki naboru ogłaszają we wrześniu.

Kręcę głową.

– Brzmi fatalnie. Nie mam takich koneksji, ale jeśli mogę ci jakoś pomóc, powiedz.

Oczy Julie rozbłyskują.

– Właściwie jest coś takiego... Miałam nadzieję, że zgodzisz się pomóc mi napisać wypracowania. Wiesz, w końcu z tego żyjesz.

Otwieram szeroko oczy.
– Wypracowania? Do przedszkola?
Julie kiwa głową.
– Cztery.
Cztery? Harvard nie ma takich wymagań.
– Jasne – mówię, wzruszając ramionami. – Pokaż mi pytania, zastanowię się.
– Super. Dzięki, naprawdę – Julie rozkłada serwetkę. – A teraz powiedz, jak się miewasz? Wygląda na to, że lepiej niż ostatnio.
– O wiele – przyznaję. – Deloris jest dopiero jeden dzień, a ja już czuję, że znowu żyję. I naprawdę jest dobra – biorę widelec i stukam ząbkami o stół. – Ale nie wiem. Mam wrażenie, że ona mnie nienawidzi.
Julie patrzy zdezorientowana.
– Kto? Deloris?
– Nie. Parker. Płacze za każdym razem, kiedy się zbliżam, a jak biorę ją na ręce, wrzeszczy. A z Deloris jest spokojna i nigdy nie płacze. Chcę, żeby lubiła swoją nianię, ale nie, żeby wolała ją ode mnie – wzdycham, powstrzymując łzy. – I w ogóle o niczym nie mam pojęcia. Wiesz, że przez sześć tygodni nosiłam ją po domu jak wyżętą szmatę i nawet nie przyszło mi do głowy, żeby się z nią pobawić? A wczoraj Deloris położyła ją na matę z zabawkami, włączyła jej muzykę i śpiewała. Parker była taka zadowolona. Oczywiście poczułam się jak najgorsza matka na świecie, jakbym przez ten cały czas pozbawiała ją stymulacji, bodźców, które wspomagają rozwój.
Julie patrzy na mnie szeroko otwartymi oczami, w których czai się politowanie. Zawsze tak na mnie patrzy.
– Och, Laro, nie jesteś najgorszą matką. Po prostu wszystko to jest dla ciebie nowe. I wymaga czasu. Nie od razu Rzym zbudowano.
– Właśnie, że jestem – nie zgadzam się z nią. – Jestem, naprawdę. Nie mam pojęcia, co, ale coś jest ze mną nie tak. Mój lekarz lekceważy to, twierdząc, że nie ma się czym mar-

twić. Powiedział, że niektóre kobiety potrzebują więcej czasu, żeby się przyzwyczaić. Ale to już trwa sześć tygodni, a wciąż nie czuję, że ją kocham. Czasami nawet zastanawiam się, czy kiedykolwiek zdołam ją pokochać.

Następuje długa, niezręczna cisza, w trakcie której Julie zaczyna gryźć paznokieć swojego kciuka. Spoglądam na Lily, ale ona zamiast uśmiechem, częstuje mnie nachmurzoną minką, jakby rozumiała, że właśnie powiedziałam coś brzydkiego o jednej z jej koleżanek. W końcu Julie podnosi głowę.

– Hej! – wykrzykuje, starając się zabrzmieć wesoło. – Przecież zapisałaś się na zajęcia Susan Greenspan, prawda? Powinny się niedługo zaczynać?

No tak. Zapomniałam. Dzwoniłam do nich we wrześniu, w pierwszym trymestrze ciąży. Julie mnie namówiła. To chyba te słynne zajęcia „Mama i ja".

– Zgadza się. Miały zacząć się w lipcu.

Julie najwyraźniej odczuwa ulgę.

– To dobrze. Zobaczysz, jak tylko zaczniesz chodzić na zajęcia, poczujesz się o wiele lepiej. Susan dokładnie ci powie, co robić z dzieckiem, i odpowie na wszystkie twoje pytania. Nie będziesz chciała wierzyć, taka jest dobra. Nawet Joan Crawford zamieniłaby w Matkę Roku.

Patrzę na nią z ukosa, niepewna, czy przypadkiem mnie nie obraziła.

– Nie porównuję cię z Joan Crawford – dodaje szybko. – Chciałam tylko powiedzieć, że jest osobą, która potrafi ci pomóc, to wszystko.

– Tak, wiem. Wiem, co chciałaś powiedzieć – zapewniam ją, postanawiając się nie obrażać.

– W każdym razie – mówi Julie – dobrze ci to zrobi. Może się z kimś zaprzyjaźnisz. Znajomi z dziećmi w podobnym wieku do twoich to super sprawa. Ja na przykład uwielbiam dziewczyny z mojej grupy. Co tydzień chodzimy razem na lunch.

„Tak – myślę. – Miło byłoby poznać kogoś takiego. Boże, tak bardzo chciałabym pogadać z kimś, kto czuje się tak jak ja. Z całym tym macierzyństwem. Wiecie: niekompetentna. Nieszczęśliwa. Beznadziejna. A, zapomniałabym: w stu procentach pewna, że spieprzy życie własnej córki, o ile już tego nie zrobiła".

Przy stoliku obok zaczyna płakać dziecko.

– O nie – reaguję. – Jestem już zmęczona słuchaniem tego hałasu. Kiedy one zaczynają mówić?

Julie podnosi wzrok znad sałatki i zagryza dolną wargę.

– Ee... – mówi, patrząc na mój sweter. – Laro...

– Co? O co chodzi?

Ale nie musi dopowiadać. Spoglądam w dół i widzę dwa ogromne koła formujące się na sweterku, dokładnie w miejscu moich brodawek sutkowych.

– Boże – jęczę. – Chyba żartujesz. Przecież odciągnęłam pokarm dopiero godzinę temu.

Julie ma minę, jakby przepraszała.

– Czasami płacz dziecka może spowodować wyciek mleka – informuje rzeczowo.

– Ale to nie moje dziecko! – protestuję, starając się jakoś zetrzeć mleko serwetką.

– Cóż – mówi dalej Julie. – Twoje ciało tego nie wie.

Fajnie, naprawdę fajnie. Nie wystarczy, że mój mózg nie wie, co robić z dzieciakiem, to jeszcze okazuje się, że moje ciało też jest głupie.

W domu nie ma nikogo, z wyjątkiem Zoey, która śpi przed drzwiami i nawet nie otwiera oczu, gdy wchodzę. Biedulka. Przyrzekałam, że nie stanę się jedną z tych, co to zapominają o własnym psie, kiedy na świat przychodzi dziecko, ale po prostu nie wystarcza mi energii. Ogólnie to smutne. Zoey całkowicie się poddała, już nawet nie domaga się pieszczot. Cóż, miała swoje pięć minut jako jedynaczka. Przeżyje.

Deloris z Parker chyba nie wróciły jeszcze ze spaceru, co absolutnie mi nie przeszkadza. Mam czas na odrobinę relaksu bez poczucia winy, że zostawiam ją z nianią, mimo że przecież jestem w domu.

Wkładam do lodówki nowy ser dla Deloris, biorę słuchawkę i wystukuję numer Andrew. Czekając, aż odbierze, wyciągam buteleczkę z tabletkami, które pomagają bezboleśnie zakończyć proces karmienia piersią.

DAWKOWANIE: JEDNA TABLETKA DOUSTNIE DWA RAZY DZIENNIE. NIE NALEŻY ZAŻYWAĆ PODCZAS CIĄŻY I KARMIENIA PIERSIĄ.

Oczywiście.

Sygnał się urywa, kiedy Andrew podnosi słuchawkę.

– Andrew Stone.

– Cześć – zaczynam delikatnie.

– Cześć – odpowiada szorstko.

– Dowiedziałam się dzisiaj kilku ciekawych rzeczy.

– Tak? O czym? – pyta Andrew.

Odpowiadam powoli, delektując się tą chwilą.

– Zapytałam wszystkie znane nam osoby z wyższym wykształceniem zdobytym na jednym z najlepszych uniwersytetów, i wszystkie oprócz dwóch były karmione butelką. Żadne nie ma nadwagi, a jedynie trzy osoby mają łagodne alergie na pyłki lub kurz. Proszę bardzo. Poważny dowód, że mleko matki wcale nie jest takie, za jakie każą je uważać.

Wzdycha.

– Tak, nie chodzi jednak o to, jacy są inteligentni, ale jacy inteligentni byliby, gdyby karmiono ich piersią, a tego się nie dowiesz. – Czasem potrafi być taki irytujący. – Poza tym i ty, i ja byliśmy karmieni piersią, nie widzę więc powodu, dla którego Parker nie miałaby dostać na starcie takiej samej szansy, jaką mieli jej rodzice. Naprawdę, rozmawialiśmy już o tym milion razy.

Uśmiecham się do siebie. „Znam pewien sekret, na na na na na na na".

– Wiesz, przykro mi, że akurat ja muszę ci to powiedzieć, ale rozmawiałam dziś też z twoją mamą, i ty, mój przyjacielu, nie byłeś karmiony piersią. Nawet jeden dzień.

Cisza.

– Andrew?

Dalej nic.

– Andrew, nie przesadzaj. Ostatecznie to nic wielkiego.

W końcu się odzywa. Chyba jest wkurzony.

– Cóż – mówi. – To by wyjaśniało kilka spraw.

– Jakich spraw? Niby co takiego wyjaśnia?

– Na przykład wyniki matury. Gdybym zdobył jedyne pięćdziesiąt punktów więcej, nie znalazłbym się na liście rezerwowej Penn. Masz pojęcie, jakie okropne było to czekanie przez całe lato? Ta niepewność, czy mnie przyjmą? Gdybym był na piersi, założę się, że to by mnie ominęło. Widzisz? Dlatego właśnie nie możesz się poddać. Dokładnie dlatego. Hm, okazuje się, że nie mogę wierzyć własnej matce.

Tak. Niesamowite, nawet jak na niego.

– To absurd – tłumaczę mu. – Myślałam, że poczujesz się lepiej, kiedy się dowiesz, że jesteś (albo przynajmniej ja sądziłam, że jesteś) zupełnie normalny, mimo że karmiony butelką, ale najwidoczniej myliłam się. Poza tym i tak to zrobię. Byłam dziś u doktora Lowensteina i przepisał mi tabletki na zatrzymanie laktacji, i właśnie zamierzam wziąć pierwszą z nich.

– Laro – ostrzega Andrew – nie rób tego. Jeśli chcesz móc się nazywać matką, nie weźmiesz tych tabletek.

To jest dopiero podłe. Przyrzekam na Boga, jeżeli nie przestanie żonglować poczuciem winy, wykorzystam każdy gram mojej wyższej, wykarmionej piersią inteligencji, żeby się z nim rozwieść i pozbawić go wszystkiego, oprócz zapasu mleka w proszku, który wystarczy na resztę jego życia.

– Szczerze mówiąc, Andrew, męczy mnie już ta dyktatura. Gdyby wszystko świetnie szło, a ja chciałabym z tym skończyć, to rozumiem. Gdyby jadła co trzy godziny, jak inne dzieci. Gdyby nie zasypiała po dwóch minutach jedzenia w dzień albo chociaż zasnęła na dobre po nocnym karmieniu. Ale ona tego nie robi. Jest niemożliwa, i ta niekończąca się uczta mleczna doprowadza mnie do obłędu. Nigdzie nie mogę pójść. Nic nie mogę zrobić, zaplanować. W efekcie mam do niej żal. W dodatku dzisiaj mleko zaczęło wyciekać, kiedy siedziałam z Julie w restauracji.

Andrew chichocze.

– Naprawdę?

– Tak, Andrew, naprawdę. Cieszę się niezmiernie, że tak cię to bawi – milknę. – Pamiętasz, jak powiedziałeś wczoraj, że powinnam być szczęśliwsza? Uważam, że niekarmienie bardzo by mi pomogło w osiągnięciu tego stanu.

Po drugiej stronie słyszę westchnienie.

– Niezupełnie to miałem na myśli. Ale w porządku. Jeśli chcesz zachować się egoistycznie i pozbawić nasze dziecko wielu dobroczynnych skutków zdrowotnych wynikających z karmienia piersią, po to tylko, żeby móc pójść tu i tam oraz zrobić to i owo, proszę bardzo. Ale mogłabyś chociaż wykrzesać z siebie tę odrobinę współczucia dla mnie. Przecież właśnie się dowiedziałem, że całe moje życie opierało się na kłamstwie.

O mamo, chyba nie mówi tego poważnie. Pomyślałby kto, że został wychowany przez wilki, a potem adoptowany przez miłych rolników, którzy natknęli się na niego, kiedy okryty jedynie listkiem figowym pałętał się po okolicy, wyjąc na samochody i kurczaki.

– Na razie, Andrew.

– Mam nadzieję, że wreszcie jesteś szczęśliwa, teraz, kiedy pozbawiłaś mnie złudzeń.

– Jestem – dobijam go. – Niepomiernie.

Odkładam słuchawkę i idę do łazienki, wciąż z fiolką w dłoni. Ni stąd, ni zowąd zaczynam beczeć. Dlaczego pozwalam, żeby wszyscy mnie obwiniali? Trzeba mnie było widzieć w aptece. Czułam się jak Hester Prynne. Jakbym na piersi zamiast szkarłatnej litery miała przypiętą wielką szkarłatną butelkę ze smoczkiem. Mimowolnie czekałam tylko, aż sprzedawca oskarży mnie o niecny zamiar zaniechania karmienia piersią i wezwie ludzi z wioski, żeby obrzucili mnie kamieniami.

Pieprzyć to! Mam ich wszystkich dość.

Zdejmuję nakrętkę i wysypuję jedną tabletkę na dłoń. Przez chwilę się jej przyglądam, ale dokładnie w momencie, kiedy chcę włożyć tabletkę do ust, czuję czyjąś dłoń na ramieniu. Odwracam głowę: to Andrew. Oczywiście nie prawdziwy Andrew. To jego pięciocentymetrowa wersja, z anielskimi skrzydłami i jedną z tych tandetnych opasek, które ludzie noszą na głowach, kiedy przebierają się za anioły w Halloween. Z tyłu ma drucik, do którego przymocowana jest fałszywa aureola z lamety. W każdym razie, mini-Andrew szepcze mi do ucha głosem Yody z *Gwiezdnych wojen*:

„Tabletki ty nie brać. Dobrą matką być powinna ty. Lepiej dla dziecka jest".

Waham się i wtedy czuję dłoń na drugim ramieniu. Odwracam się więc: to ja. Oczywiście nie prawdziwa ja, tylko moja pięciocentymetrowa wersja, która ma na sobie najwęższe z moich jeansów od Frankie B. oraz różowy T-shirt z wielgachnych jęzorem, kupiony kilka lat temu na koncercie Rolling Stonesów.

„Weź ją. Odzyskaj swoje życie i swoje ciało. Tylko w ten sposób poczujesz się lepiej".

Wspaniale. Miniaturowa wersja mnie to dealer z reklamy antynarkotykowej „Po prostu powiedz nie", którą puszczali w czasach licealnych. Naprawdę cudownie.

Czuję, jak ściska mnie w piersi, i chowam tabletkę. Wzdycham. Muszę się jeszcze zastanowić. Wkładam fiolkę do łazienkowej apteczki, spoglądając na zegarek: dziesięć po trzeciej. Wychodzę z łazienki i przemierzam dom, myśląc, że może Parker i Deloris wróciły, a ja ich nie słyszałam. Ale nie.

Gdzie one są?

Jestem w domu od wpół do trzeciej, okolica nie jest w końcu taka rozległa. Poza tym Parker na pewno jest już głodna, a obie butelki z pewnością są puste.

„OK, Laro, nie zaczynaj. Wszystko jest w porządku. Przecież nie umrze z głodu".

Czekam więc dalej. Po chwili podnoszę słuchawkę.

– Andrew Stone.

– Nie wzięłam jej – przyznaję się niechętnie. – W każdym razie, jeszcze nie.

– Słuchaj, dzwonisz, żeby znowu się ze mną pokłócić? – pyta Andrew. – Bo nie mam teraz na to czasu.

– Nie – odpowiadam mu. – Nie chcę się z tobą kłócić. Przepraszam, OK? Przykro mi, że matura wyszła nie najlepiej i dostałeś się z listy rezerwowej. Po prostu jest mi ciężko. Chcę być dobrą matką, ale to trudne – biorę głęboki wdech i zmieniam temat, zanim znów się rozpłaczę. – Jak ci się podoba Deloris?

– Jest w porządku – ocenia Andrew. – Seksowna zdecydowanie nie, ale wydaje się miła.

– Sama już nie wiem. Jest trochę dziwna. Wydaje mi się, że uprawia wudu. W pokoju ma specjalne lalki, mikstury i w ogóle. Podejrzewam, że rzuciła urok na Parker. To dlatego z nią nigdy nie płacze.

– To idiotyczne – uznaje Andrew. – Jesteś zazdrosna, bo przy tobie Parker płacze.

– Nie, Andrew – upieram się. – Mówię ci, powiedziała, że ma magiczną moc, i mrugnęła do mnie. I to było dziwne.

Słyszę w tle stukanie na klawiaturze, co oznacza, że zupełnie przestał słuchać.

– I powiedziała, że zamierza zrobić lalkę symbolizującą ciebie i wbić ci igły w oczy. Lepiej więc uważaj.

– Mhm – odpowiada. Widzicie?

– Tak czy inaczej, poszły na spacer. A ja na nie czekam.

– To miło – ciągle stuka. W porządku, mam go dość.

– A potem wybieram się do burdelu, umówiłam się z kilkoma starymi klientami. Doktor Lowenstein powiedział, że mam jak najprędzej wrócić w siodło.

– To dobrze, miłej zabawy – mówi Andrew. – Zobaczymy się w domu – milknie. – O, trochę się spóźnię. O siódmej mam telekonferencję z klientem z Londynu.

Wzdycham rozeźlona.

– Andrew! W tym miesiącu nie było dnia, żebyś nie wrócił późno – protestuję. – Gdybym tak dobrze cię nie znała, pomyślałabym, że mnie unikasz.

Właściwie to zastanawiam się, czy rzeczywiście dobrze go znam.

– Przepraszam – Andrew na to. – Wiesz, że zamykam tę dużą transakcję.

– Dobra – mówię obrażona. – Na razie.

Idę do salonu, siadam na sofie i oglądam wiadomości. Mniej więcej w połowie programu znów spoglądam na zegarek: czternaście po czwartej. Zaczynam się denerwować. Nawet zakładając, że wyszły tuż przed moim powrotem, minęły dwie godziny, minimum.

Nagle pojawia się dręcząca myśl, że przypadkowo wyrzuciłam wszystkie dokumenty z informacjami o Deloris, które przysłała mi agencja. Biegnę do kuchni i przerzucam stertę papierzysk, które tam trzymam, ale bez rezultatu.

O mój Boże.

Wyrzuciłam je. To pewne. Nie mam jej numeru telefonu ani kopii prawa jazdy. Nie znam nawet jej nazwiska. Zamykam oczy, próbując sobie przypomnieć, jak wyglądało na papierze – chyba coś na „S". Tak. Albo nie, to było „R". Cholera jasna. Nic więcej nie potrafię sobie przypomnieć. Wiem tylko, że oddałam jej własne dziecko, a gdyby zaszła taka potrzeba, nie potrafiłabym podać policji żadnych danych.

O Boże jedyny.

Paraliżuje mnie panika, kiedy myślę o scenariuszach, które być może w tej chwili stają się rzeczywistością. Nie umiem odpędzić myśli, że Deloris już trzy godziny temu mogła zabrać Parker i wsiąść z nią do autobusu, który wiezie je do Meksyku.

Ja naprawdę nie nadaję się na matkę. Nie nadaję się. Gorączkowo wykręcam numer Andrew.

– Andrew Stone.

– To ja.

– Co tym razem?

– Właśnie zdałam sobie sprawę, że nie ma ich przynajmniej od dwóch godzin. Boję się, że Deloris mogła ją porwać. Albo ktoś postrzelił Deloris i zabrał Parker. Ktoś mógł na przykład zapytać ją o drogę, a potem strzelić jej w łeb i zabrać dziecko – już ryczę. – Jak można być taką idiotką. Przecież nawet nie wiem, jak Deloris ma na nazwisko. Nic o niej nie wiem. Jedyne, co mnie interesowało, to czas dla siebie. Nie wykazałam nawet tyle ostrożności, żeby zapisać jej dane, a teraz dziecko znikło.

Czuję się okropnie winna za te wszystkie straszne rzeczy, które powiedziałam o Parker. Że jej nienawidzę. I że począł ją diabeł. Czy kiedykolwiek przyszło mi do głowy, że sama na siebie rzucam klątwę? Idiotka. Zaczynam się dusić, ale Andrew tylko wzdycha.

– Laro, uspokój się. Na pewno nic im się nie stało. Niektórzy lubią długie spacery. Poza tym jestem przekonany, że agencja w każdej chwili może przysłać ci kopię dokumentów z jej danymi.

Co fakt, to fakt. Wcale jednak nie czuję się lepiej.

– Nie. Wiem, że coś się stało.

Mam wrażenie, że obudził się we mnie jakiś szósty, macierzyński zmysł.

– Mam złe przeczucie. Matki wiedzą takie rzeczy.

Andrew śmieje się.

– Laro, odkąd Parker się urodziła, żaden instynkt macierzyński nie pojawił się u ciebie nawet na sekundę, a teraz nagle dostajesz odpału? Słuchaj, jeśli przez to lepiej się poczujesz, wsiadaj w samochód i przejedź się po okolicy, może je znajdziesz. Co ty na to?

Pomysł jest rzeczywiście świetny, trzeba mu to przyznać.

– OK. Zadzwonię za dziesięć minut.

Wskakuję do auta i z piskiem opon wyjeżdżam z podjazdu. Serce mi wali, łzy spływają po twarzy, pocę się, a przed oczami przelatują mi najgorsze możliwe scenariusze, nie wspominając o lokalnych wiadomościach, gdzie opowiedzą o kobiecie z zachodniego Los Angeles, której dziecko zostało uprowadzone przez nianię, i że nadal nie wiadomo, co właściwie myślała sobie ta kobieta, zostawiając dziecko z zupełnie obcą osobą, której nazwiska wciąż nie ustalono, a odpowiednie służby mają prawo sądzić, że jest wyższą kapłanką wudu, znajdującą się wśród dziesięciu najbardziej poszukiwanych osób z listy FBI, podejrzewaną o dokonanie serii rytualnych mordów na kilkorgu niemowlętach w dziewięciu różnych stanach. I właśnie w chwili, kiedy zaczynam wyobrażać sobie siebie na pogrzebie Parker, szlochającą nad pustą trumną, gdyż ciała nadal nie odnaleziono, spostrzegam Deloris. Idzie w moim kierunku, pchając przed sobą wózek i wygwizdując jedną z tych melodii z płyty, która ma stymulować pracę mózgu Parker.

Zatrzymuję samochód na środku ulicy i jak oszalała pędzę na chodnik. Kiedy Deloris mnie zauważa, uśmiecha się.

– O, pani Lara. Jak minął dzień?

Wyciągam Parker z wózka i mocno przytulam.

– Myślałam, że coś wam się stało – mówię, łykając łzy. – Myślałam, że porwali Parker, albo że zostałaś postrzelona i ktoś ją zabrał – potrząsam głową. – Masz pojęcie, jak długo was nie było?

Oczy Deloris zwężają się, a potem niania kładzie rękę na sercu, jakby poczuła się głęboko dotknięta.

– Pani Laro, Deloris nie jest złym człowiekiem. Nigdy nie skrzywdziłabym takiego maleństwa. Poszłyśmy na spacer, a Parker zasnęła w wózku, usiadłam więc na ławce i pozwoliłam jej na długą, przyjemną drzemkę na świeżym powietrzu. Przecież mówiłam pani, że idziemy na spacer.

Kręci głową i rusza przodem, mamrocząc pod nosem coś o neurotycznych damulkach i że powinna się była dwa razy zastanowić, czy na pewno znów chce pracować w tej części miasta.

– Przepraszam – mówię, próbując dotrzymać jej kroku. – Nie sądziłam, że to ty coś jej zrobiłaś. Myślałam, że coś złego spotkało was obie. Zdenerwowałam się. Musisz mnie zrozumieć, to pierwszy raz, kiedy zostawiłam ją z kimś samą.

Deloris nie zatrzymuje się.

„Och, błagam, nie zostawiaj mnie, nie rezygnuj, błagam, tylko nie odchodź".

Nagle zatrzymuje się raptownie i odwraca do mnie.

– Rozumiem, że kocha pani to dziecko – mówi do mnie.

Ogarnia mnie zdumienie.

„Kocham ją? Zaraz. Czy ja ją kocham? A więc o to chodzi? Dobra, trzymaj się, Laro. Skup się, bo zaraz zostaniesz wylana przez własną nianię".

– Ale jestem opiekunką z wysokimi kwalifikacjami i dużym doświadczeniem i nie życzę sobie, żeby obrażano mnie w ten sposób, rzucając mi oskarżenia prosto w twarz. Tym razem Deloris potraktuje to jako nieporozumienie, ale ustalmy od razu, że każdy klient ma prawo do jednego tylko nieporozumienia. Czy wyrażam się jasno?

Energicznie kiwam głową, że tak, bardzo dobrze ją rozumiem, a wtedy jej twarz wygładza się i wyszczerza do mnie w uśmiechu, jakby nasza wymiana zdań nigdy nie nastąpiła.

– W takim razie – komenderuje Deloris – zabierzmy to dziecko do domu, zanim umrze z głodu. Nie jadła już kilka godzin.

Wyciąga ręce, bierze ode mnie Parker, zostawiając mi wózek, który pcham, idąc za nimi.

I to tyle, jeśli chodzi o mój Wielki Plan zebrania się w garść.

6

Minęło pięć dni, w trakcie których poszłam na cztery zajęcia tae-bo, trzy lunche z przyjaciółmi, dwa razy do fryzjera i raz na zakupy, których owocem jest nowa para Jimmy Choo. Siedzę teraz z Parker na kanapie, czekając na program emitowany przez Disney Chanel, zatytułowany *The Wiggles.* Jest zupełnie niedorzeczny – czterech Australijczyków śpiewa i tańczy, piosenki są okropne, choć słowa dziwnym trafem wpadają w ucho („Owocowa pychotka, mniam, mniam, owocowa sałatka, mniam mniam. Mniam mniam, mniam mniam, owocowa sałatka, mniam, mniam") – ale dzielnie trwam na posterunku do końca, gdyż skutecznie zajmują Parker, która jak urzeczona wpatruje się w nich i pozostaje w ciszy przez rekordowo długi czas. Oczywiście wiem, że badania wykazują, że u dzieci oglądających telewizję przed ukończeniem drugiego roku życia częściej występuje ADHD, ale przykro mi – kiedy Deloris udaje się na spoczynek, muszę zrobić coś, żeby Parker przestała płakać, a poza tym, czyż nie po to mamy ritalin?

Jestem zła, bo Andrew znów będzie później, siedzę więc na tej nieszczęsnej kanapie, zabijając czas, dopóki nie położę Parker. Odcinek jest nagrany i oglądamy go po raz trzeci z rzędu, ale Parker chyba się nie zorientowała. Dobiega końca, niestety, bo kapitan Pióromiecz, przyjacielski pirat, pokonuje całą długość statku, wykonując efektowne skoki z wyrzutami nóg, jakich nie powstydziłby się najlepszy baletmistrz, podczas gdy The Wiggles wyśpiewują na brzegu swój song. Ostatni numer to skecz, w którym niejaka Dorotka – zielony dinozaur – zjada ciastko z płatków róż. Wystukuję stopą rytm i kiwam głową tam i z powrotem.

„Hej, hej, hej, wietrze wiej, kapitanie nasz, pokaż swoją twarz, ahoj, hoj, hoj, ahoj".

Ziewam szeroko. Zeszłej nocy Parker jadła o jedenastej, trzeciej i piątej trzydzieści – jestem wykończona. To wstawanie powoli zaczyna mnie nudzić.

Zamykam oczy, mając nadzieję na kilka minut odpoczynku do czasu, gdy program dobiegnie końca i znów będę musiała się nią zająć. Próbuję się odprężyć i wtedy...

W podartej białej sukience stoję na desce zawieszonej za burtą, pode mną czeluść, mam skrępowane ręce, à la Kristy McNichol w tym filmie *The Pirate Movie*.

„Ahoj, to ja, twardziel – mruczy groźnie kapitan Pióromiecz, omiatając mnie pożądliwym okiem, tym bez opaski. – Albo będziesz posłuszna, albo czeka cię śmierć".

„Och, kapitanie – odpowiadam mu – chodź tu do mnie zaraz i posmeraj mnie tym swoim wielkim czerowonopiórym mieczykiem".

Błyskawicznie otwieram oczy. O nie. Wystarczy. Potrzebuję zdrowej porcji seksu. Nie ma znaczenia, czy jestem zmęczona. I jak bardzo nienawidzę Andrew.

I w tej sekundzie dzwoni dzwonek. Zoey zaczyna szczekać jak oszalała, czym oczywiście wytrąca Parker z transu, w który wprowadzili ją The Wiggles. Mała więc po swojemu zaczyna wrzeszczeć wniebogłosy. Super. Wstaję, biorę Parker na rękę i spoglądam na zegarek. Któż to dzwoni do moich drzwi w środku tygodnia o dwudziestej piętnaście? Idąc się przekonać, krzyczę do Zoey, żeby się uspokoiła.

– Zoey, zamknij się! Dość! Zoey, już!

Ale ta zupełnie mnie ignoruje, a mój wrzask powoduje jedynie, że Parker płacze jeszcze głośniej.

– Kto tam? – wołam przez drzwi, ale z takim zagłuszaczem przy uchu nie jestem w stanie nic usłyszeć, zbliżam więc oko do wizjera i widzę ciemność. Cholera. Biorę głęboki oddech. OK. Pozbywam się ostrożności i zakładam, że za drzwiami stoi świadek Jehowy albo zwariowany ekolog opętany ambicją zwerbowania mnie do Sierra Club, a nie seryjny gwałciciel lub morderca z siekierą, który obserwował mnie od kilku tygodni i wie doskonale, że Andrew nie wraca do domu przed dziewiątą.

Otwieram. Przede mną, z wyciągniętymi ku mnie ramionami, stoi łysiejący mężczyzna z siwą brodą, dobrze po pięćdziesiątce. Dżinsy, jasnoniebieska jedwabna koszula z krótkim rękawem zapięta aż pod szyję, zamszowe mokasyny, a na małym palcu lewej ręki ogromy złoty sygnet z brylantem. Mrużę oczy, przyglądając mu się kilka sekund i próbując jakoś go umiejscowić, a kiedy uświadamiam sobie, kto to jest, cała sztywnieję.

„O mój Boże. Zdecydowanie wolałabym gwałciciela".

– Niunieczka! – wykrzykuje. – Od kiedy to masz dziecko?

O Boże, o Boże, o Boże. Mój własny ojciec stoi u moich drzwi. Ojciec, z którym nie miałam kontaktu przynajmniej osiem lat.

– Tato? – mówię zdumiona. – A co ty tu robisz?

Uśmiecha się do mnie promiennie i jeszcze szerzej otwiera do mnie ramiona.

– Patrzysz właśnie na świeżo upieczonego mieszkańca Los Angeles.

Czeka na mój uśmiech, a kiedy to nie następuje, informuje mnie, jakbym nie zrozumiała, co powiedział:

– Przeprowadziłem się.

Patrzę na niego, nic nie pojmując. Zupełnie nie wiem, co powiedzieć. I wtedy rozlega się dzwonek telefonu.

– Ee... przepraszam, ale czy mógłbyś poczekać tu chwilę?

Nie czekając na jego odpowiedź, zostawiam go na progu, a sama biegnę do góry, z każdym stopniem wpadając w większą histerię. Wpadam do sypialni i podnoszę słuchawkę.

– Halo? – mówię, mając nadzieję, że to Andrew.

– Ee... dzień dobry, czy to BMW?

Rany. Mamy taki sam numer jak BMW w Valley, a ludzie wciąż zapominają o kierunkowym.

– Kierunkowy osiemset osiemnaście, kochana – wrzeszczę, próbując powstrzymać łzy. – Trzeba wykręcić kierunkowy – odkładam i w wyścigowym tempie wbijam numer Andrew. Nikt nie odbiera. Pewnie rozmawia z Londynem czy coś.

„Tylko spokojnie, Laro, tylko spokojnie".

Jeszcze raz podnoszę słuchawkę i instynktownie wybieram numer biura Stacey. Stacey była ze mną na studiach, kiedy mój ojciec wyłączył pewnego dnia telefon, uznając że „ciążą mu już te więzy". To z jej pomocą wytropiłam go dwa lata później w kasynie w Atlantic City, żeby się upewnić, że żyje. Również ona wymyśliła dla niego przezwisko @#*!, Miernota znany uprzednio jako mój ojciec. Tak, Stacey będzie wiedziała, co robić. Na pewno jest jeszcze w pracy, błagam, niech tylko odbierze mój telefon.

Mam szczęście, sama podnosi słuchawkę.

– Stacey – mówi, jakby się paliło.

– Stacey, to ja.

– Laro, jeśli dzwonisz, żeby się dowiedzieć, czy moja mama używała pieluch tetrowych czy jednorazówek, to wybacz, ale mam robotę...

– Stacey, przyszedł mój ojciec. Zadzwonił dzwonek, myślałam, że to jakiś sprzedawca, ale kiedy otworzyłam, patrzę, a to on, i twierdzi, że przeprowadził się do Los Angeles – przemierzam pokój jak dzikie zwierzę. Parker zasnęła oparta na moim ramieniu.

– Zamknij się wreszcie – mówi Stacey. – Poważnie?

– Uważasz, że mogłabym coś takiego wymyślić? – pytam ją w odpowiedzi. – Co ja mam zrobić?

– Gdzie on teraz jest?

– Za drzwiami, jak sądzę. Chyba że sobie poszedł. Czekaj.

Odchylam firankę w sypialni i wyglądam na ulicę. Tak, widzę go, wciąż tam stoi, widoczny w świetle naszej zewnętrznej lampy. Skubie skórki u paznokci, a ja nagle coś sobie przypominam, to bardzo stare wspomnienie z dzieciństwa:

Miałam może sześć albo siedem lat – nie, zdecydowanie sześć, pamiętam bowiem, że przyszłam wtedy do domu z płaczem, bo Mindy Rosenfeld powiedziała, że mój ulubiony sweter z Kermitem i Miss Piggy jest głupi, a kiedy miałam siedem, Mindy przeniosła się do New Jersey, musiałam więc mieć wtedy sześć lat – i ojciec wszedł do kuchni, trzymając ręce tak, jakby czekał, aż wyschnie mu lakier, tyle że z każdego palca kapała krew. Mama nakrzyczała wtedy na niego, że jeśli sam nie potrafi poradzić sobie ze swoimi lękami, to niech idzie do lekarza.

Opuszczam firankę.

– Jest – informuję Stacey.

– Laro, musisz go wpuścić. To okazja, żeby zamknąć całą sprawę. Nawet jeśli już nigdy w życiu go potem nie zobaczysz, musisz z nim porozmawiać i zapytać, dlaczego tak się zachował.

Waham się.

– Laro, jeśli nie chcesz tego zrobić dla siebie, zrób to dla mnie, OK? Bo mnie ciekawi to tak samo jak ciebie.

Ma rację. Oczywiście, że ma. Chcę jakiegoś wyjaśnienia. Owszem. Ale mam również ochotę trzasnąć mu drzwiami przed nosem i powiedzieć, żeby się wypchał. Chcę, żeby cierpiał, tak samo jak ja cierpiałam przez niego.

– Nie wiem, Stacey. Jak go wpuszczę, to pomyśli, że mu przebaczam i wszystko między nami jest OK, a ja nie chcę, żeby czuł, że między nami jest OK.

– Oczywiście, że nie. Przecież nie zachęcam cię, żebyś go zapraszała na miłą pogawędkę przy filiżance herbatki i zaraz wyciągała stare zdjęcia. Uważam, że powinnaś wykorzystać tę okazję i powiedzieć mu, co czujesz. Zrzuć ten kamień z serca i zadaj mu kilka trudnych pytań. Potem go wykop na zbity pysk, jeśli chcesz, i powiedz, żeby ci się nie pokazywał więcej na oczy. Twój wybór. To ty jesteś panią sytuacji.

No, no. Czasami widać jak na dłoni, ile sesji terapeutycznych sama przeszła. Najwyraźniej w jej wypadku zadziałało.

Próbując zebrać siły, robię głęboki wdech nosem i wydech ustami. Schodzę na dół.

– W porządku, Zadzwonię później.

Kiedy ponownie otwieram drzwi, @#*! odrywa się od swoich skórek i patrzy na mnie wyczekująco.

– Przepraszam – mówię chłodno. – Musiałam odebrać telefon, dzwonił pediatra.

– Nie ma sprawy – bierze głęboki oddech, zapewne próbując zebrać własne siły. – Posłuchaj, Laro. Przypuszczam, że jesteś na mnie wściekła, i nie winię cię za to, ale przechodziłem wtedy nieciekawy okres i, przysięgam, teraz jest inaczej. Ja jestem inny.

Przyglądam się jego brodzie, która przy ostatnim naszym spotkaniu nie była jeszcze siwa.

– Cóż. Ja też się zmieniłam. Nie interesuje mnie twój powrót do mojego życia.

O, to było dobre, nawet bardzo. Patrzę na niego, czekając na odpowiedź, i czytam w jego twarzy ból.

„I dobrze. Dowiedz się, jakie to miłe uczucie".

– Lara – błaga dalej. – Wiem, że schrzaniłem sprawę. Wiem o tym. Ale musisz mi uwierzyć, że nigdy nie przestałem cię kochać i nigdy o tobie nie zapomniałem. Myślę o tobie każdego dnia – wyciąga rękę i gładzi mnie po policzku. – Wciąż jesteś moją małą dziewczynką, wiesz o tym.

Nie, chyba nie wyciągnął tej zgranej karty małej dziewczynki. Wykorzystywał ją zawsze, kiedy byłam na niego zła, i ja zawsze się na to nabierałam. Czuję grudkę w gardle i nagle mam ochotę przytulić się do niego i nigdy go nie puścić.

Dlaczego? Dlaczego zawsze pozwalam mu sobą manipulować?

Wybucham płaczem.

– Ja też cię kocham, tatusiu.

„O Boże, chyba nie nazwałam go tatusiem? Owszem, nazwałam. Nazwałam go właśnie tatusiem. Ale idiotka ze mnie".

Uśmiecha się. Wie doskonale, że mnie ma. I wtedy, równie szybko, jego wzrok zmienia się z pełnego miłości w bardzo rzeczowy.

Proszę, proszę, zaczynamy. W końcu dowiemy się, po co przyszedł. Oczywiście, że jest haczyk. U niego zawsze jest.

– Laro – mówi, wygładzając koszulę. – Czy teraz moglibyśmy wejść do środka?

Oj... Zapomniałam, że wciąż stoimy na progu.

– Tak – wzruszam ramionami, starając się uspokoić. – Proszę.

Odwracam się i prowadzę go do salonu. Czuję, że podziwia moją wartość netto.

– Ładny dom – komentuje. – Musiał kosztować fortunę, biorąc pod uwagę ceny nieruchomości w zachodnim Los Angeles.

– Cóż, kupiliśmy go, zanim rynek zwariował – odpowiadam szybko. Nie chcę, żeby pomyślał, że jesteśmy dziani, bo po pierwsze, nie jesteśmy, a po drugie, nie chcę, żeby mnie wziął za ewentualne źródło swoich dochodów na poczet nałogu hazardzisty.

Ostrożnie siadam na kanapie, żeby nie obudzić Parker, i zakładam nogę na nogę. @#*! posyła mi znaczące spojrzenie.

– Sam się zastanawiam nad kupnem domu – oznajmia. – Coś przy plaży. Minęło sporo czasu, odkąd ostatnio gościłem nad oceanem.

Patrzę na niego sceptycznie. W promieniu piętnastu kilometrów od plaży nie znajdziesz nic poniżej miliona, a za milion kupisz co najwyżej całkowitą ruinę. Podczas naszej ostatniej rozmowy tkwił po uszy w długach i nie miał złamanego centa.

– Naprawdę? – pytam. – Za co?

Uśmiecha się.

– O, z tym nie ma już problemu. Mam pieniądze.

Unoszę brwi i znów uśmiech wypełza powoli na jego twarz.

– Wygrałem cztery miliony w Bally's w Vegas siedem miesięcy temu. Nawet myślałem, że się odezwiesz. Pisali o mnie w „Los Angeles Times".

Kręcę głową. Nie do wiary. Okazuje się więc, że lepiej jednak mieć szczęście niż być mądrym. Albo dobrym. Człowiekiem. Czy też ojcem, skoro już o tym mowa.

– Nie widziałam. Nie czytam „Los Angeles Times".

Śmieje się.

– Domyśliłem się. Wciąż jeszcze rozwiązujesz krzyżówki w „New York Timesie".

– Tak.

– Udaje ci się rozwiązać do końca? W niedzielę?

– Owszem, udaje się – spoglądam na Parker. – Chociaż ostatnio już nie bardzo.

Patrzę znów na niego i widzę łzę w kąciku oka.

– Ile lat ma... ona? On?

Mój wzrok wędruje ponownie do Parker. Chyba rzeczywiście wygląda trochę jak chłopak. Pięknie. Mam nadzieję, że to jej nie zostanie. Bo chyba bym się załamała.

– Ona. Ma prawie siedem tygodni.

Zaczyna się robić zbyt intymnie, jak na mnie, zmieniam więc temat.

– A zatem – przybieram mój prawniczy ton. – Vegas. To tam spędziłeś cały ten czas?

Zamyka oczy i opiera się wygodniej.

– Nie cały. Byłem w Atlantic City, trochę podróżowałem... Arizona, Nowy Meksyk, kilka miesięcy w Guadalajarze. Ale ogólnie tak, głównie Vegas.

– I w tym czasie nie mogłeś z nikim rozmawiać, ponieważ...? – rozkładam ręce, dając do zrozumienia, że nie mam żadnego pomysłu. Ojciec wzdycha.

– Ponieważ potrzebowałem samotności, czasu dla siebie. Ponieważ całe życie spędziłem, troszcząc się o innych, robiąc rzeczy dla innych i biorąc odpowiedzialność za innych, i nigdy nawet nie zapytałem siebie, czego ja chcę od życia.

Wypycham policzek językiem.

– Dlatego zniknąłeś? Bo musiałeś odnaleźć siebie? Nie uważasz, że trochę na to za późno, tato? – staram się, jak mogę, ale głos mi się załamuje.

– Rodzicielstwo, Laro, to trudna sprawa. Prawdopodobnie jeszcze tego sobie nie uświadamiasz, bo ona... Jak właściwie ma na imię?

– Parker – mówię niecierpliwie.

– Bo Parker... – przechyla głowę, gdy informacja w pełni do niego dociera.

– Parker? – pyta, na co ja informuję go spojrzeniem, że nie ma żadnego prawa do kwestionowania mojego wyboru, kontynuuje więc. – Bo Parker jest jeszcze za mała, ale przekonasz się.

– Nie – odpowiadam. – Parker jest wystarczająco duża, żebym zdała sobie sprawę, że to trudne. Ale tu nie chodzi o mnie. Rozmawiamy o tobie. I jakoś nie przypominam sobie, żebyś strasznie się dla mnie poświęcał. Przecież nie musiałeś pracować na dwa etaty, żeby kupić jedzenie, ani sprzedać domu, by zapłacić za ubrania.

– Nie masz pojęcia, ile dla ciebie zrobiłem – odburkuje. – Jeździłaś na swoje letnie obozy, brałaś lekcje tańca i pianina, miałaś korepetycje z matematyki, wszystko, żeby tylko dać ci szansę na lepsze życie, na najlepszy college, studia i tak dalej. I jak myślisz, kto za to płacił? Kto, według ciebie, pracował sześćdziesiąt godzin tygodniowo, odkładając na później swoje potrzeby i marzenia?

Gapię się na niego bez słowa, a po policzkach spływają mi łzy. Bierze głęboki wdech, po czym pochyla się w moją stronę, opierając łokcie na kolanach.

– Laro, wiem, że to odcięcie się było egoistyczne, i wiem, że trudno ci to zrozumieć. Ale potrzebowałem tego. Chciałem być sam, bez poczucia winy, że za mało czasu spędzam z wami, i bez tego głosu w zakamarkach mojej głowy, który ciągle by mi powtarzał, żeby czegoś nie robić albo czegoś nie kupować, bo o tyle mniej będę mógł dać tobie i twojemu bratu.

Uśmiecha się do mnie ze smutkiem.

– Byłem młody, kiedy się urodziłaś, zbyt młody, i ten czas, kiedy powinienem zastanowić się, kim jestem, nie był mi dany. Dlatego po rozwodzie, kiedy ty i twój brat byliście już w college'u, na tyle dorośli, by o siebie zadbać, sam go sobie wziąłem. Żałuję i przepraszam, jeśli cię zraniłem, ale nie potrafię żałować, że to zrobiłem. Teraz o wiele lepiej rozumiem życie i co jest w nim ważne, i dlatego jestem dziś tutaj.

Wycieram nos wierzchem dłoni.

– A konkretnie?

Jeszcze jeden uśmiech.

– Przyszedłem, żeby ci powiedzieć, że znów jestem gotów mieć rodzinę. Ciebie i twojego brata...

Wchodzę mu w słowo.

– Jest w Malezji – informuję chłodno. – Przez rok będzie uczył angielskiego.

Przewraca oczami.

– Dlaczego mnie to nie dziwi? – pyta. – Nigdy nie lubił chodzić utartymi ścieżkami, to prawda – przez chwilę się zastanawia, po czym wraca do poprzedniego tematu: – W takim razie ciebie i twojego męża...

Znów mu przerywam.

– Ma na imię Andrew – mówię drwiąco, ale tym razem mnie ignoruje.

– No i jest przecież twoja śliczna córeczka...

Wzdycha.

– I jest jeszcze ktoś – dodaje.

Wpatruję się w jego twarz.

– Kto? – chcę wiedzieć, mając nadzieję, że nie usłyszę o pięcioletnim przyrodnim bracie czy przyszywanej siostrze, wychowanych w jednej z tych komun w Nowym Meksyku, gdzie noszenie ubrań nie jest koniecznością, a jedynie wyborem…

– No więc – wyjaśnia ojciec – jest jeszcze Nadine. Moja narzeczona.

Czuję, jak zamiera mi serce. Jego co?

– Twoja co?

– Moja narzeczona – rozpromienia się do mnie w uśmiechu. – Zaręczyłem się.

„Zaręczyłem? – kombinuję. – Jaka kobieta chciałaby poślubić mojego ojca?". Ale zaraz przypominam sobie cztery miliony i już wiem bardzo dokładnie, jaka kobieta chciałby poślubić mojego ojca.

– Ile ma lat? – mówię sarkastycznie – Dwadzieścia dwa? Dwadzieścia trzy?

Śmieje się.

– Czterdzieści dziewięć. Poznaliśmy się w Vegas. Graliśmy w kości przy jednym stoliku i mieliśmy świetną kolejkę. Dzieciak rzucający kości był tam z okazji swoich dwudziestych pierwszych urodzin. Zawsze się za nimi rozglądam; dopisuje im szczęście, szczególnie dziewczynom. A potem poszliśmy na drinka i od tego dnia już zawsze byliśmy razem.

– A ona mieszka w LA? – upewniam się. – To dlatego się tu przeniosłeś?

– Tak – przyznaje. – Kiedyś pracowała w Vegas. Była, eee, tancerką – dla tych, którzy nie znają tutejszego żargonu, „tancerka" znaczy striptizerka – a potem, kiedy już ją to zmęczyło – „zmęczyło" znaczy, że była już za stara albo za gruba, albo jedno i drugie – przeprowadziła się do LA, gdzie robiła inne rzeczy – „inne rzeczy" w tym wypadku mogą mieć kilka znaczeń. Mogła występować w filmach porno albo zostać osobą do towarzystwa, albo nawet dziwką, być może – a teraz jest na emeryturze – „na emeryturze", czyli znalazła bogatego frajera, który umożliwi jej życie na dotychczasowym poziomie, do którego przez te lata zdążyła się przyzwyczaić – no i w końcu pobieramy się.

I tak, kochane dzieci, skończony drań/nałogowy hazardzista/ojciec próżniak/szczęśliwiec nuworysz oraz była striptizerka/tancerka/nie wiadomo co jeszcze żyli długo i szczęśliwie, dokładnie jak w *Pretty Woman*. Cóż za romantyczna historia.

– Kiedy?

– We wrześniu. W długi weekend. I bardzo bym chciał, żebyś ją poznała.

Uśmiecha się do mnie jak zakochany uczniak. Ja się nie uśmiecham.

– Nie – kategorycznie się sprzeciwiam. – Ani mi się śni.

Uśmiech znika z jego twarzy.

– Dlaczego nie?

– Bo nie. Może ty postanowiłeś mieć znów wielką, wspaniałą rodzinę, ale to nie ty podejmujesz tu decyzje – szlocham i z nosa wylatuje mi smark. – Mam teraz swoją rodzinę, a ty nie wejdziesz tu sobie tak po prostu, uznając ją za własną. Nie spotkam się z nią.

Przypominam sobie radę Stacey i powstrzymuję jakoś łkanie.

– Nie jestem nawet pewna, czy chcę jeszcze kiedykolwiek spotkać ciebie.

Wydyma usta.

– OK – mówi, podnosząc ręce. – Widzę, że jesteś zdenerwowana.

Kurczę, ale intuicja.

– Jeśli nie chcesz jej znać, nie ma sprawy. Ale, słoneczko, nie wyrzucaj mnie. Proszę. Dajmy sobie czas. Jestem pewien, że wciąż masz do mnie sporo pytań, odpowiem na wszystkie. Musimy popracować nad naszymi stosunkami. Rozumiem to.

– Och, jak się cieszę, że to rozumiesz. A czy rozumiesz również, że ty to właśnie wszystko zepsułeś?

Kiwa głową.

– Tak, rozumiem. Posłuchaj, wydaje mi się, że powinienem już iść, a ty zastanów się nad tym wszystkim, przemyśl to na spokojnie. Bardzo bym się cieszył, gdybyśmy mogli w przyszłym tygodniu zjeść razem lunch, we dwójkę, ty i ja. Proszę, oto mój numer.

Wyciąga wizytówkę hotelu Beverly Hills i kładzie ją na stoliku. Nie mogę uwierzyć, że tam się zatrzymał. To jakieś pięćset dolarów za dobę. Gdybym się zakładała (czego w ogóle nie robię), postawiłabym sporą sumkę na to, że Nadine upora się z tymi czterema milionami w niecały rok i zostawi go dla następnego szczęśliwca z Vegas.

Wstaje i wychodzi, a ja idę za nim do drzwi razem z Parker, która wciąż śpi na moim ramieniu. Otwiera drzwi, odwraca się twarzą do mnie, pochyla się, by mnie objąć. Cofam się.

– Dobrze – mówi z nutką smutku w głosie. – Pomyśl o naszym lunchu, OK?

Wzruszam ramionami, a kiedy jest już za drzwiami, zatrzaskuję je z hukiem.

Niecałe dwadzieścia minut później wraca Andrew. Przychodzi do łazienki, gdzie kąpię Parker, wciąż jeszcze pociągając nosem.

– Hej.

Wzdycha, zmęczony widokiem kolejny raz płaczącej żony.

– Cóż więc, takiego strasznego wydarzyło się dzisiaj?

Pożałuje tego komentarza, jak mu powiem. Zamykam oczy i dramatycznie wciągam powietrze.

– Był tutaj mój ojciec – obwieszczam, piorunując go wzrokiem.

– Co takiego? Był tu, w naszym domu?

Potakuję.

– Nie rozumiem. Pojawił się tak nagle, ni stąd, ni zowąd?

– Na naszej werandzie – potwierdzam. – Wygląda na to, że przeniósł się do LA i znów chce mieć rodzinę. Poza tym zaręczył się. Ze striptizerką.

Andrew unosi brwi i widzę wyraźnie, jak stara się ukryć podniecenie. Wiem, co myśli – seksowna striptizerka w rodzinie! – przewracam więc do niego oczami.

– Zapomnij. Jest stara.

Brwi wracają na miejsce. Faceci.

– A zatem, co mówił? Zapytałaś go, dlaczego zniknął?

– Tak. Właściwie miał do mnie żal, bo musiał się poświęcać, żeby było mi w życiu lepiej – wyjmuję Parker z wanienki i owijam ręcznikiem, znów pociągając nosem. – Możesz w to uwierzyć? Co z niego za rodzic, skoro myśli w ten sposób?

Andrew milczy, ale czuję, że jest coś, co chce powiedzieć.

– No co? – pytam. – O co chodzi?

Kręci głową.

– O nic.

– Przecież widzę, że coś ci chodzi po głowie. Mów.

– Nic mi nie chodzi. Daj spokój.

Teraz jestem już zła.

– Nie, nie, nie. Masz mi powiedzieć. Przecież widzę, że chcesz.

Andrew bierze głęboki wdech.

– Uważam po prostu, że to klasyczna sytuacja, kiedy przygania kocioł garnkowi – zamyka usta i robi zdziwioną minę, sam nie wierząc, że rzeczywiście to powiedział.

– I co to niby ma znaczyć?

Uśmiecha się do mnie, jakby ten uśmiech miał sprawić, że to, co mówi, będzie brzmiało mniej podle.

– Czy ja wiem. Na przykład osobę, która nie chce karmić piersią dziecka, bo przeszkadza jej to w innych zajęciach? Brzmi znajomo?

Czy on naprawdę to powiedział?

– To najgłupsza analogia, jaką słyszałam, Andrew. Nie chcę karmić, bo Parker je cały dzień i nawet nie mogę wyjść z domu na dłużej niż dwie godziny. On zapadł się pod ziemię na osiem lat, bo nie chciał płacić za mój college pieniędzmi, których potrzebował na hazard. Naprawdę nie uważam, że to kwalifikuje mnie do miana kotła.

Wzrusza ramionami.

– Chciałem tylko powiedzieć, że wszystko jest względne – milknie na moment. – Zresztą i tak nigdy do końca nie rozumiałem tego wyrażenia. Czemu właściwie on mu przygania? Jest zazdrosny?

„O Boże. Jak to możliwe, że za niego wyszłam? Pisałam pracę licencjacką z angielskiego. Piątka z wyróżnieniem. O Chaucerze, na miłość boską".

– Kocioł nie jest zazdrosny, Andrew – warczę na niego. – Tylko sam smoli.

Andrew marszczy brwi, jakby ciężko myślał, i nagle fala oświecenia rozjaśnia mu twarz.

– Oooo – mówi. – To dlaczego nie kupią nowego?

Patrzę w niebo, szukając tam zmiłowania, i jak burza wychodzę z łazienki, zostawiając go, by w samotności mógł przemyśleć sprawę inteligencji właścicieli kotła i garnka. Wciąż wściekła, kładę Parker na podkładce do zmieniania pieluch i wyciągam spod niej ręcznik, a wtedy ona oczywiście zaczyna robić kupę, zapaskudzając całą podkładkę.

Wspaniale. Czy jeszcze coś może się nie udać?

Wycierając resztki niemowlęcej kupki, przypominam sobie, jak Andrew pierwszy raz zmieniał pieluchę z kupą, jeszcze w szpitalu. Pielęgniarka instruowała go, żeby na pewno sprawdził fałdy warg sromowych i przetarł je gazą, bo inaczej może rozwinąć się infekcja bakteryjna. Andrew zbladł, kiedy usłyszał „fałdy warg sromowych", jakby nigdy wcześniej nie przyszło mu do głowy, że jego córka będzie miała właściwie zbudowaną pochwę, a nie plastikowy wzgórek, jak lalka, na której ćwiczyliśmy przewijanie podczas tych idiotycznych zajęć jeszcze w szkole rodzenia.

Ale ma rację. Nie, nie w kwestii warg. Co do mnie. I mojego ojca. Wiecie co, może ja rzeczywiście jestem taka jak on. Mówi się, że dzieci nałogowców częściej same popadają w nałóg, że to genetyczne. Ale ja nie jestem nałogowcem. Nienawidzę hazardu. Nic mnie tak nie denerwuje jak, tracenie pieniędzy, które można wydać na super parę butów. Nic.

Ale co z genem samolubstwa? Może zamiast nałogu odziedziczyłam to?

Tracę wątek, bo Parker zaczyna płakać, a w pierwszym odruchu chcę krzyknąć do Andrew, żeby się nią zajął. Ruszam w stronę sypialni, żeby do niego zawołać, i wtedy przypominam sobie, co powiedziała Deloris, że dzieci potrafią wyczuć, kiedy jesteśmy zdenerwowani. Biorę więc głęboki oddech.

Spokojna i kochająca. Bądź spokojna i kochająca.

– Ciii – mówię do niej. – O co chodzi, słoneczko? Ciiichutko. Nie płacz, no już.

Ale ona płacze dalej. Chyba nie kupuje mojej spokojno-kochającej odmiany.

„Boże, dlaczego nie potrafię być spokojna i kochająca? Dlaczego to musi być udawanie?"

I nagle słyszę w głowie głos mamy, jak pogania ojca.

Ronny, złaź z kanapy i pomóż Larze odrobić zadanie.

Nie, Ronny, nie możesz pojechać do Atlantic City w najbliższy weekend, obiecałeś Larze, że zabierzesz ją na mecz softballu.

Ronny, wyłącz to pudło i poczytaj coś Larze.

I robił to. Wszystkie te rzeczy. Boże, kiedy zniknął, pamiętam, jak wypłakiwałam się Stacey, że nie rozumiem, bo przecież nie był złym ojcem. Pamiętam, że go broniłam i mówiłam, że zawsze był ze mną, kiedy byłam dzieckiem...

„Odrabiał ze mną zadania – tłumaczyłam Stacey. – Kibicował mi na meczach softballu".

A teraz rozumiem. W końcu zrozumiałam. Nie robił tego wszystkiego dlatego, że chciał. Robił to, bo musiał. Bo mama mu kazała. Albo z poczucia winy, że tego nie robił. Nagle wszystko staje się jasne. Odejście, zerwanie więzi. Umiał to zrobić, bo ten czas spędzony ze mną nie był prawdziwy. Zawsze było jakieś inne miejsce, w którym wolałby być.

O nie.

Zaczynam przypominać sobie ostatnie kilka dni, od przybycia Deloris, i zdaję sobie sprawę, że każdą minutę, o ile to możliwe, spędzałam z dala od domu. Siłownia, lunch, księgarnia, fryzjer, kosmetyczka, depilacja, zakupy. Przychodzę nakarmić Parker albo odciągnąć trochę mleka i znów wychodzę. Jestem z nią, kiedy Deloris się kładzie, dlatego że muszę. Nigdy – bo tego chcę. Czuję, jak oczy zachodzą mi łzami. Dokładnie jak on.

„Boże, jestem moim ojcem".

7

Stacey zgodziła się ze mną powspinać. Zadzwoniłam do niej wczoraj, w ataku histerii, żeby obwieścić swoje ujawnienie – jaka jestem podobna do ojca – ale spieszyła się na spotkanie, a potem musiała być na planie z klientem, nie miała więc czasu rozmawiać. Ale zdawała sobie sprawę, że nie żartuję, bo zaproponowała, że rano weźmie trochę wolnego – wyjątkowo, tylko dlatego, że to niedziela – i powędrujemy razem, żebym mogła się wygadać.

Nie widziałam jej od kilku miesięcy – ciągle jeszcze nie przyszła zobaczyć dziecka. Kiedy przyjeżdża na miejsce spotkania, wydaje się blada i, o ile to w ogóle jest możliwe, jeszcze szczuplejsza niż zwykle.

– Cześć – całuję ją w policzek – Wyglądasz okropnie.

– Dzięki – odpowiada, lustrując moje sflaczałe ramiona. – Ty też.

Wchodzimy na szlak i czujemy się w obowiązku zacząć od grzecznościowych pogaduszek.

– Jak tam w pracy? Będziesz partnerem?

Wzdycha.

– Nie mam zielonego pojęcia. Są tacy tajemniczy. Wszyscy dokładnie wiedzą, że wypruwam sobie flaki, ale jest ta Liz, ma coś do mnie i już, a mówię ci, ona się liczy. Jeśli przekona dwóch innych, żeby głosowali przeciwko mnie, wylatuję.

– Nieźle. Zastanawiałaś się, co byś zrobiła, gdyby się nie udało?

Rzuca mi pogardliwe spojrzenie, jakby nawet nie chciała brać pod uwagę takiego rozwiązania.

– Przepraszam – reaguję natychmiast. – Chciałam jedynie zapytać, czy, jeśli już by się tak stało, co pewnie się nie stanie, jest coś, co chciałabyś robić?

– Na przykład zostać doradcą akademickim? – kwituje dowcipnie. – Nie, dziękuję. A teraz, kiedy już wyrzuciłaś z siebie całą tę złośliwość i posłałaś ją w świat, możemy porozmawiać o czymś innym? O twoim ojcu na przykład? Czyż nie po to znalazłyśmy się tutaj?

Wzdycham.

– Dobra. Co chcesz wiedzieć?

Patrzy na mnie ze złością.

– Chcę wiedzieć, po co do mnie wczoraj zadzwoniłaś, histeryczko. Co ci powiedział?

– Właściwie nic. Musiał odnaleźć siebie, a teraz jest gotowy, żeby pracować nad naszymi relacjami, i tego typu gówna.

Stacey traci cierpliwość.

– Skoro nic nie powiedział, to czemu byłaś taka zdenerwowana?

Zagryzam wewnętrzną stronę policzka.

– Kiedy już poszedł, zaczęłam przypominać sobie różne rzeczy z dzieciństwa i kilka spraw widzę teraz jaśniej. Przede wszystkim, moja mama zawsze zmuszała go, żeby się mną zajmował. To mi uświadomiło, że nigdy tak naprawdę nie chciał spędzać ze mną czasu.

Stacey patrzy na mnie jak na idiotkę.

– Uświadomiłaś sobie? Facet znika na osiem lat, a ciebie nagle oświeca, że nie chciał spędzać z tobą czasu?

– Nie. Nie o to chodzi, to wiedziałam.

– No więc o co, Laro?

Jest zła. Marnuję jej czas.

– Posłuchaj, choć nie spodziewam się, że zrozumiesz. Chodzi o to, że zdałam sobie sprawę, że jestem bardziej podobna do niego, niż sądziłam, i to mnie wyprowadziło z równowagi.

Oddech Stacey staje się ciężki, a jesteśmy dopiero w jednej czwartej drogi. Coś mi się zdaje, że nie wychodziła na dłużej od naszego ostatniego spaceru około czterech miesięcy temu, kiedy byłam w ósmym miesiącu.

– To znaczy? – dyszy. – W jaki sposób podobna?

Zastanawiam się, czy powiedzieć to, co mam zamiar powiedzieć, bo każdy przecież wie, że rzecz wypowiedziana głośno staje się prawdą. Ale decyduję, że tak. W końcu to jest prawda.

– Jako rodzic jestem do niczego – wykrzykuję. – Uważam, że moje dziecko jest nudne i nie mam ochoty spędzać z nim czasu, jeśli więc nie ma takiej potrzeby, nie zajmuję się córką, dokładnie jak mój ojciec.

No, powiedziałam to.

Stacey wybucha śmiechem.

– Chyba żartujesz! Twoje dziecko jest nudne? Wszystkie dzieci są nudne. Jak myślisz, dlaczego jeszcze nie przyszłam zobaczyć Parker?

Nawet nie czeka, aż zgadnę.

– Bo nie muszę. Bo z góry wiem, że będzie tam siedzieć i nic nie robić, a ja zacznę się nudzić, a jeśli już mam się nudzić, wolę to robić w pracy, tam przynajmniej mi za to płacą.

– Jak miło – mówię z przekąsem. – Wiesz, jeśli nie zostaniesz wspólnikiem, powinnaś pomyśleć o pracy w Hallmarku.

Stacey szczerzy zęby.

– Tak – odpowiada. – Mogę układać teksty na pocztówki z wyrazami współczucia.

Śmieję się.

– W każdym razie uważam, że to, że własne dziecko cię nudzi, nie czyni z ciebie od razu wrednej matki. Jedynie zatwardziali kłamcy i ludzie, którzy przyjmują silne prochy, mogą zachwycać się noworodkami.

– Nie wiem. Julie kocha dzieci. Gdybyś ją widziała z Parker. Parker darła się jak oszalała, a ona potrafiła się zachwycać, jaka jest słodka, i że szkoda jej, że ten czas u Lily już minął.

Stacey patrzy na mnie wymownie.

– No przecież mówię.

Robię do niej minę i piję łyk wody.

– W porządku, słyszę, co do mnie mówisz, ale ty nie chcesz mieć dzieci. Ze mną jest inaczej. Ja chcę ją kochać, a jednak tego nie czuję – kręcę głową. – Mówię ci, to geny. Gen rodzica-miernoty. Nieudacznika. Raz tylko poczułam coś przypominającego miłość: kiedy myślałam, że ją porwali. Ale gdy tylko okazało się, że wszystko jest w porządku, od razu miałam ochotę oddać ją Deloris. To rzeczywiście jakieś gówno.

Stacey wygląda na zmieszaną.

– OK, nie rozumiem, o co chodzi z tym porwaniem, ale przesadzasz. Spróbuj wrócić myślami do czasu, kiedy miałaś prawdziwą pracę (wiem, że to trudne) i przekonaj się, czy twoje szare komórki potrafią jeszcze myśleć racjonalnie.

– W tym właśnie problem – tłumaczę. – O tym nie potrafię myśleć racjonalnie. Nie mam pojęcia, jak do tego podejść. Całe życie byłam we wszystkim dobra. Najlepsza w szkole, znakomity prawnik, i jestem świetna jako doradca akademicki. To przychodziło mi naturalnie. A ta jedna rzecz, która właśnie powinna przyjść w sposób naturalny, jakoś nie może. Nic a nic. Przypomina mi się, jak w szkole wybrałam kiedyś kurs rachunku prawdopodobieństwa. Zawsze radziłam sobie na matmie, i to z programem dla zaawansowanych, ale w tym wypadku: totalne zaćmienie. Wszyscy zaliczyli, tylko ja nie. Niezależnie od tego, ile wkuwałam, i tak nie mogłam się w tym połapać. To było przytłaczające – czuję, że zaczynam się dławić. – Rozumiesz, o co mi chodzi? – pytam Stacey.

– Niespecjalnie. Ja miałam z rachunku szóstkę.

Przewracam oczami.

– No tak, ale możesz mi wierzyć, z tego nie dostałabyś szóstki.

Kiwa głową.
– Wiem. I właśnie dlatego nie chcę mieć dzieci.
Jej zarozumialstwo zaczyna mi działać na nerwy, a ona to widzi. Zatrzymuje się, pije wodę, zakręca nakrętkę. Oddycha, jakby zaraz miała paść na atak serca.
– Słuchaj, Laro – zaczyna, ciężko łapiąc oddech między słowami. – Jesteś dla siebie zbyt surowa. To, że coś nie przychodzi łatwo, nie oznacza jeszcze, że nie możesz być w tym dobra. – Zgina się wpół i opiera ręce na kolanach, jakby próbowała złapać wznoszące się powietrze, zanim inni to zrobią. – I nawet jeśli istnieje taki gen, w co wątpię, ludzie ciągle pokonują swoje złe geny. – Prostuje się, jej twarz jest teraz jasnofioletowa. – Daj spokój, przecież połowę moich klientów wychowywali sławni rodzice uzależnieni od narkotyków, a przynajmniej troje z nich wyszło na ludzi.
Wpatruję się w nią przez chwilę.
– Masz najgorszą kondycję ze wszystkich chudzielców, jakich znam – stwierdzam.
Kiwa głową i daje znak, że znów możemy ruszać.
– Więc mówisz, że co? – upewniam się. – Że nawet jeśli genetycznie mam skłonność do bycia złą matką, mogę się nauczyć być inna?
Opieram dłonie na biodrach, bo zaczynamy ostre podejście, a Stacey kiwa głową.
– Dokładnie. Podobnie jak z rachunkiem prawdopodobieństwa. Gdybyś naprawdę przysiadła, zamiast w kółko narzekać, jakie to trudne, prawdopodobnie byś go opanowała.
Posyłam jej fałszywy uśmiech.
– Dobra – mówię, gotowa odeprzeć jej argument. – Może w takim razie powiesz mi, jak nauczyć się kogoś kochać?
Kręci głową, jakbym ją rozczarowała.
– Uczysz się, jak być rodzicem. I nawet jeśli nienawidzisz swojego dziecka, możesz przynajmniej dobrze ją wychować – wzrusza ramionami. – Ale mówię ci, to wcale nie takie zaskakujące, że jeszcze jej nie kochasz. Przecież ona nic nie robi.

Co jest więc tutaj do kochania? Ludzie zakochują się, kiedy rodzi się między nimi jakaś relacja, więź, a jaka może być relacja z noworodkiem? Każdy czuje to samo, ale gadają, że kochają swoje dzieci. Boją się, że jeśli się przyznają do prawdziwych uczuć, inni ludzie wezmą ich na języki.

Muszę powiedzieć, że w jej słowach nie brak sensu. Owszem, ostre i twarde, ale sensowne. Kręcę głową.

– Ogólnie rzecz biorąc, mówisz mi, że nie jestem wredną matką. Mam po prostu bezsensowną relację z córką? – kpię sama z siebie. – Tak samo musi być z nastolatkami. Wiesz, nagle zaczynam świetnie rozumieć tych wszystkich rodziców z Bel Air.

– Tak – śmieje się Stacey. – Pewnie za piętnaście lat odbędziemy podobną rozmowę.

Próbuje mnie naśladować, szlochając, i mówi:

– Stacey, Parker to półtora nieszczęścia, i te fale nastrojów. Nie mogę jej ostatnio znieść. Czy to znaczy, że jestem wredną matką?

Wzdycham.

– Dobra. W takim razie dopisuję do listy kolejną bezsensowną relację międzyludzką. Mam teraz całkiem zgrabną trójeczkę.

Stacey nie wie, o co chodzi.

– Parker – mówi, podnosząc do góry palec wskazujący. – Twój ojciec – prostuje środkowy. – Kto jeszcze?

Wznoszę trzy palce prawej ręki i wykrzywiam twarz.

– Andrew. Od narodzin Parker kłócimy się bez przerwy.

Stacey robi minę, jakby w końcu zrozumiała, o co chodzi, i uśmiecha się.

– To proste – oznajmia. – Potrzeba wam po prostu solidnej porcji zdrowego seksu. Musicie nadrobić zaległości w tym zakresie.

Potakuję.

„Słonko – myślę sobie – o tym akurat nie musisz mnie przekonywać".

* * *

Tego wieczoru postanawiam rozpocząć akcję Solidna Porcja Zdrowego Seksu. Andrew cały dzień jest w pracy, nadrabiając zaległości, wraca więc znowu późno, ale ten jeden raz nie mam mu za złe. Właściwie to nawet lepiej dla całej akcji. Jest dziesiąta, Parker już położyłam, wzięłam prysznic i odstawiłam się na uroczystości. Mówiąc „odstawiłam", mam na myśli z lekka potargane włosy, błyszczyk na ustach i czarno-biały jedwabny szlafroczek, w który się wystroiłam. Pod spodem kryje się dwuczęściowy zestaw Cosabelle, prezent od mojej asystentki (cieszę się, że nie jesteś już w ciąży). To tylko krótka haleczka na ramiączkach, do kompletu z majtkami w stylu męskich szortów połączonych ze stringami, ale i tak jest to najseksowniejsza rzecz, jaką miałam na sobie od miesięcy. I mimo że haleczka nie jest w stanie zakryć całego brzucha, nie skrywa więc też oponki, która umiejscowiła mi się wokół talii, wyglądam w niej lepiej niż w jakiejkolwiek innej bieliźnie, jaką posiadam, a z której większość kupiłam w okolicach naszego ślubu, kiedy to byłam superszczupła, osiągając wagę najniższą od czasów liceum.

Wzdycham. Chce mi się siku już od pół godziny, ale przy moim szczęściu Andrew wejdzie właśnie w momencie, kiedy wstanę, i nici z niespodzianki. Oczywiście zdążyłabym się wysikać już chyba pięćdziesiąt siedem razy, ale nie o to chodzi.

O. Brama garażowa się otwiera. Doskonale.

Przeczesuję dłonią włosy i opieram się na poduszkach, przyjmując klasyczną pozę z seksownie ugiętą w kolanie nogą. Słyszę, że zatrzymuje się w kuchni, aby przeglądnąć pocztę, jeszcze schody i wreszcie otwiera drzwi sypialni.

Kiedy jego oczy spoczywają na mnie, widzę w nich dezorientację.

– Cześć – witam go, siląc się na ton uwodzicielski.

– Cześć – w jego głosie jest tyle dezorientacji, ile w jego wzroku. – Co się dzieje?

Uch! A więc nie wie, co się dzieje? Zwykle kiedy wraca, jestem w starym T-shircie, spodniach od dresu, okularach i na brodzie mam krem na pryszcze. Siadam normalnie, olewając pozę.

– Nic. Po prostu czekam na ciebie.

– Przepraszam – mamrocze, odwracając się do mnie tyłem i odpinając koszulę – ale coś mnie zatrzymało.

– W porządku – mówię swoim najsłodszym tonem. – Tęskniłam za tobą.

Znów patrzy na mnie, jakby nie miał zielonego pojęcia, kim jestem, postanawiam więc być bardziej agresywna. Wstaję i podchodzę do niego. Zaczynam masować mu ramiona.

– Przyszło mi do głowy, że, no wiesz, minęło już sporo czasu, odkąd naprawdę byliśmy razem.

Na to odwraca się do mnie.

– To dlatego, że mnie nienawidzisz – obwieszcza.

Robię minę, jakby mnie zranił, i wysuwam dolną wargę.

– To nieprawda. Miałam do ciebie żal, bo wychodziłeś na całe dnie, podczas gdy ja musiałam siedzieć w domu z dzieckiem. Ale teraz mamy Deloris, dlatego to minęło.

– Jestem wniebowzięty – odpowiada. – Moja żona przestała mieć do mnie żal, bo nie musi już zajmować się naszym własnym dzieckiem.

Zamykam oczy i staram się nie dać wyprowadzić z równowagi. „Zdrowy seks. Solidna porcja".

Andrew zdejmuje podkoszulek i rzuca go przez pokój do kosza na brudne pranie, szybko więc zmieniam temat.

– Jesteś sexy – mówię.

– Jestem gruby, patrz na ten tłuszcz – deklaruje, szczypiąc skórę w okolicy pasa. – Od urodzenia Parker utyłem przynajmniej półtora kilograma.

Rany, taki z niego facet, a jednak czasami zachowuje się jak baba.

– Nie jesteś gruby – mruczę. – Wyglądasz świetnie.

Z kolei co do tłuszczu…

Znów wstaję i rozwiązuję pasek szlafroka, pozwalając mu spokojnie opaść.

– Spójrz na to – opuszczam wzrok. – I co?

Gapi się na mnie.

– Czy to podchwytliwe pytanie? – patrzy na mnie nieufnie.

– Nie – odpowiadam, marszcząc brew. – Dlaczego? Jest aż tak źle?

– Nie – mówi szybko. – Tak źle nie.

Dobra. Wystarczy. Kładę dłonie na biodrach. Na moich rozłożystych biodrach.

– Tak źle nie?

Krzywi się.

– Nie chciałem, żeby tak to zabrzmiało. Chodzi o to, że, no wiesz, nie wyglądasz jak ty.

Nie mogę uwierzyć, że to powiedział. Jak to w ogóle możliwe, że po dziesięciu wspólnych latach takie słowa jeszcze w ogóle przechodzą mu przez gardło. Czy on niczego się nie nauczył? Jestem wściekła.

– Siedem tygodni temu urodziłam dziecko, pamiętasz? – krzyczę. – Przykro mi, że nie wyglądam jak ja – na powrót wiążę pasek i odchodzę od Andrew. – Boże, próbuję się zdobyć na jakiś wysiłek, a ty jesteś taki – przerywam, szukając właściwego słowa – chamski.

Otwiera szeroko oczy, a ja widzę wyraźnie, że wreszcie pojął, o co chodzi.

– Ooooo – mówi, a jego głos łagodnieje. – Przepraszam. Nie wiedziałem, że... Czekaj, możemy więc już się kochać?

Przewracam oczami.

– Tak, możemy. Mówiłam ci w zeszłym tygodniu, po wizycie u doktora Lowensteina. Jestem znów na tabletce – robię nadąsaną minę, próbując powstrzymać łzy. – Chcę, żebyśmy znów byli razem. Brakuje mi tego. Nie chcę z tobą walczyć i bez przerwy się kłócić.

Podchodzi do mnie, obejmuje moją zapasową oponkę, a na jego twarzy pojawia się znaczący uśmieszek.

– Ja też. I naprawdę się cieszę, że potrafisz przyznać, że to była twoja wina.

No, wreszcie Andrew, którego znam i kocham. Na niby biję go po ramieniu, ale zanim mogę coś powiedzieć, całuje mnie. W końcu. Oddycham z ulgą i przywieram do niego.

Mm… tak. Super. Zapomniałam, jak świetnie całuje. Popycha mnie na łóżko, całuje moje uszy, szyję, ale kiedy dochodzi do piersi, zatrzymuję go.

– Nie – szepczę. Przypominam sobie, co się wydarzyło na lunchu z Julie. Jeśli cyce nie mają na tyle rozumu, żeby rozróżnić między płaczem Parker i płaczem dowolnie wybranego dziecka, to z pewnością nie można zakładać, że odróżnią usta Parker od ust Andrew.

– Ale czemu? – odpowiada szeptem Andrew.

– Zaufaj mi.

Nic z tego nie rozumie, ale nie upiera się i zajmuje się moją szyją. Po kilku następnych minutach przechodzimy do rzeczy i przypominam sobie, dlaczego resztę swojego życia postanowiłam spędzić z tym właśnie mężczyzną. O, i dlaczego jestem zadowolona, że zdecydowałam się na cesarkę. Rozciągnięta pochwa i ból po nacięciu krocza to nie dla mnie, dziękuję.

„Boże, ale dobrze, naprawdę mi tego brakowało".

Po kilku następnych minutach wyginam plecy, serce mi wali, wchodzę w koleją fazę. Oczy zamknięte, paznokcie wbite w ramię Andrew, skupiam się. Zaczynam jęczeć, ale zanim dochodzę do pierwszego „o tak", przerywa mi Andrew, który piszczy jak uczennica.

– Au… au… au – wydziera się.

Podnoszę powieki i mój wzrok rejestruje następujący obraz: Oto mój mąż, zupełnie nagi, leży na mnie i zakrywa twarz rękami, broniąc się przed atakiem mojego własnego mleka, które tryska mi z piersi. I kiedy mówię „tryska", to mam na myśli właśnie to. Jak jakieś gorące źródło. Cześć, jestem Lara, dla przyjaciół Gejzerek.

Chcę umrzeć. Najszybciej, jak potrafię, siadam i zakrywam piersi dłońmi, spychając z siebie Andrew. Wyskakuję z łóżka i biegnę do łazienki, zamykając się na klucz. Dlaczego nikt mnie nie uprzedził? Zabiję Julie. Minutę później stuka Andrew.

– Kotku? Lar? W porządku?

– Nie, nic nie jest w porządku – wydzieram się, powstrzymując łzy i wycierając się ręcznikiem. Moje cycki włączyły się jak jakiś zraszacz. Czy to może być w porządku?

Cisza. Potem znowu stuk.

– Wiesz co, kochanie? A może po prostu powinnaś przestać karmić?

Jestem w szoku, słysząc te słowa. Więc to już? Tylko tyle mu było trzeba? I wystarczy? Jedno tryśnięcie w oko i sprzedaje nasze dziecko Cyganom?

– A co z dzieckiem? – pytam, wciąż zza drzwi. – Myślałam, że chcesz dla niej jak najlepiej.

Znów chwila ciszy.

– No tak, ale wiesz, jakoś przeżyje, skoro mnie się udało.

Otwieram drzwi.

– Jesteś pewien? Bo nie życzę sobie żadnych wypominań za osiemnaście lat, jeśli nie dostanie się do college'u.

Zastanawia się przez moment.

– Czy to naprawdę cię tak bardzo uszczęśliwi? – pyta mnie, a ja kiwam głową. Bardzo energicznie. On wzdycha.

– W takim razie jestem pewien. Żadnego wypominania, przyrzekam.

Spuszczam wzrok.

– Uważasz, że jestem jak mój ojciec? – pytam potulnie.

Andrew kręci głową.

– Nie, przepraszam cię za to. To nie to samo.

– Naprawdę?

Potakuje.

– Przyrzekam.

Wydymam usta i uśmiecham się fałszywie.

– W takim razie, OK. Jutro zaczynam kończyć.

Mocno go ściskam.

Mam dokładnie to, czego chciałam. Dlaczego więc nie jestem zadowolona?

Następnego ranka o dziewiątej Parker wciąż śpi. Około ósmej piętnaście zaczęłam podejrzewać, że przestała oddychać albo że nastąpiła nagła śmierć łóżeczkowa, wpatrywałam się więc w monitor jak zahipnotyzowana przez dobre dziesięć minut, z każdą sekundą wpadając w coraz większą panikę, aż w końcu poruszyła lewą rączką. Wtedy przestałam histeryzować i znów się zdenerwowałam.

Zdenerwowałam się, bo leżę w łóżku od szóstej, oczy szeroko otwarte, piersi obrzmiałe i w pełni gotowe do karmienia, oczekując wycia potępieńca. Nie wiem, czy mogę dłużej czekać. O szóstej były pełne, ale w dobrej kondycji. O siódmej zaczęły nieco swędzieć. Do ósmej zamieniły się w ogromne, gorące, bolesne skały, a kilka minut temu zaczęło z nich kapać jak z zepsutych kranów.

Cholera. Nie chcę jej budzić – nigdy dotąd tak długo nie spała i jeśli miałoby jej to wejść w nawyk, ja na pewno nie będę przeszkadzać. Ale nie chcę też odciągać. Wiem, że trudno uwierzyć w to, co powiem, a jednak to prawda: cieszyłam się na to nasze ostatnie karmienie. Pół nocy spędziłam na rozmyślaniach. Postanowiłam być słodka i delikatna, zaśpiewać jej kilka piosenek i poprzytulać ją, i w ogóle robić te wszystkie rzeczy, które, jak podaje literatura fachowa, powinno się robić w czasie karmienia, bo jeżeli, przez przypadek, jakieś ukryte wspomnienia z dzieciństwa pewnego dnia wypłyną na powierzchnię, mam nadzieję, że to będzie ten moment, a nie wszystkie poprzednie razy, kiedy zniecierpliwiona rozbierałam ją do naga, żeby się obudziła, ilekroć zasypiała w trakcie jedzenia.

Nie mogę też czekać z tym do jutra. Parker urodziła się dokładnie siedem tygodni temu. Niestety, mój charakter nie pozwala mi karmić dziecka siedem tygodni i jeden dzień. Nie, jeśli chcę zakończyć okrągłą liczbą, muszę odłożyć na bok swoje fantazje i zabrać się za odciąganie.

Cóż.

Składam odciągacz, wdziewam seksowny biustonosz z dziurkami, siadam na podłodze, czekając, aż butelki się napełnią, i nagle uświadamiam sobie, że ogarnia mnie nostalgia. Kilka razy poklepuję delikatnie pompkę.

– Przeżyłyśmy razem i kilka dobrych chwil – przemawiam do urządzenia, czując, że Luthor znów sadowi się w moim gardle. – Naprawdę dobrych.

Po dziesięciu minutach dwie pełne butelki stoją sobie w lodówce, a ja idę do łazienki, otwieram szafkę i wyciągam fiolkę z tabletkami na zatrzymanie laktacji, próbując nie zwracać uwagi na to, jak ciężko jest mi na sercu.

„To właściwy wybór – przekonuję sama siebie. – Absolutnie nie powinnaś czuć się winna". I mimo że wcale nie jestem przekonana, że w to wierzę, połykam tabletkę.

Dobrze. Czas na część B.

Biorę prysznic i ubieram się. Tymczasem Parker się budzi, Deloris podaje jej butelkę i przebiera ją. Teraz bawią się razem na podłodze w pokoju Parker. Staję w drzwiach i przyglądam im się przez minutę, a potem chrząkam.

– Dzień dobry, Deloris. Bardzo długo dziś spała, prawda?

– O tak – potwierdza Deloris, trącając palcem brzuszek Parker. – Moja dziewczynka w końcu nadrobiła zaległości.

Boże, jak ja tego nie cierpię. Od tygodnia nazywa ją swoją dziewczynką. Ale tylko wtedy, kiedy jest ze mną. Nigdy nie robi tego przy Andrew. Deloris łaskocze Parker w podbródek, wydając przy tym dziecięce odgłosy.

– Lada chwila zacznie się uśmiechać – mówi do mnie, nie odrywając wzroku od dziecka. – Lada chwila, panno Parker – śpiewa.

„Super" – myślę. Nie mogę się doczekać, żeby zaczęła się uśmiechać do Deloris, a do mnie nie. Jeszcze jedna rzecz, którą można się denerwować.

– Ee... Deloris, umówiłam się dziś w parku z przyjaciółką i zabiorę ze sobą Parker. Spakuję jeszcze torbę i ruszamy.

– Dobrze, pani Laro – w głosie Deloris pobrzmiewa zaskoczenie, że nie wychodzę, jak zwykle, sama. – Chce pani, żebym poszła z wami? – pyta.

„Nie, nie chcę, żebyś poszła z nami". Boże, nawet nie potrafię sobie wyobrazić, co ta kobieta o mnie myśli. Założę się, że braciom z sekty wudu opowiada o swojej lodowatej pracodawczyni. Słyszę, jak cmoka językiem. „Ani chwili z dzieckiem. Mówię wam, ma kamień zamiast serca. Deloris zna się na tym".

– Nie, dzięki – odpowiadam z uśmiechem. – Poradzimy sobie.

Wracam do kuchni, gdzie w lodówce czeka butelka z moim mlekiem. Wkładam ją do pojemnika izotermicznego, który chowam w torbie z pieluchami, tak żeby Deloris go nie zobaczyła. O swoich planach poinformuję ją nieco później. Nie jestem jeszcze gotowa na jej wymówki.

– Dobrze – jestem z powrotem w pokoju Parker. – Wszystko gotowe.

Deloris podnosi Parker z podłogi i zaczyna obsypywać jej twarz pocałunkami.

– Pa, pa, moja mała dziewczynko – macha ręką na pożegnanie, a potem zniża głos do szeptu. – Nie martw się, panno Parker, Deloris będzie tu na ciebie czekać, aż wrócisz. Nie ma się czego bać.

Patrzę na nią, jakby zwariowała. Czy ona myśli, że ja tego nie słyszałam? Cóż za bezczelność! Uch. A zresztą. Nie mam teraz na to siły.

Ignorując Deloris, biorę od niej Parker, przygotowując się na wrzask, jak to zwykle w takiej sytuacji. Ale, o dziwo, Parker jest cicho. O! Ciekawe, co się stało. Może zorientowała się, że Deloris jest trochę dziwna. Tak czy inaczej, podoba mi się ta odmiana.

Schodzę po schodach z Deloris za plecami – trzyma Parker za stópkę i przeciera oczy chusteczką.

Na dole wkładam Parker do fotelika i zapinam ją. Po śmiesznym, płaczliwym pożegnaniu, w końcu udaje mi się namówić Deloris, żeby zamknęła drzwi samochodu, i wyjeżdżamy do parku.

Mamy do pogadania – Parker i ja.

W parku – spokojnym zakątku Beverly Hills – znajduję ławkę pod ładnym, rozłożystym drzewem. Wypinam ją z fotelika i siadamy sobie wygodnie w cieniu. Parker nadal nie płacze. Po kilku minutach wyciągam butelkę i moja córka zaczyna pałaszować ostatnie sto pięćdziesiąt mililitrów podwyższającego współczynnik inteligencji, wzmacniającego metabolizm oraz zęby, zwalczającego alergie, równie dobrze można by powiedzieć, magicznego mleka matki. Luthor znów wychodzi na scenę, chyba na bis, a ja się rozglądam, czy ktoś mnie widzi. Nie. Wokół pusto.

OK. Mogę to z siebie wyrzucić. I, tak po prostu, zaczynam szlochać.

– Przepraszam – zwracam się do Parker przez łzy. – Przepraszam za to, że jestem taką egoistką – łkam – i za to, że brak mi cierpliwości. – Przez chwilę szlocham w ciszy. – I przepraszam cię za to, że ciągle gdzieś wychodzę, bo nie chcę czuć się przykuta do ciebie, jak jakimiś kajdanami – zanoszę się płaczem. – I bardzo, bardzo cię przepraszam, że nie mogę już dłużej wytrzymać, ale chcę być znowu szczupła jak dawniej.

Parker przygląda mi się, ssąc smoczek butelki i patrząc mi prosto w oczy.

– Po prostu mój instynkt macierzyński nie jest tak silnie rozwinięty – przyznaję się. – I nie mam pojęcia, jak być dobrą mamą – biorę głęboki oddech, starając się opanować płacz. – Ale chcę ci coś powiedzieć. Moja koleżanka Stacey... nie znasz jej jeszcze, ale poznasz: to ona da ci pierwszego papierosa i nauczy cię mówić do mnie „odpieprz się", jak skończysz dwa latka... W każdym razie, powiedziała mi coś bardzo mądrego.

Próbuję przytrzymać butelkę łokciem, żeby ręką wytrzeć łzy, ale nie udaje mi się. Butelka upada i Parker zaczyna płakać.

– Przepraszam – wkładam jej smoczek z powrotem do buzi. – No więc, Stacey powiedziała, że... no, może nie dokładnie tymi słowami, ale powiedziała mniej więcej, że... że musimy zbudować nasz związek, tak żeby zawiązała się między nami rzeczywista więź. I wiesz co, ma rację – pociągam nosem. – Ale nie mogę tego robić, kiedy karmię, bo wtedy jestem sfrustrowana i zaczynam mieć do ciebie żal. – Znów głęboki oddech i w końcu zrzucam bombę. – Muszę więc przestać cię karmić piersią. Bo nawet jeśli w tej chwili nie wydaje się to najlepszym pomysłem, więź między nami jest dla mnie bardzo ważna. Ważniejsza niż twój współczynnik inteligencji – przerywam, bojąc się powiedzieć, jak jeszcze mogę zrujnować jej życie. – I ważniejsza niż twoja ewentualna nadwaga. Ale jeśli będzie taka potrzeba, wynajmę ci osobistego trenera, obiecuję. A jeżeli będziesz musiała nosić aparat... wiesz, te nowoczesne aparaty wcale nie są takie złe. Robią teraz przezroczyste, tak że prawie w ogóle ich nie widać. Natomiast jeśli rozwinie się alergia na orzeszki ziemne... przepraszam, OK? Wiem, że to okropne i naprawdę jest mi przykro, uwierz mi – znów przerywam, próbując pomyśleć o czymś pozytywnym, co mogłabym jej powiedzieć. O, wiem. – Musimy pamiętać, że zarówno twoja mama, jak i tato skończyli Penn, nawet więc jeśli nie będziesz aż taka mądra, wciąż masz jeszcze nie najgorsze szanse, żeby się tam dostać. Będziesz musiała złożyć papiery wcześniej, ale szczegóły logistyczne dopracujemy we właściwym czasie.

Parker wciąż mi się przygląda. Jakby rozumiała, co do niej mówię. A potem, zza smoczka, widzę podnoszące się kąciki jej ust. Pewnie butelka się zapchała. Wyjmuję ją z buzi i próbuję strzepnąć kilka banieczek, ale kiedy patrzę na Parker, uśmiech wciąż tam jest. Wielki, bezzębny, najsłodszy uśmiech, jaki kiedykolwiek widziałam.

„O mój Boże, ona się do mnie uśmiecha. Uśmiecha się do mnie. To jej pierwszy uśmiech i jest dla mnie".

Od razu odpowiadam jej tym samym i znów czuję w oczach wilgoć. Po kilku sekundach łzy ciekną ciurkiem po moich policzkach, ale jakościowo różnią się od tych wszystkich wylewanych dotąd od dnia jej narodzin.

Tak. Od dziś będę spędzać z nią jak najwięcej czasu, czy mi się to podoba, czy nie. Bo nie chcę być taka, jak mój ojciec. Parker zasługuje na więcej. Obie zasługujemy.

Kiedy Parker kończy butelkę, siedzimy sobie po prostu: ja, opłakując swoje winy, a ona uśmiechając się do mnie, przebaczając mi wszystkie moje wady. I po raz pierwszy w jej krótkim życiu przepełnia mnie miłość do mojego maleństwa.

8

– Dzień dobry! Dzień dobry, witam na zajęciach „Mama i ja".

Szokująco arcyzadowolona kobieta nieco po pięćdziesiątce stoi w drzwiach ogromnej, pustej sali znajdującej się na samym końcu centrum rekreacyjnego Beverly Hills. Jakieś metr pięćdziesiąt osiem centymetrów wzrostu, brązowe włosy rozjaśnione pasemkami, różowe mokasyny, dżinsy i T-shirt z dekoltem w karo. Kiedy wyciąga do mnie rękę, dostrzegam pierścionek zaręczynowy z wielgachnym brylantem w kształcie łezki oraz świeżo nałożony lakier na krótkich paznokciach. Blady róż. A więc to jest ta słynna Susan Greenspan. Hm... Nie tego się spodziewałam. Ale z drugiej strony, oczami wyobraźni widziałam Miss Sally z programu *Romper Room*, nie powinno to więc chyba dziwić.

– A kogóż my tu mamy? – pyta, szczypiąc policzki Parker, które aż się proszą, by je szczypać, od czasu, jestem o tym przekonana, gdy przeszłyśmy na butelkę. Moja matka (która nie pofatygowała się jeszcze zobaczyć wnuczki, gdyż rwa kulszowa nie pozwoliłaby jej wysiedzieć czterech godzin w samolocie, pozwala jej natomiast spędzić trzy godziny na krześle salonu fryzjerskiego, kiedy robią jej pasemka) nazywa je „pufeczkami" i ilekroć widzi Parker (dzięki kamerze, ponieważ w idiotycznym ataku optymizmu uznałam, że osoba nazywająca e-mail emilem będzie z niej korzystać bez mojego czterdziestominutowego tłumaczenia, jak wejść do Internetu, przed każdą naszą rozmową), klnie się na Boga, że są uznawane za zachwycające. Ja jednak jakoś jej nie wierzę.

Według mnie, wyglądają, jakby ktoś w nich przemycał zwitek banknotów z Nowego Meksyku.

– To Parker – przedstawiam córkę. – Parker Stone.

– O, tak – Susan na to. – Co oznacza, że pani to... – zagląda do zeszytu leżącego na krześle za nią: – Lara!

Potakuję.

– Bardzo się cieszymy, że jesteście tu z nami.

Rozglądam się wokoło, próbując się zorientować, kogo ma na myśli, mówiąc „z nami", ale nie dostrzegam żywej duszy.

– Wygląda na to, że jesteście pierwsze, proszę więc zostawić wózek tutaj, przed salą, wejść do środka i usiąść na podłodze. Jestem pewna, że za chwilę pojawią się kolejne świeżo upieczone mamusie.

– W porządku.

Wyciągam Parker z jej wózka Snap-N-Go i idę z nią na koniec sali, gdzie siadam po turecku. Podłoga jest drewniana i wygląda, jakby właśnie ktoś ją wymył, ale nie chcę kłaść Parker na drewnianej podłodze, dlatego trzymam ją na kolanach.

– Możesz położyć dziecko na kocyku – woła Susan, nie opuszczając posterunku przy drzwiach. Kocyku?! Przeszukuję swoją nową, kupioną w zeszłym tygodniu torbę na pieluchy z Burberry, w nadziei, że wrzuciłam tam kocyk i zapomniałam o tym. Ale nie. Ani śladu kocyka.

– Hm, chyba nie mam ze sobą kocyka – informuję Susan.

Patrzy na mnie zaskoczona.

– Nie masz kocyka? – mówi z niedowierzaniem.

– Nie mam. Przecież jest lato.

Zaciska usta w ciup.

– Niemowlęta w tym wieku nie potrafią jeszcze regulować temperatury tak jak dorośli. Zawsze powinnaś mieć ze sobą kocyk.

Zawstydzona, raz jeszcze zaglądam do torby.

– Będę pamiętać – obiecuję. – Mam podkładkę do zmieniania pieluch, może być?

Posyła mi słaby uśmiech.

– Cóż, to zapewne lepsze od brudnej podłogi.

Zwieszam głowę i wyciągam wodoodporną kraciastą podkładkę z Burberry, która była w komplecie z torbą, rozkładam ją przed sobą i kładę na niej Parker, na plecach.

Po około dwóch minutach niezręcznej ciszy do sali zaczynają napływać inne mamy. I jedna po drugiej błyskawicznie wyciągają kocyki ekskluzywnej linii Petunia Pickle Bottom, na których ostrożnie układają swoje dzieci. Wzdycham. Mam trzy takie w domu i nigdy jeszcze z nich nie korzystałam. „W przyszłym tygodniu" – postanawiam. O ile zdecyduję się tu wrócić.

Kiedy Susan zamyka drzwi, na podłodze mamy krąg składający się z jednej szatynki i jedenastu farbowanych blondynek oraz trzynastu niemowlaków (jedna biedaczka ma bliźnięta, możecie to sobie wyobrazić?). Ku mojemu zdziwieniu, wszystkie wyglądają całkiem normalnie. Nie, wróć, muszę się poprawić. Nie „normalnie" w znaczeniu, które to słowo ma w innych częściach kraju, ale normalnie jak na Los Angeles. Co oznacza, że w środę rano, aby posiedzieć na drewnianej podłodze i pośpiewać idiotyczne dziecięce piosneczki, wszystkie te dziewczyny postanowiły włożyć dżinsy lub czarne spodnie trzy czwarte, japonki ozdobione koralikami i (lub) kryształem górskim oraz jakąś wersję lekkiego, letniego poncho, włożonego na bluzkę bez rękawów od Jamesa Perse. Sześć z nich ma torby na pieluchy od Gucciego, cztery od Prady, a jedna modnisia od Louisa Vuittona.

Ja oczywiście, nie pochodząc z Los Angeles i w związku z tym nie znając podręcznika dla dziewcząt z zachodniego LA *Jak się ubierać na różne okazje (nawet najmniej znaczące)*, pojawiłam się w welurowych spodniach od dresu, swoich starych, zdeptanych czarnych japonkach na koturnie oraz T-shircie zakupionym w C&C California. Wzdycham ponownie. Nie mogę uwierzyć, że zdołałam się nieodpowiednio ubrać na zajęcia typu „Mama i ja". Nawet torba na pieluchy odstaje od reszty.

Susan siada przed nami na składanym krześle, moszcząc się wygodnie na zielonej poduszce, po czym klaszcze, oznajmiając tym samym rozpoczęcie zajęć.

– Drogie panie, witajcie na zajęciach „Mama i ja" – rozpoczyna z ogromnym, wszystkowiedzącym uśmiechem na twarzy. – Mamy nadzieję, że nasze zajęcia pomogą wam maksymalnie wykorzystać swój potencjał, a więc zostać najlepszą mamą. Chcemy dostarczyć wam możliwie najwięcej niezbędnych informacji potrzebnych w trudnym procesie wychowania, a także zapewnić bezpieczne miejsce, gdzie można omówić wszelkie problemy i wątpliwości, jeśli takie się pojawiają. Wszystkie dzieci urodziły się w kwietniu, co oznacza, że co tydzień będziemy omawiać inny temat, ważny na tym etapie rozwoju, na którym są właśnie wasze maluchy. Pod koniec każdych zajęć piętnaście minut poświęcimy na śpiewanie i taniec – śpiewanie?! – a kilka ostatnich minut zachowamy na ewentualne pytania – znów się rozpromienia w uśmiechu.

– Dobrze. Może na początek trochę bliżej się poznamy. Proszę o przedstawienie siebie i dziecka oraz podanie daty urodzin.

Czas, kiedy kobiety po kolei się przedstawiają, wykorzystuję na szybki ogląd innych mam oraz porównanie ich dzieci z Parker. Nie mówcie, że nie zrobiłybyście tak samo.

„Hm... – rozglądam się wkoło. – Jest już naprawdę szczupła, nie lubię jej; ależ to dziecko ma ogromne uszy; mamuśka obok drzwi myśli, że pod tym poncho nie widać jej brzucha, ale tak nie jest; rany, ale kinol, u takiego malucha..."

Kobieta obok mnie, niewysoka farbowana blondynka w poncho z przezroczystego, zielonego materiału w różowe kwiaty, klepie mnie po ramieniu.

– Twój dzieciak jest taki duży – szepcze. – Który centyl?

Spoglądam na Parker, a potem na wszystkie inne dzieci. „Boże, jest wielka. Nigdy wcześniej tego nie zauważyłam. Wygląda, jakby mogła pożreć niektóre z obecnych tu niemowląt".

– Hm, na ostatniej kontroli osiemdziesiąty trzeci, jeśli chodzi o wzrost, i dziewięćdziesiąty siódmy wagowo – odszeptuję.

Kobieta rozszerza oczy.

– Dziewięćdziesiąty siódmy, no, no – komentuje.

Przyglądam się jej spod zmrużonych powiek, niepewna, co sądzić o tym „no, no". Czyżby Parker była aż taka gruba? Zaczynam wpadać w panikę, ale wtedy dziecko z naprzeciwka zaczyna płakać. Mamunia, wysoka, śliczna, farbowana blondynka z równo obciętą grzywką, o jasnoniebieskich oczach i z czterema obrączkami wysadzanymi brylantami, bierze dziecko, podnosi swoje czarne, szydełkowane poncho i zaczyna karmić, na oczach wszystkich. Jestem zszokowana, ale nikt inny nawet okiem nie mrugnął.

Karmi piersią? A tak świetnie wygląda.

Minutę później kolejna mamunia zaczyna karmić, a potem następna, i jeszcze jedna. Mam złe przeczucie, że w tym gronie jestem jedyną samolubną, niekarmiącą piersią mamą,i ta myśl tak mnie pochłania, że nie zauważam, że nadeszła moja kolej. Dziewczyna od „no, no" szturcha mnie.

– Przepraszam – zaczynam. – Jestem Lara Stone, a to moja córka, Parker. Urodziła się drugiego kwietnia.

Mamunia z grzywką rozpromienia się.

– Dziecko mojej najlepszej przyjaciółki będzie się nazywało Parker! – wykrzykuje.

Drugi chudzielec, też farbowany na blond, wyraźnie potakuje.

– Tak jak dziecko mojej bratowej – informuje. – Ale ona ma chłopca.

Prezentuję fałszywy uśmiech, udając wniebowziętą na wieść, że imię, które, jak sądziłam, będzie oryginalne, okazuje się drugim Madison.

Następna mamuśka zabiera głos, kiedy kątem oka zauważam, że Parker zaczyna się wiercić oraz wydawać ciche pomruki.

„O, nie. Błagam, tylko nie bądź teraz głodna".

Sprawdzam godzinę: piętnaście po dziewiątej. Jadła o siódmej i miałam nadzieję, że wytrzyma do końca zajęć, czyli do jedenastej, ale coś mi się zdaje, że nie będę miała tyle szczęścia. Cholera.

I wtedy, bez konkretnego ostrzeżenia czy wstępu, Parker zaczyna wyć jak potępieniec, a wszystkie oczy zwracają się na mnie. Natychmiast sięgam po torbę z pieluchami. Serce zaczyna mi walić na myśl, że oto za moment Lara i Przygotowanie Mieszanki skupią na sobie niepodzielną uwagę wszystkich. Super.

Jakby w zwolnionym tempie wyciągam z torby butelkę, ściągam smoczek i kładę go na podłodze, ale kiedy słyszę stłumiony okrzyk zdumienia wywołany brakiem zachowania elementarnych zasad higieny, szybko biorę go z powrotem i kładę sobie na prawym kolanie, balansując tak, żeby nie spadł. Potem wyciągam butelkę z wodą i, sporo przy okazji rozlewając, wlewam jakieś sto mililitrów. W tym samym czasie Parker drze się po swojemu wniebogłosy. Odnoszę wrażenie, że za chwilę przekroczy barierę dźwięku. Spoglądam na nią: młóci powietrze wszystkimi kończynami, jakby miała właśnie poważny atak. Podejmuję żałosną próbę uspokojenia jej.

– Ciiii, ciiii.

Jednocześnie wyjmuję niewielkie opakowanie z mlekiem w proszku, zaprojektowane na takie właśnie okazje. Odmierzam jedną porcję, wsypuję do butelki, jeszcze jedna miarka, i do butelki. Parker ma już fioletową twarz, kaszle, jakby zaraz miała zwymiotować, a wszystkie obecne mamy przestały rozmawiać, bo i tak nic nie byłoby słychać przez krzyk mojego, najwyraźniej źle traktowanego, dziecka.

– Już, już kończę – szepczę do niej. – Jeszcze dwie sekundy.

Kiedy nakładam smoczek i zaczynam wstrząsać butelką, zdaję sobie sprawę, że pocę się jak mysz. Rozglądam się wokół, żeby sprawdzić, czy ktoś zauważył, i okazuje się, że wszyscy obecni na sali, włącznie z dziećmi, wpatrują się we mnie z przerażeniem. Ich oczy wędrują ode mnie do mleka w proszku, potem do mojego dziecka leżącego na brudnej podkładce do zmieniania pieluch, i wracają do mnie.

„OK" – oceniam zawartość butelki, w której wciąż jest mnóstwo grudek. „Grudki, nie grudki, będziesz jeść".

Podnoszę Parker, wpycham jej smoczek do buzi, a ona zaczyna ssać, jakby co najmniej przez rok nie jadła. Boże. Nie wiem, czy kiedykolwiek się uporam z taką traumą. Znów podnoszę głowę i spostrzegam wybałuszone oczęta chudzielca. Nie. Raczej się z tym nie uporam. Zapytam Julie, czy są jakieś inne zajęcia, na które mogłabym pójść. To znaczy, jeżeli opieka społeczna nie zjawi się u mnie dziś po południu i nie zabierze mi Parker.

– Przepraszam – zwracam się do wszystkich. – Bardzo przepraszam.

– Dobrze – Susan stara się jakoś taktownie z tego wybrnąć. – Na czym to skończyłyśmy?

* * *

Jak przystało na członkinie społeczności żydowskiej, po zajęciach próbujemy ustalić miejsce pochodzenia i wspólnych znajomych – jak zwykle, nie znam nikogo, wszystkich zostawiłam na Wschodnim Wybrzeżu – i kiedy Susan dosłownie wyrzuca nas za drzwi, niechętnie wychodzimy z sali, kierując się w stronę wózków. Boże, jaki wstyd. Równiutko wzdłuż ściany budynku stoją identyczne wózki Bugaboo Frog za 799 dolarów każdy oraz jeden Snap-N-Go za 49,99.

„Andrew, niech cię szlag" – wzdycham w myślach. Mówiłam mu, że chcę Bugaboo, ale on wzdragał się na samą myśl o tym.

„Osiemset dolarów za wózek?" – wykrzykiwał.

Próbowałam mu wytłumaczyć, dlaczego powinniśmy go kupić.

„Płynie jak woda – mówiłam. – Spokojnie można go prowadzić jedną ręką – wyjaśniałam. – Madonna taki ma!"

Prawie mi się udało przy Madonnie, ale kiedy dostał w swoje ręce *Przewodnik konsumenta po produktach dla niemowląt*, Madonna okazała się po prostu kolejną idiotką, która zupełnie niepotrzebnie wydaje o siedemset pięćdziesiąt dolarów za dużo.

– Snap-N-Go dostał cztery i pół gwiazdki, a kosztuje jedyne pięćdziesiąt dolców! Po co ci wózek za osiem stów, skoro możemy kupić ten?

To oczywiste, że Andrew nie potrafiłby zrozumieć, że chwile takie jak ta – kiedy okazuję się kobieciną bez gustu, bez klasy, w spodniach od dresu, podającą dziecku butelkę i niemającą nawet porządnego kocyka, na którym mogłaby je położyć – wyjaśniają bez pudła, dlaczego potrzebuję wózka za osiemset dolarów, ale dobra, wytrzymam. Parker była jedynym dzieckiem, które uśmiechało się podczas tańców na koniec zajęć, i to wszystko wynagradza. Susan zauważyła nawet, że jest taka słodka.

Kiedy idziemy w stronę parkingu, osamotniona wśród nas szatynka proponuje, żeby wybrać się razem na lunch do baru sałatkowego tuż za rogiem. Sprawdzam czas: trzy po jedenastej. Zaskoczona, przechylam głowę.

– Dopiero jedenasta. Czy to aby trochę nie za wcześnie?

Brunetka też przechyla głowę.

– Nie – odpowiada. – Zawsze jem lunch o jedenastej. W ten sposób unikam tłoku, kiedy wszyscy wychodzą z pracy.

„Jasne" – czuję przepływającą przeze mnie falę zrozumienia. Powinnam się domyślić. Żadna z nich nie pracuje. Nic dziwnego, że Julie uwielbia tu przychodzić.

– Dokładnie – dołącza się mamunia dzieciaczka z wielkimi uszami. – Nie trzeba czekać na stolik.

Pozostałe kiwają głowami, jakby to były podstawowe zasady w świecie niepracujących. A potem wszystkie naciskają równocześnie swoje piloty i rozlega się chór sygnałów dźwiękowych w tej samej tonacji. Rozglądam się w poszukiwaniu źródeł dźwięku: range rovery. Siedem czarnych i cztery srebrne. O dziwo, czuję więź z dwiema dziewczynami, które wsiadają do starszych modeli, sprzed czasów, gdy range rovery otrzymały najnowszy model nadwozia.

– Dzięki – mówię, zapinając Parker w foteliku mojego nie-range rovera – ale nie mogę, mam już plany na dzisiejszy lunch.

Wiem, myślicie, że kłamię. Otóż – mylicie się. O pierwszej umówiłam się z ojcem w Beverly Hills Hotel. Muszę mu powiedzieć, że następnym razem zjemy o jedenastej.

– Szkoda – w głosie szatynki pobrzmiewa szczere rozczarowanie. – Ale nic straconego, za tydzień też pewnie wybierzemy się gdzieś razem. W końcu, cóż innego mamy do roboty, prawda?

Rozkładam ręce.

– Jasne – potakuję, próbując to zrobić jak najradośniej.

Akurat. Jasne.

9

A więc: tak, rzeczywiście zadzwoniłam do niego. Zadzwoniłam do @#*!. Po kilku godzinach ożywionej dyskusji ze wszystkimi znanymi mi osobami, postanowiłam, że tak właśnie należy postąpić. Oczywiście każdy podawał inny powód. Proszę, spróbujcie właściwie dopasować osoby do powodów (prawidłowe odpowiedzi nie zostaną podane na ostatniej stronie, ponieważ jeśli sami nie możecie ich odgadnąć, najwyraźniej nie czytacie dość uważnie):

1. Parker powinna znać swojego dziadka. A) Andrew
2. Może uszczknie coś dla nas z tych czterech milionów. B) Julie
3. Może przestaniesz histeryzować, że nagle stanął w twoich drzwiach i chce znów być twoim ojcem, a za to nawiążesz z nim jakieś normalne relacje. C) Stacey

Uważam, że wszystkie podane powody są dość logiczne, ale, szczerze mówiąc, nie dlatego zadzwoniłam. Nie, zrobiłam to, bo wierzę, że mogę się od niego nauczyć czegoś o rodzicielstwie. Ojciec może mnie nauczyć, jaka nie powinnam być jako matka. Bo jeśli poważnie myślę o dobrych relacjach z córką, a myślę poważnie, to najlepiej zacząć od tego, czego należy unikać. A któż mógłby być lepszym źródłem informacji na ten temat niż facet, którego nazywam @#*!?

Mimo to trochę się denerwuję przed tym spotkaniem i chyba dobrze by mi zrobiła pokrzepiająca rozmowa. Wybieram numer biura Stacey. Dzięki nowemu aparatowi, który Andrew zainstalował w samochodzie („Nie będziesz woziła dziecka, prowadząc jedną ręką"), mogę to zrobić bez użycia rąk. Po dwóch dzwonkach odzywa się sekretarka.

– Biuro Stacey Horowitz.

– Cześć, Janine, tu Lara – odkąd pojawił się na horyzoncie mój ojciec, zakaz dzwonienia do pracy został odwołany. Wydaje mi się, że przez ostatnie sześć miesięcy rozmawiałyśmy częściej niż przez ostatnie sześć lat. Ale jeśli nie zostanie wspólnikiem, koniec ze mną. Do końca świata pozostanę tą jędzą, która zniszczyła jej karierę.

– Hej, co jest? – pyta, podnosząc słuchawkę. Sprawia wrażenie nieobecnej.

– Wybacz – zaczynam. – Ale za godzinę spotykam się z ojcem. Powiedz, że wszystko pójdzie dobrze.

– Wszystko pójdzie dobrze – cedzi przez zęby. Biedna Stacey. To już czterdziesty trzeci raz w ciągu ostatnich trzech dni, kiedy proszę ją, by mi to powtórzyła. Prawdziwy przyjaciel. – Trzymaj się zasad i nie pozwól mu sobą manipulować.

W zeszłym tygodniu, przed telefonem do niego, Stacey pomogła mi sformułować zasady postępowania, tak żeby nie namówił mnie na coś, czego sama nie chcę. Mówiła, że terapeuta nauczył ją stosować tę technikę z klientami, ponieważ czasami zdarza im się dzwonić o trzeciej nad ranem z prośbą o przyniesienie czegoś do jedzenia, na co akurat przyszła im ochota, a ich osobista sekretarka ma wakacje lub wykonuje właśnie jakieś inne polecenie, w związku z czym uznają, logicznie rozumując, że kolejną osobą, do której mogą zwrócić się w tej sprawie, jest ich prawnik. Zasad mamy pięć:

1. Nie spotkam się z jego narzeczoną.
2. Nie chcę mieć nic wspólnego ze ślubem.
3. Nie pozna Andrew i nie będzie spędzał czasu z Parker.
4. Nigdy nie będę w stosunku do niego ciepłą i kochającą córką.

5. Chociaż to mało prawdopodobne, możliwe, że kiedyś wybaczę mu to, co zrobił, ale nigdy, przenigdy mu tego nie zapomnę.

Wciągam brzuch, próbując opanować motyle w środku.

– W porządku – mówię, robiąc głęboki wydech. – Czuję się o wiele lepiej.

– Proszę bardzo – Stacey na to. – Jesteś już w drodze?

– Nie, na razie jadę do domu. Skończyłam właśnie pierwsze zajęcia „Mama i ja", muszę odwieźć Parker i przebrać się.

– O. I jak pierwszy krok na drodze do zostania matką doskonałą?

Wzdycham.

– W porządku. Można się dowiedzieć kilku pożytecznych rzeczy, ale raczej nie uda się nawiązać nowych znajomości. To znaczy, miałam nadzieję na poznanie kogoś, kto byłby równie bezradny i zagubiony jak ja, ale one wszystkie były arcyzadowolone i jakby stworzone do macierzyństwa. Nieważne. Nie spodobałyby ci się. Wszystkie tak samo się ubierają, mają takie same wózki i takie same samochody, i gadają dokładnie to samo. Jak jakieś komunistki czy coś.

– Nie komunistki, tylko mamunistki – poprawia mnie Stacey.

Uśmiecham się. Czasami kocham Stacey.

– Dokładnie.

– Cóż, bądź ostrożna – ostrzega. – Nie pozwól, żeby cię sprowadzili na złą drogę.

– Nigdy w życiu – obiecuję. – Jestem Amerykanką.

Dziesięć minut później, już w domu, oddaję Parker w ręce Deloris i idę do garderoby. Od ostatniego wyjścia wymagającego stroju nieco bardziej oficjalnego zrzuciłam cztery i pół kilograma, dzięki czemu mieszczę się już w dwóch parach spodni, i obie zaczynają mnie już nudzić. Ale nie mam najmniejszego zamiaru kupować nowych, ponieważ oznaczałoby to, że zgadzam się na swój o pięć i pół kilograma cięższy los, a ja z całą mocą mówię mu zdecydowane „nie".

Sięgam więc ponownie po szerokie, czarne spodnie, i z tęsknotą przebiegam palcami po tych wszystkich pięknych, dopasowanych spodniach rozmiar trzydzieści sześć, które wiszą nienoszone od kilku dobrych miesięcy. Ale kiedy dochodzę do moich ulubionych, dopasowanych, czarnych spodni Theory, zatrzymuję się.

„Brakuje mi was, tak strasznie mi was brakuje".

Przymierzałam je dopiero co wczoraj i były tak ciasne, że wyglądały jak legginsy, ale mimo to czuję przemożną potrzebę przymierzenia ich i dziś.

„A nuż – mówię sobie. – A nuż moje biodra uznały, że dziś właśnie nadszedł ten dzień, kiedy należy wrócić do normalnego stanu. A nuż stał się cud i zrzuciłam od wczoraj pięć i pół kilograma". Zdejmuję je z wieszaka i wkładam. Niestety. Ciągle legginsy.

Ściągam i wkładam te szerokie. Do nich oliwkową bluzkę bez rękawów, bo modnie wyszczupla sylwetkę, a jednocześnie jest na tyle luźna, by ukryć wałek tłuszczu wylewający się spod paska. Wychodzę z garderoby bez zaglądania w lustro. Może jutro będą pasować.

* * *

W hotelu kierownik sali informuje mnie, że ojciec już czeka, a następnie prowadzi mnie do stolika, przy którym ojciec skubie swoje skórki wokół paznokci. Na mój widok natychmiast wstaje.

– Niunieczka – wita mnie z otwartymi ramionami.

„Nie będę w stosunku do niego ciepła i kochająca".

Udaję, że oddaję jego uścisk, ledwie go dotykając.

– Cześć, tato.

Zanim mam szansę usiąść, lustruje mnie z góry na dół.

– Zeszczuplałaś – mówi. – Czyżbyś wyszła z ukrycia? Może z jakiejś szafy?

Przez moment zastanawiam się, czy on mnie podejrzewa o ukrywany homoseksualizm, ale nagle przypominam sobie. Ojciec zawsze szczerze nienawidził tłustych dzieciaków, i kiedy dorastałam, mówił mi, że jeśli kiedykolwiek będę gruba, zamknie mnie w szafie o chlebie i wodzie, i wypuści dopiero, kiedy schudnę. Zapomniałam o tym, ale teraz myślę sobie, że to rzuca zupełnie inne światło na moje neurotyczne zachowania w kwestii wagi ciała, nie uważacie?

Ku pamięci: Po przyjściu do domu powiedzieć Parker, że będę ją kochać niezależnie od tego, ile waży.

A nie mówiłam? Wiedziałam, że to był dobry pomysł. Jestem tu zaledwie kilka sekund, a już się czegoś nauczyłam.

– Wiesz – mówię do ojca – to naprawdę okropne, tak mówić do dziecka.

Wzrusza ramionami.

– Ale poskutkowało, prawda?

Proszę, to mi się podoba. Fakt, że jestem (byłam?) szczupła okazuje się zasługą technik rodzicielskich bliskich stosowania przemocy w rodzinie. Mam ochotę mu powiedzieć, że równie dobrze możemy to przypisać karmieniu piersią.

– Nieważne. Zmieńmy temat.

– W porządku. Jak dzidziuś?

„Nie będziesz spędzał czasu z Parker".

– Chyba dobrze. Lepiej sypia, przestała tak często płakać. Rozpoczęłyśmy zajęcia „Mama i ja", teraz więc łączy nas wspólny obowiązek.

Wchodzi mi w słowo.

– Zaraz – mówi z niepokojem. – A gdzie ona jest?

– O Boże – robię śmiertelnie poważną minę. – Zostawiłam ją w samochodzie.

Oczy wychodzą mu na wierzch. Ciekawe, czy naprawdę uważa mnie aż za taką idiotkę.

– Ale nie martw się – dodaję. – Zamknęłam szyby, nikt więc jej nie porwie.

Widzi teraz, że żartuję, i jego twarz się uspokaja.

– Bardzo zabawne – komentuje. – Ale gdzie jest naprawdę?

– Mamy nianię. Deloris. Praktykuje wudu i jada tylko zdrową żywność, ale dzięki niej pozostaję przy zdrowych zmysłach.

Rozkładam na kolanach serwetkę i otwieram kartę dań.

– Ostatnimi czasy zyskałam dla mamy wiele szacunku i uznania, nowego rodzaju szacunku. Po prostu nie rozumiem, jak udało się jej zostać ze mną i Evanem w domu, kiedy byliśmy mali. Mieliście kogoś do pomocy?

@#*! śmieje się, kręcąc głową, na co ja kręcę głową w odpowiedzi, niezdolna wyobrazić sobie ośmiu lat poświęconych wyłącznie macierzyństwu.

– Mówiłem ci – dodaje zarozumiale. – To trudne.

Chyba sobie żartuje. Od tej chwili żadnych zwierzeń. Wszystko przekręca, żeby wyszło na jego. Boże, co za narcyz.

– Daj spokój – zaczynam być agresywna. – Nie myśl sobie, że zaraz zaczniemy się świetnie rozumieć tylko dlatego, że oboje uważamy, że wychowywanie dzieci to nie lada wyzwanie. To, że rozumiem, jakie to ciężkie, nie oznacza, że zrozumiem nagle twoją ucieczkę. Albo że będę ci współczuła.

Zagryza dolną wargę.

– OK. Co mam powiedzieć, żebyś zrozumiała?

„Chociaż to mało prawdopodobne, możliwe, że kiedyś wybaczę mu to, co zrobił, ale nigdy, przenigdy nie zapomnę mu tego".

– Nic – ripostuję. – Nic, co powiesz, nie pomoże mi tego zrozumieć. A poza tym, to zupełnie inna sytuacja. Ja jestem sfrustrowana z powodu noworodka, który nie ma jeszcze rozwiniętej osobowości. Ty zostawiłeś dorosłą, w pełni ukształtowaną osobę. Można by pomyśleć, że specjalnie za mną nie przepadałeś.

– Och, Laro, to śmieszne. Ile razy mam ci to powtarzać, że tu nie chodziło o ciebie. To było coś, co musiałem zrobić dla...

Nagle zmienia się wyraz jego twarzy i wyraźnie widzę w niej panikę.

– O nie – szepcze. – To nie był mój pomysł, przyrzekam. Mówiłem jej, żeby trzymała się z daleka.

Odwracam się w kierunku, w którym ma utkwiony wzrok i spostrzegam wysoką, szczupłą kobietę z ogromnym biustem i jeszcze ogromniejszą rudą głową, zbliżającą się do naszego stolika. Ma na sobie biały żakiet, pod spodem czerwony wydekoltowany gorsecik i białą prostą ultramini. Chwieje się z lekka na czerwonych szpilach. Nadine. Nadine, stuprocentowa. Moja głowa błyskawicznie wraca na miejsce, jednocześnie recytując zasadę numer jeden.

„Nie spotkam się z narzeczoną. Nie spotkam się z narzeczoną. Nie spotkam się z narzeczoną".

Nie mogę w to uwierzyć. Spotykam się z jego narzeczoną. Zbliżając się do stolika, wyciąga dłoń. Ma akrylowe paznokcie w tym samym odcieniu co buty.

– Dzień dobry – zwraca się do mnie. – Jestem Nadine, narzeczona twojego taty. Lara, prawda? Tyle o tobie słyszałam, ale jesteś jeszcze ładniejsza, niż mówił.

W jej głosie pobrzmiewa wyraźnie południowy akcent, ale trudno mi go dokładnie umiejscowić, i wtedy zdaję sobie sprawę, że, tak jak wszystko, akcent prawdopodobnie też nie jest prawdziwy.

– Przepraszam – odpowiadam jej, próbując przejąć kontrolę nad sytuacją – ale mieliśmy zjeść lunch tylko we dwoje.

Uśmiecha się, zupełnie nieporuszona moim zachowaniem.

– Wiem, oczywiście. I przepraszam za to najście, ale po prostu musiałam cię poznać.

Gestykuluje lewą ręką i prawie oślepia mnie swoim brylantem. Przynajmniej pięć karatów. Nieźle. Musi być rzeczywiście dobra w łóżku, bo mój ojciec to stara kutwa. Kiedy byłam mała, zawsze on robił rodzinne zakupy spożywcze i kupował rzeczy, których nie byliśmy w stanie jeść, na przykład cztery paczki skórek wieprzowych, bo miał kupony i trzy z nich były za darmo. Chwila... Oczywiście, że jest dobra w łóżku. W końcu to cholerna striptizerka. To pewnie jedyne, w czym jest dobra.

I nagle uderza mnie powaga całej sytuacji. Mój ojciec zamierza poślubić striptizerkę. Striptizerkę, która nosi tandetne szpilki i akrylowe paznokcie. Nie. Nie mogę na to pozwolić. To znaczy, nie mogę jej gościć u siebie na imprezach. Na przykład Chanuka. Albo pierwsze urodziny Parker. Możecie sobie wyobrazić wyraz twarzy Julie?

Po prostu muszę coś zrobić, żeby zerwali, to wszystko. Muszę przemówić ojcu do rozumu i wytłumaczyć mu, że nie może ożenić się z tą kobietą. W każdym razie, jeśli chce mieć cokolwiek wspólnego ze mną.

Jakby znała moje myśli, Nadine kładzie dłoń z ogromnym brylantem dokładnie na kroczu mojego ojca, i, uśmiechając się, patrzy mi prosto w oczy, dając do zrozumienia, żebym uważała, bo z nas dwóch to ona trzyma go za jaja.

Jeszcze zobaczymy.

– Hm – mówię tonem wyższości. – Słyszałam od ojca, że byłaś tancerką.

Ale Nadine posyła mi jedynie kolejny uśmiech. Jest albo naprawdę twarda, albo naprawdę głupia.

– A, tak, całe wieki temu. Od dwunastu lat mieszkam w LA. Prowadziłam firmę konsultingową, ale zamknęłam ją kilka lat temu.

– Tak? Jakiego rodzaju firmę? Kilkoro znajomych z Penn pracuje w McKinsey. Może ich znasz?

Śmieje się, jakbym była dzieckiem, które powiedziało coś naprawdę uroczego.

– Och, nie sądzę, skarbie. Mój rodzaj konsultingu to nie coś, czego uczą na uniwersytetach.

Zaskoczyła mnie. O czym ona, do diabła, mówi? W co wplątał się mój ojciec? Ale zanim mogę zapytać, Nadine zmienia temat.

– Dobrze, Laro. Nie jestem pewna, czy ojciec wspominał ci o naszych weselnych planach.

Odwraca się do ojca.

– Ronny?

Ojciec patrzy na nią.

– Nie zdążyłem, złotko. Może sama jej powiesz. I tak ty tu dowodzisz.

Zaczynam kręcić głową. „Nie chcę mieć nic wspólnego z tym ślubem". Nie. Tym razem nie sprzeniewierzę się moim zasadom.

– Nie mam zamiaru w ogóle...

Nadine nie daje mi skończyć. Klaszcze w dłonie i piszczy jak mała dziewczynka.

– No więc, będzie wielkie. Ogromne. Tutaj, w Beverly Hills. Mam firmę cateringową, którą wynajęli na swój ślub Brad i Jennifer, a Colin Cowie zgodził się wszystko koordynować, to niewiarygodne. Widziałaś go w zeszłym tygodniu w *Oprah Show*? Muszę jeszcze znaleźć sukienkę, ale mam już na oku jedną u Very Wang – tę z limitowanej serii Barbie, z czarnym wykończeniem. Widziałaś ją może?

Nie potrafię wykrztusić słowa. Ma czterdzieści dziewięć lat, jest byłą striptizerką i chce urządzić ogromne wesele w hotelu Beverly Hills, a w dodatku wystąpić na nim w bieli? To nie może być prawda. Odjęło mi mowę, kiwam więc tylko głową i robię do ojca oczy „czy ona zwariowała"?

– Nadine zawsze marzyła o dużym, tradycyjnym przyjęciu weselnym – wyjaśnia. – Powiedziałem więc, żeby zaplanowała największe, najbardziej tradycyjne wesele, jakie potrafi sobie wyobrazić.

Nadine potakuje i łapie dłońmi jego ramię.

– Właśnie. Taka jestem podekscytowana.

Nagle uśmiech zamiera, a głos poważnieje.

– Ale wiesz, Laro, wesele nie byłoby prawdziwym weselem bez starościny – patrzy na mnie, czekając na odpowiedź, a ja nie wiem, do czego zmierza.

– No tak – mówię, starając się robić wrażenie znudzonej. – Kogo o to poprosisz?

Nadine śmieje się.

– Ciebie, kochanie, właśnie w ten sposób chciałam cię o to poprosić.

Prezentuję najbardziej fałszywy uśmiech, na jaki mnie stać. Nie. Nie ma takiej opcji. Widać Nadine nie wie o istnieniu zasady numer dwa: „Nie będę miała nic wspólnego z jego ślubem". Zgłaszam protest.

– Ale, Nadine, przecież nawet mnie nie znasz. Widzimy się po praz pierwszy w zyciu. Jak ja... Co ja... Przecież ja ciebie w ogóle nie znam.

Zaczyna się jąkać, wyśmiewając się ze mnie.

– J-j-j-ja. Daj spokój, Laro. I co z tego? Nie mam rodzeństwa, a zawsze chciałam mieć córkę. Możemy się przecież poznać. Zgódź się, skarbie. Kogóż innego mogłabym poprosić?

Pojęcia nie mam. Nie masz jakichś koleżanek z dawnych czasów?

Patrzę na ojca, ale on tylko wzrusza ramionami.

– Ee... Nadine, czy mogłabyś nas na chwilę zostawić? – zwracam się do przyszłej panny młodej. Wstaje i poprawia spódniczkę.

– Jasne. Obgadajcie sprawę, a ja pójdę przypudrować nosek.

„Przypudrować nosek". Kto dzisiaj tak mówi? Razem z ojcem patrzymy, jak kołysząc biodrami, oddala się od stolika, każde z nas pogrążone we własnych, bardzo odmiennych, zapewniam was, myślach, a kiedy jest poza zasięgiem słuchu, nacieram mu uszu.

– Zwabiłeś mnie w pułapkę – syczę. – Mówiłam ci, że nie chcę mieć z nią nic wspólnego.

W obronnym geście podnosi ręce.

– Nieprawda – zaprzecza. – Mówiłem jej, żeby nie przychodziła. Ale ty nic nie rozumiesz. Nadine nie da się powiedzieć „nie". Ta kobieta sama o sobie decyduje.

– Tato, nie mam zamiaru brać udziału w tym weselu. Nawet nie chcę na nim być. To absurd.

O, wiem doskonale, jak to zakończyć. Założę się, że zaraz uda mi się namówić go na odwołanie tego cyrku. Nadine jest z nim ile, rok? Litości. To amatorka. Ja przeżyłam z nim całe swoje życie. Wiem, jak działa jego mózg. Duży czy mały pierścionek, to kutwa. W liceum dawał mi siedem dolarów kieszonkowego, a kiedy mu powiedziałam, że nie wystarcza mi nawet na lunch, podwyższył do siedmiu dolarów i dziesięciu centów. Tak jest. Nawet superseks nie zmieni pod tym względem Ronny'ego Levitta. Ściągam usta w dzióbek, delektując się tą chwilą tuż przed zwycięstwem.

– A tak w ogóle, masz pojęcie, ile takie wesele kosztuje? Colin Cowie i firma, z której usług korzysta Brad Pitt? Nie wiem, jaki kit ci wciska, ale to wyjdzie co najmniej milion dolarów.

Opieram się wygodnie i zakładam nogę na nogę, czekając, aż para buchnie z jego uszu. Ale on tylko wzrusza ramionami.

– To nie moje pieniądze – oznajmia. – Nadine sama płaci za wesele. Ja jej obiecałem podróż poślubną.

„Co takiego?!" Nawet nie staram się ukryć zaskoczenia.

– Ma pieniądze?

Ojciec śmieje się.

– A co, myślałaś, że jest ze mną dla kasy? Daj spokój. Przy niej jestem żebrakiem, Lar. Nadine to mądra kobieta. O wiele mądrzejsza, niż chce pokazać.

Hm. Ciekawe. Moje wyobrażenie o niej legło w gruzach. Jeśli ma kasę i wygląda tak, jak wygląda, co robi z ojcem? Czy to możliwe, że go kocha?

Próbuję mu się przyjrzeć obiektywnie. Prawie łysy. Resztkę brązowych włosów zaczesuje na czubek głowy, ale już naprawdę niewiele brakuje, a będzie wyglądać gorzej niż Donald Trump. Chodzi w takich samych ubraniach, jakie nosił za czasów Reagana, i ma biust. Nie. To niemożliwe.

– Wie, co zrobiłeś? – pytam. – Że zostawiłeś nas wszystkich?

Kiwa poważnie głową.

– Tak, wie. Uważa, że to okropne, i chyba tysiąc razy mi powtórzyła, że współczuje tobie i twojemu bratu. Właściwie to był jej pomysł, żebym do ciebie poszedł – uśmiecha się przez chwilę, myśląc o Nadine. – To skarb, Laro, możesz mi wierzyć.

Nie mam czasu na odpowiedź, bo właśnie wraca Nadine. Siada i kładzie rękę na penisie mojego ojca.

– A więc, załatwione? Zgadzasz się?

Chrząkam.

– Nadine, to miło z twojej strony, ale ojciec i ja nie jesteśmy w zbyt dobrych stosunkach, uważam więc, że to nie najlepszy pomysł. Jestem pewna, że potrafisz to zrozumieć.

Nadine prostuje się i rozpromienia w uśmiechu.

– Cudownie. Jestem taka szczęśliwa, że się zgadzasz! – wstaje i zakłada na ramię torebkę.

Przepraszam. Czy ktoś słyszał, jak się zgadzam? Ale ona dalej trajluje.

– Zadzwonię do ciebie w przyszłym tygodniu i zaczniemy planować przyjęcie przedślubne i wieczór panieński, oczywiście. To musi być coś niesamowitego. Och! – piszczy. – Tak się cieszę, Laro! – pochyla się i obejmuje mnie, a ja, oszołomiona tym, jak mnie zrobiła na szaro, naprawdę oddaję jej uścisk. Potem Nadine, jak za sprawą czarodziejskiej różdżki, znika. Puf.

Nie zerwali. A ja będę na weselu.

Ojciec posyła mi niewyraźny uśmiech.

– Mówiłem ci. Nadine nie można odmówić.

10

W następną sobotę rano razem z Julie siedzimy w mojej jadalni nad podaniami o przyjęcie do Instytutu. Przysięgam, w ciągu pięciu lat pracy na stanowisku doradcy akademickiego nie widziałam tak skomplikowanego formularza podaniowego. Oprócz czterech pytań wymagających dłuższych wypowiedzi pisemnych (Opisz mocne i słabe strony twojego dziecka. Co nowego wasza rodzina może wnieść do naszej społeczności? Dlaczego wybraliście nasze przedszkole? Opisz swoje oczekiwania wobec naszej instytucji dotyczące wczesnej edukacji dziecka.) jest jeszcze sześć stron „Informacji na temat rodziny", które są tak wyczerpujące jak raport FBI o najważniejszych osobistościach świata polityki.

– OK – mówię do Julie po przeczytaniu wszystkiego. – Po pierwsze, musimy dojść, o co chodzi w tych czterech pytaniach, i zastanowić się, po co są im potrzebne. Więc tak, nie mam pojęcia, jakie mocne lub słabe strony może mieć dziewięciomiesięczne dziecko, ale jeśli chodzi o drugie pytanie, zapewne chcą wiedzieć, na jaką kwotę dotacji z waszej strony mogą liczyć. W trzecim (wszystkie uczelnie o to pytają) powiedz im po prostu, że szukasz środowiska, które dostarczy dziecku wielu zróżnicowanych bodźców i wychwalaj ich pod niebiosa za wszechstronną ofertę. Ostatnie... nie jestem pewna. Czuję, że chcą wyłuskać świrusów, którzy uważają, że ich mądre dzieci powinny czytać *Wojnę i pokój* w wieku lat trzech, ale z drugiej strony, może chcą wiedzieć, czy jesteś gotowa popracować z dzieckiem nad jego rozwojem. Tu musimy uważać, żeby nie przegiąć w żadną stronę.

Kiedy to mówię, uświadamiam sobie, jak bardzo brakuje mi pracy. Nie pamiętam już, kiedy ostatnio czułam się tak pewna tego, co robię i mówię. Ostatnio jestem bajorkiem samozwątpienia: za mało czasu spędzam z dzieckiem, nie dostarczam jej wystarczającej ilości bodźców, pozwalam oglądać telewizję, dostaje za dużo jedzenia, za krótko śpi, i tak dalej, i tak dalej, i tak dalej... Nawet myślenie o tym jest wyczerpujące. Natomiast to... mogłabym znów przyzwyczaić się do tego uczucia. Biorę głęboki wdech. „Boże, poczucie kontroli jest upajające. Wiem, że kilka miesięcy temu narzekałam i jęczałam, jak męczy mnie robota, ale muszę przyznać, że już nie mogę się doczekać powrotu".

Nagle tok moich myśli przerywa wybuch śmiechu dochodzący z salonu.

– Co się tam dzieje? – pyta Julie. Przewracam oczami.

– Nic takiego. Andrew i Deloris są jak papużki nierozłączki. Nie mogą wręcz bez siebie żyć, na mdłości mi się zbiera, kiedy na nich patrzę. Ciągle razem przesiadują i zaśmiewają się, tak jak teraz, a ja nie mam pojęcia, co ich tak śmieszy. We własnym domu zaczynam się czuć jak piąte koło u wozu.

Julie przygląda mi się sceptycznie.

– Andrew i niania razem przesiadują? Naprawdę?

– Naprawdę – potakuję. – Naprawdę. Szkoda, że nie widziałaś, co jej zorganizował w pokoju, dopiero byś się zdziwiła. Zapytała, czy mamy coś przeciwko temu, żeby podłączyła w swoim pokoju wideo, żeby mogła oglądać filmy, na co Andrew stwierdził, że dziś nikt już nie używa wideo, poszedł więc i kupił dla niej odtwarzacz DVD oraz nowy telewizor z Dolby Surround, jak również cyfrowy magnetowid.

Julie opada szczęka.

– TiVo?

Kiwam głową.

– Przysięgam. Ze sprzętem, który sprawił jej Andrew, Deloris mogłaby wystąpić w kolejnym odcinku *Cribs.*

– Nie mogę uwierzyć, że z nią przesiaduje. To jakieś dziwne. Rozmawiałaś z nim o tym?

Patrzę na nią, jakby zwariowała.

– Żartujesz? I niby co mam mu powiedzieć? Żeby z nią nie przesiadywał? Przecież wtedy okażę się prawdziwą zołzą. Po drugie, Deloris od razu się zorientuje, że to moja robota, a na to nie mogę sobie pozwolić.

– Nie rozumiem, dlaczego?

Pochylam się do niej i zniżam głos.

– No wiesz, mówiłam ci, że ona zajmuje się wudu?

Julie potwierdza ruchem głowy, oczy ma jak spodeczki, a ja przesuwam się jeszcze bliżej.

– Podejrzewam, że ona rzuca na mnie zaklęcia – szepczę.

Julie prostuje się i uderza się ręką o krawędź stołu.

– Laro, przestań, to śmieszne – woła. – Deloris nie rzuca na ciebie zaklęć.

– Ciii! – syczę, wskazując drugi pokój. – Zapewniam cię, że tak.

Julie kręci głową i patrzy na mnie z ukosa, jakby nie była pewna, czy mówię serio. Kiedy uświadamiam sobie, o czym myśli, upominam ją wzrokiem.

– Nie sądzę, żeby one działały – wykrzykuję. Julie oddycha z ulgą.

– Dobrze. Nie byłam pewna, do czego zmierzasz. Ale jeśli nie działają, to jakie to ma znaczenie?

– Ma. Nie mam zamiaru tolerować w moim domu kobiety rzucającej uroki w przekonaniu, że są skuteczne.

Stukam się palcem wskazującym w skroń.

– To gierki mentalne. Chodzi o interpretację.

– OK – ustępuje Julie. – Więc twoim zdaniem, jakie zaklęcia Deloris myśli, że rzuca na ciebie?

Kiwam głową i przybieram poważną minę.

– Od kiedy jej powiedziałam, że Parker do mnie pierwszej się uśmiechnęła, jest wściekła i najnormalniej mnie unika. A na liście zakupów w zeszłym tygodniu zapisała wszystkie te świeże zioła, jak szałwia, oraz kadzidło i tak zwany czarci pazur. Sprawdziłam w Internecie wśród różnych zaklęć wudu. Znalazłam jedno o nazwie „Odejdź kobieto". Stosowane, kiedy kobieta przeszkadza w jakimś związku. Uważam, że Deloris chce wejść między mnie a Parker.

Julie nic nie rozumie.

– Ale ty jesteś jej matką – dziwi się. – Dlaczego miałaby chcieć wejść między was?

Wzdycham.

– To skomplikowana sprawa – wyjaśniam, zastanawiając się, jak jej wytłumaczyć, że Deloris nazywa Parker „swoją dziewczynką" i że właściwie aż do tego dnia w parku, praktycznie rzecz biorąc, Parker była jej dziewczynką, bo mnie ogóle nie było w pobliżu.

– Powiedzmy, że Deloris przyzwyczaiła się, że jest głównym opiekunem Parker, a teraz, kiedy staram się spędzać z dzieckiem więcej czasu, Deloris trudno jest zrezygnować z tej roli.

– Chcesz powiedzieć, że niania chce dziecko tylko dla siebie?

Kiwam głową.

– Tak. Dokładnie to chcę powiedzieć – przerywam na moment. – A w dodatku jest mściwa. Dzisiaj na swojej wadze znalazłam niebieski proszek.

– To co?

– To to, że na pewno rzuciła zaklęcie utrudniające mi zrzucenie ostatnich pięciu kilogramów.

Julie wybucha śmiechem.

– Chyba nie mówisz poważnie.

– Wręcz przeciwnie. Jestem śmiertelnie poważna.

W tym momencie wchodzi Andrew, pukając w ścianę jadalni.

– Cześć, Jul. Nie będę wam przeszkadzał, chcę się tylko pożegnać. Za dwadzieścia minut musimy być z Zoey na zajęciach.

– Ciągle bawicie się w agility?
– Oczywiście. Zoey to uwielbia.
Wywracam oczami.
– Andrew chce powiedzieć, że to on uwielbia agility – tłumaczę Julie. – Uważa, że bieganie po torze przeszkód i zmuszanie biednego psa do przeskakiwania poprzeczek i wbiegania na równię pochyłą to świetna zabawa. A, i gaworzenie z lesbijkami, które mają psy zamiast dzieci.
Andrew wystawia do mnie środkowy palec.
– W porządku – zwalniam go. – Baw się dobrze.
Woła więc Zoey, która czeka przed drzwiami, skowycząc, już od chwili, kiedy usłyszała otwieranie szuflady, gdzie trzymamy jej przenośną miskę na wodę. Andrew znika. Julie spogląda na zegarek.
– Ja właściwie też muszę lecieć. Razem z Jonem zabieramy dziś Lily na plażę. Uwielbia piasek.
– Dobrze. Popracuj nad odpowiedziami – proponuję – i jak będziesz miała zarys, przyjrzymy im się dokładnie.
– Super. Dzięki za pomoc. Jesteś naprawdę dobra.
Śmieję się szeroko.
– Wiem o tym.

Po wyjściu Julie idę do salonu. Deloris, trzymając Parker w ramionach, dusi ją pocałunkami.
– Jesteś moją dziewczynką? – pyta Parker. – Kto jest dziewczynką Deloris?
„Już, koniec. Wystarczy tego dobrego".
I, poddając się impulsowi, postanawiam zabrać Parker i zrobić Andrew niespodziankę na zajęciach agility. Nie, nie, nie dlatego, że mam ochotę pójść na agility, ale potrzebuję pretekstu, żeby chociaż na chwilę zabrać Parker od Deloris.
– Hej, Deloris – mówię. – Idziemy z Parker zobaczyć Andrew i Zoey na torze przeszkód.
Deloris podnosi głowę, mrużąc oczy.

– Ale dopiero co wróciłyśmy ze spaceru – oznajmia rozeźlona. – Nie powinna zbyt dużo czasu spędzać na słońcu.

Uśmiecham się do niej, starając się nie stracić cierpliwości.

– W parku jest dużo drzew, zostaniemy w cieniu.

Podchodzę do nich i czekam, aż Deloris poda mi dziecko, ale ona ani drgnie. Zaczyna natomiast znów mówić do Parker.

– Mamusia chce cię zabrać na to palące słoneczko, które wcale nie jest dla ciebie dobre.

Nie zwracając uwagi na jej słowa, bezczelnie wyciągam ręce i próbuję odebrać jej Parker, ale Deloris trzyma mocno i około minuty gramy w przeciąganie liny z udziałem dziecka, czy też, jak powiedziałaby Deloris, jej dziewczynki, w roli liny. Oczywiście nie w prawdziwe przeciąganie liny – nie rozrywamy jej na pół ani nic takiego – ale toczymy swoistą wojnę. Ostatecznie rzucam Deloris krzywe spojrzenie i nieco mocniej ciągnę Parker. Deloris poddaje się. Uśmiecham się do niej fałszywie, opieram sobie Parker na ramieniu i mówię własnym dziecięcym głosikiem.

– Tak, kochanie, pójdziemy do parku. Będzie świetna zabawa: mama, tata i Zoey. Cała rodzina razem.

Następnie przechodzę na swój normalny ton, mając nadzieję, że Deloris zrozumiała, co chciałam jej przekazać.

– Na razie, Deloris – rzucam na odchodnym.

W parku jesteśmy nieco przed czasem, spokojnie więc pakuję na dolną półkę mojego Snap-N-Go torbę na pieluchy, butelkę w pojemniku izotermicznym oraz składane krzesło. Chciałabym widzieć, jak radzi sobie z tym Bugaboo.

Idę przez trawnik w tę stronę parku, gdzie odbywają się zajęcia, pchając przed sobą wózek. Osłaniam oczy przed słońcem i wypatruję Andrew oraz Zoey.

– Tatuś się ucieszy, kiedy nas zobaczy – mówię do Parker. – Mamusia nie była na zajęciach już całe wieki.

Kilka razy przebiegam wzrokiem park i w końcu dostrzegam Zoey, której smycz przywiązana jest do pnia niewielkiego, cienkiego drzewa.

A gdzie Andrew? Jeszcze jeden przegląd i wreszcie jest. Stoi do mnie tyłem, w samym rogu, opierając się szopę, w której składują sprzęt potrzebny na torze przeszkód. Wygląda na to, że z kimś rozmawia, ale nie widzę, z kim, bo zasłania mi sobą rozmówcę. Prawdopodobnie z instruktorką. Andrew zawsze zadaje jej przed zajęciami mnóstwo pytań. Poza tym w jego grupie w zasadzie nie ma nikogo normalnego, z kim można by porozmawiać.

Kiedy dochodzę do miejsca biwaku Zoey, ustawiam krzesło i wyciągam Parker z wózka. Sądziłam, że będzie rozglądać się za wszystkimi psami, ale ona wydaje się ich nie zauważać. Jedyne, co ją interesuje, to jak najszybciej wgryźć się dziąsłami w materiał obiciowy krzesła. Cóż. To tyle, jeśli chodzi o nasze wspólne rodzinne wyjście.

Reszta psów i ich właścicielki zebrały się tymczasem wokół naszego drzewka, w oczekiwaniu na rozpoczęcie zajęć, i wtedy zauważam, że o ile każda wita się z Zoey i poklepuje ją po łbie, o tyle ani jedna z nich nie zauważa, że mam na ręku nowo narodzone dziecko. A, oprócz jednej, od stóp do głów odzianej w rzeczy z podobizną psa rasy order collie. Tłumaczy mi, żebym nie zapomniała poświęcić trochę czasu tylko Zoey, bo jeśli tego nie zrobię, ona pomyśli, że została zastąpiona. Czyż to nie potwierdza teorii głoszącej, że wszyscy ci psi ludzie mają coś z głową?

Kiedy podchodzi instruktorka i zajmuje miejsce w środku kręgu, odwracam się, szukając Andrew. Okazuje się, że na razie nie zmienił miejsca pobytu, nadal tkwiąc przy szopie.

Z kim on gada?

Wstaję, żeby coś zobaczyć, ale właśnie wtedy Andrew odwraca się i idzie w naszym kierunku. Tuż obok niego dostrzegam szarego, klasycznego pudla na smyczy trzymanej przez wysoką, szczupłą, bardzo piękną, bardzo opaloną kobietę lat około dwudziestu pięciu, która w dodatku okazuje się naturalną blondynką, co w Los Angeles jest zjawiskiem właściwie niespotykanym, przynajmniej na wschód od Malibu.

A to kto, do cholery?

Andrew nic nie wspominał, że na zajęcia uczęszcza ktoś atrakcyjny. Gdzieś z głęboko ukrytych, prymitywnych czeluści mojego mózgu dochodzi do mnie impuls nakazujący oznaczyć terytorium. Wstaję, opieram sobie Parker o ramię i wychodzę im naprzeciw. Kiedy jestem już dość blisko, widzę, że dziewczyna z pudlem jest nie tylko szczupła, ale ma także obrzydliwie twarde mięśnie i doskonałe, jędrne piersi, a wszystko to wystawione na pokaz, okryte jedynie krótkimi spodenkami i bluzeczką bez rękawów. Cały czas mam wrażenie, że kogoś mi przypomina – kogoś, kogo znam, ale nie mogę sobie dokładnie przypomnieć. I nagle wiem: pomijając naturalny blond, przypomina mi mnie samą. Mnie sprzed pięciu lat.

„O mój Boże" – myślę, wciągając brzuch i wypinając pierś. Kiedy to zmieniłam się ze mnie we mnie?

Gdy już Andrew ostatecznie odrywa się od Jędrnej Dziewoi z Pudlem – hej, podoba mi się, JDP, tak właśnie będę ją nazywać – nieruchomieje zaskoczony, widząc mnie dwa kroki przed sobą.

– Hej – mówi, oblewając się rumieńcem. – Ee... poznaj Courtney.

Potem wskazuje na pudla.

– A to Zak. Chodzą teraz z nami na zajęcia.

Udaję uśmiech, starając się nie dać po sobie poznać, jak boleśnie świadoma jestem każdej kurzej łapki na swojej twarzy, nie wspominając już tych pięciu zapasowych kilogramach, które noszę, oraz tego, że mój biust jest obwisły i spłaszczony dzięki siedmiu wspaniałym tygodniom karmienia piersią.

– Cześć. Jestem Lara. Żona Andrew. A to Parker. Nasza córeczka.

Zaskoczona JDP zwraca się do Andrew z uśmiechem.

– Nigdy mi nie mówiłeś, że masz córkę! – wykrzykuje.

Kiedy zaczyna rozpływać się nad Parker, unoszę brwi w stronę Andrew, on natomiast unika mojego wzroku.

– Och, jest taaaka słodka – trajkocze JDP.

Kiedy smera Parker po brzuszku, zauważam ładnie zarysowany triceps i wolę nie myśleć, jak w tej chwili wyglądają moje ultrablade, sflaczałe ramiona, w dodatku w tej oliwkowej koszulce.

– Chyba zaczynają się zajęcia, lepiej już chodźmy – mówi Andrew, kierując się w stronę drzewa, przy którym została Zoey.

– W porządku.

JDP uderza prawą dłonią w swoje bardzo opalone udo, które ani się nie trzęsie, ani nawet nie drgnie, i na którym wskutek nacisku nie powstaje nawet najmniejsze wgłębienie, po czym woła swojego psa.

– Do nogi, Zak. Idziemy!

Na tę komendę uszy Zaka wędrują w górę. Biegnąc na zajęcia sprawnościowe, wygląda jak wielki chart z pokręconą sierścią.

Wszystko się we mnie gotuje, gdy idę na swoje miejsce widza i wkładam Parker z powrotem do wózka. Zastanawiam się, co wynika z tego, co właśnie zobaczyłam, i już po chwili zaczyna mnie mdlić.

„Ma z nią romans czy tylko flirtuje? A jeśli tylko flirtuje, to czy planuje romans? I jak teraz wyglądają te długie wieczory w pracy? A może nie w pracy? Jak on ją w ogóle może lubić? Przecież ma pudla, na miłość boską. Kto sobie kupuje pudla?"

Nie wiem, czy powinnam zostać i oglądać ich razem, czy od razu odjechać, żeby Andrew nie miał wątpliwości, jaka jestem na niego wściekła. Postanawiam zostać. Jeśli się zmyję, dam im po prostu okazję do rozmowy o mnie. Albo, co gorsze, do zaplanowania kolejnych *rendez-vous*. Oczywiście przez resztę zajęć jakby w ogóle się nie znali, ale napięcie jest wręcz fizycznie wyczuwalne. Przyłapałam ich i oboje dobrze o tym wiedzą.

Po zajęciach czekam, aż JDP wsiądzie do swojego samochodu i odjedzie, a wtedy jak burza ruszam z Parker, pchając ją przed sobą w wózku.

– Lara! – krzyczy Andrew, biegnąc w pogoni za mną. – Lara, poczekaj!

Nie zwracam na niego uwagi i jadę dalej, ale co chwilę muszę się zatrzymywać i przestawiać wózek na właściwe tory, bo kółka ciągle zaplątują się w trawę albo blokuje je jakiś kamień. Beznadziejne gówno Snap-N-Go. Widzicie, właśnie dlatego chciałam Bugaboo – żebym mogła bez wysiłku uciec od męża, kiedy odkryję, że leci na jakąś dwudziestopięciolatkę. Oto coś warte zaznaczenia w przewodniku dla konsumentów.

Andrew nas dogonił. Staje przede mną, blokując drogę.

– Laro, daj spokój. Pogadajmy o tym – mówi zdyszany, próbując złapać oddech.

– Pogadajmy o czym, Andrew? O tym, że od dziesięciu minut mamy dziecko, a ty już zdecydowałeś się pójść krok dalej? Czy o tym, że nie raczyłeś jej wspomnieć, że je mamy?

– Laro, nie bądź śmieszna. Kocham cię i nie rozumiem, jak w ogóle możesz pomyśleć, że miałbym gdziekolwiek chodzić. Courtney jest, oprócz mnie, jedyną normalną osobą na tych zajęciach, dlatego się zaprzyjaźniliśmy. Ale przysięgam, tylko się przyjaźnimy.

Wypycham policzek od wewnątrz i kładę dłonie na biodra.

– Jeśli jesteście przyjaciółmi, to ciekawe, że nie wspomniałeś jej o mnie. I jak to możliwe, że nie miała pojęcia o dziecku? To nie drobiazg, Andrew, wiesz? Większość ludzi opowiada przyjaciołom takie rzeczy.

Andrew zaciska usta, zastanawiając się nad odpowiedzią.

– Posłuchaj – mówi. – Co miałem ci powiedzieć? Że mamy teraz na agility seksowną laseczkę? Dopiero co urodziłaś, źle się ze sobą czułaś, uznałem, że lepiej o tym nie wspominać.

Jasne, wspaniale. Nic nie mówił, bo nie chciał, żebym się źle czuła z tego powodu, że wyglądam jak potwór.

– Uważasz więc, że jest seksowna? – pytam go.

Spogląda w niebo.

– Nie. To znaczy: tak, jest ładna, ale nie interesuje mnie w ten sposób.

– To dlaczego nie powiedziałeś jej o dziecku?

– Nie wiem. Po prostu jakoś nie było okazji.

– Nie było okazji, bo jej unikałeś. – Oskarżycielsko wskazuję na niego palcem. – Doskonale wiem, w co grasz. Chcesz, żeby myślała, że jesteś wolny, nie powiedziałeś więc o Parker. Tak właśnie zaczynają się romanse. Małe kłamstewka, półprawdy, raz tu, raz tam. Nie zapominaj, że jak zaczynałam z tobą chodzić, zdradzałam swojego poprzedniego chłopaka. Wiem, jak to jest.

– Kochanie. Ja cię nie zdradzam ani nawet tego nie planuję. Proszę cię, nie rób afery.

– Za późno – oznajmiam, odjeżdżając od niego wózkiem w kierunku samochodu. – Sam mnie w tym wyręczyłeś.

11

Stoję w holu hotelu Peninsula, pchając wózek do przodu i ciągnąc go z powrotem, jednocześnie modląc się, żeby tylko Parker się nie obudziła. Ojciec zadzwonił wczoraj i mimo protestów udało mu się jakoś wrobić mnie w spotkanie z Nadine w celu omówienia szczegółów przyjęcia przedślubnego.

Przyjęcia, dla waszej informacji, które sama zaplanowała i którego koszty w całości pokrywa z własnej kieszeni, a które, zgodnie z zaproszeniem, jakie otrzymałam kilka dni temu, wydawane jest „z radością przez kochającą i oddaną". Kiedy to zobaczyłam, omal nie zwymiotowałam.

Nagle jeden z chłopców upuszcza walizkę gościa i rozlega się brzęk metalowej rączki uderzającej o marmurową posadzkę. Cała truchleję, wstrzymując oddech, i patrzę na Parker: jej ciałko wzdryga się lekko, ona sama zaś odwraca głowę z jednej strony na drugą, i znów się uspokaja. Uff. Mało brakowało.

Mijają jeszcze trzy minuty, po czym do holu wkracza Nadine. W obcisłych czarnych rybaczkach, krótkim, wciętym w tali czarnym żakiecie, pod który włożyła jedwabną bluzkę w groszki w kolorach czerwonym i czarnym. Na nogach te same czerwone szpilki. Może to jej znak rozpoznawczy: niektóre kobiety używają zawsze tych samych perfum, Nadine tych samych butów. Mam nadzieję, że włoży je do ślubu. To dopiero byłoby coś.

– Witaj, kochanie – mówi przeciągającym samogłoski akcentem niepoddającym się identyfikacji. Ku mojemu zaskoczeniu, pochyla się, całując mnie w policzek, a potem w drugi. Powinnam się chyba domyślić, że spędziła w Europie tyle czasu, że zwyczajnie weszło jej to w nawyk.

– Witaj – odpowiadam niechętnie, półgłosem, odwracając się w stronę wózka.

– Och! – wykrzykuje, zniżając głos i zaglądając do środka. Zaraz po tym spotkaniu idziemy z Parker na zajęcia „Mama i ja", w akcie odkupienia swoich grzechów popełnionych ostatnio ubrałam więc Parker w jej najsłodszy strój, czyli pomarańczowy T-shirt z kryształkami górskimi wzdłuż krawędzi oraz takie spodenki z koronkami na nogawkach. Ale gwóźdź programu stanowi pomarańczowa satynowa klamerka do włosów, które, nie wiadomo dlaczego, z tyłu urosły dłuższe, a z przodu i po bokach dosyć krótkie. Wygląda słodko, ale nawet ten komplecik nie jest w stanie zmienić faktu, że z wałkami tłuszczu i potrójnym podbródkiem pozostaje sobowtórem człowieczka z reklamy opon Michelin.

– Jaka śliczna – szepcze Nadine. – Jest absolutnie cudowna.

„Kłamczucha" – myślę na to.

– No tak, choć nie jest taka nawet w połowie, kiedy się budzi, możesz mi wierzyć.

Nadine się śmieje, a wtedy podchodzi do nas piękna blondynka w czarnym kostiumie. Uśmiecha się.

– Nadiiiine – mówi, otwierając ramiona.

– Marleeeey – odpowiada Nadine. Obie wycałowują się w policzki, a ja wywracam do siebie oczami. Nadine wyciąga rękę w moim kierunku i przedstawia nas.

– Lara, to Marley. Jest tutaj dyrektorem cateringu i jednym z moich najlepszych pracowników jeszcze z czasów konsultingu.

Marley uśmiecha się i czerwieni nieco, za to Nadine kładzie dłoń na moim ramieniu.

– Marley, poznaj Larę, moją córkę.

„Córkę?!"

Zaczynam się krztusić, ale natychmiast ją poprawiam.

– Nie jestem cór…

Marley nie daje mi skończyć, chwytając moją dłoń.

– Jak miło cię poznać – oznajmia. – Cudownie jest mieć obok siebie Nadine, prawda? – uśmiecha się ciepło. – Wiem, bo sama pamiętam czasy, kiedy Nadine była dla mnie jak matka.

– Nie, nie – próbuję ponownie. – Ja wcale nie…

– To co – przerywa mi Nadine, składając dłonie. – Zastanówmy się nad menu, dobrze?

Marley kiwa głową i zanim mogę cokolwiek powiedzieć, są już dwa kroki przede mną, idąc w kierunku sali, gdzie odbędzie się przyjęcie. Wspominają dawnych znajomych, a ja podążam za nimi, pchając przed sobą Snap-N-Go i starając się dotrzymać im kroku.

Przez kolejne pół godziny Marley i Nadine omawiają zalety i wady sałatki z łososia w sezamie i chińskiej sałatki z kurczaka, truskawek w białej czekoladzie i mieszanki owoców leśnych skropionych czekoladą gorzką, jak również koktajlu Bellini z plastrami świeżej brzoskwini oraz mimozy z mandarynkami. Nie mogą się zdecydować między kremowymi lnianymi obrusami ze złoconymi krzesłami a obrusami w odcieniu kości słoniowej z białymi krzesłami, po czym przechodzą do długiej dyskusji, czy lepszy będzie bukiet kolumbijskich róż na środku każdego stolika czy może bukiecik miniaturowych kalii przy każdym nakryciu. Zupełnie o mnie zapomniały, siedzę więc i przysłuchuję im się jednym uchem, nie przestając miarowo poruszać wózkiem tam i z powrotem, zastanawiając się, dlaczego, do cholery, Marley nie może być jej starościną.

Kiedy ostatecznie podjęły decyzję (łosoś, truskawki, Bellini, kremowe ze złotem, kalie), Marley wychodzi, ściskając nas na pożegnanie, a Nadine i ja wręczamy parkingowemu nasze karty. Nie do wiary, że Parker wciąż jeszcze śpi w swoim wózku, ale wiem, że kiedy tylko włożę ją do samochodu, zacznie się wrzask.

– No więc – mówi do mnie Nadine – chyba wszystko poszło dobrze. Dziękuję, że przyszłaś.

Unoszę brwi, nawet nie próbując ukryć irytacji.

– Nie bardzo wiem, po co tu właściwie jestem – odpowiadam.

Postanowiłam być w stosunku do niej otwarcie niegrzeczna, w nadziei, że a) wywali mnie ze swojego wesela, b) uzna, że nie może wyjść za kogoś, kto ma taką ohydną córkę, lub c) zajdą obie wspomniane wyżej okoliczności.

Nadine uśmiecha się fałszywie i patrzymy przed siebie. Następuje chwila niezręcznej ciszy. Chrząkam.

– Wiesz, Nadine, poczułam się bardzo niezręcznie, kiedy przedstawiłaś mnie jako swoją córkę.

Nadine wyciąga z torebki lusterko i szminkę. Poprawiając makijaż, odpowiada mi.

– Na wszystkich tak mówię – wyjaśnia nonszalancko, rozcierając szminkę ustami. – I wszyscy wiedzą, że mam taki zwyczaj – palcem wskazującym i kciukiem zamyka puderniczkę z głośnym pstryknięciem.

– Nie wszyscy. Ja na przykład nie wiem. Właściwie to nie wiem o tobie nic.

Nadine zaciska usta i widzę w jej twarzy cień rozdrażnienia, który jednak szybko zastępuje znajomy, udawany uśmiech. Jakbym psuła jej ten szczególny poranek w roli panny młodej. I dobrze. Moja strategia działa.

– OK, Laro, w takim razie, co takiego chciałabyś o mnie wiedzieć? – pyta chłodnym, rzeczowym tonem, którego jeszcze u niej nie słyszałam.

– No więc – odpowiadam równie chłodnym i rzeczowym tonem. – Czym tak naprawdę się zajmowałaś, zanim poznałaś mojego ojca? Bo nie kupuję tej bajeczki o firmie konsultingowej. Na pewno nie z byłymi pracownikami w stylu Marley. Jakiż to konsultant ma jej wygląd i zmienia zawód na hotelowego dyrektora cateringu? – czuję się jak Velma w jednym z odcinków *Scooby-Doo. Zagadka przyszłej macochy.*

Właśnie w tym momencie parkingowy podjeżdża długim, czarnym mercedesem i Nadine rusza w jego kierunku.

– Jeśli już musisz wiedzieć, prowadziłam agencję towarzyską – odpowiada rzeczowo, otwierając drzwi po stronie kierowcy. – Stoi przed tobą prawdziwa burdelmama, Madame z Hollywood – wręcza parkingowemu dziesięciodolarowy napiwek, a ja gapię się na nią z niedowierzaniem.

– Chcesz powiedzieć, że byłaś kimś takim jak Heidi Fleiss?

Nadine wsiada do samochodu, parkingowy zamyka za nią drzwi. Przez opuszczoną szybę dochodzi mnie jej chichot.

– Skarbie – wraca do tego swojego nieokreślonego akcentu. – To ja wszystkiego ją nauczyłam.

Przekręca kluczyk i przesuwa dźwignię.

– Oczywiście oprócz tego, jak dać się złapać.

Jej palec wskazujący wędruje na usta, które układają się w bezgłośne „ciii". Potem podnosi szybę i odjeżdża, zostawiając mnie z opadłą szczęką i jedną dłonią na rączce wózka.

Nie ma mowy! Brzydzę się nią, ale jeszcze bardziej brzydzę się ojcem.

Chyba należą mi się jakieś wyjaśnienia.

Kiedy docieram na zajęcia Susan, wciąż jeszcze nie mogę dojść do siebie po tych odkryciach (tytuł filmu: *Moja macocha jest alfonsem*), ale uśmiecham się i rozmawiam z ludźmi, żeby jakoś przestać o tym myśleć.

– Dzień dobry paniom! – Susan stara się nas przekrzyczeć, od razu więc, bez dalszego zwlekania, cała grupa wraz ze mną zajmuje swoje miejsca w podłogowym kręgu. Mamunistki występują ponownie w takich samych oficjalnych strojach, tylko że dziś są to długie, proste bawełniane spódnice, japonki wysadzane kamieniem górskim oraz T-shirty Hard Tail. Ponieważ dziś wracam ze spotkania w Peninsula (czarne spodnie, japonki Dolce & Gabbana oraz różowa bluzka bez rękawów od Marca Jacobsa), czuję się o wiele bardziej na miejscu niż ostatnio. Poza tym położyłam Parker na ślicznym, niemowlęcym, liliowo-kremowym kocyku i usłyszałam kilka komplementów na temat cudnego kompleciku Parker oraz jak super, że Parker ma już tyle włosów, że mogę jej założyć spinkę, czuję, że moje serce zaraz pęknie z dumy. Co prawda z dumy, że wyprodukowałam dziecko, któremu włosy w sposób naturalny układają się we fryzurę noszoną przez hokeistów oraz fanów zawodów z udziałem monster trucków, ale zawsze.

Susan klaszcze w dłonie, uciszamy się więc i koncentrujemy na tym, co ma nam do powiedzenia.

– Dziś chciałabym porozmawiać o seksie po porodzie – obwieszcza. Rozlega się ogólny chichot, którego brzmienie przywodzi na myśl chłopców w szóstej klasie, kiedy nauczyciel zaczyna lekcję o menstruacji. Susan kiwa głową, jakby widziała to nie po raz pierwszy.

– W porządku, w porządku, uspokójcie się. Zacznijmy od wstępnego rozeznania. Ile z was próbowało?

Tu i ówdzie rozlegają się stłumione okrzyki, a ja sama również jestem zdziwiona tym pytaniem. W końcu nasze dzieci mają już po trzy i pół miesiąca. Któż by nie próbował? A nawet jeśli, to na pewno się do tego nie przyzna. Nikt nie wykonuje żadnego ruchu.

– Ależ, dajcie spokój – beszta nas delikatnie Susan. – Chyba się nie wstydzicie? Kto próbował już seksu po porodzie, ręka do góry.

Wszystkie spoglądamy po sobie i powoli, jedna po drugiej, podnosimy dłonie.

– Wspaniale – wykrzykuje Susan. – I jak było?

Od razu wszystkie wbijamy wzrok w podłogę. Teraz rzeczywiście czuję się jak w szkole. Boję się podnieść wzrok, żeby nie napotkać oczu Susan. W końcu odzywa się jedna odważna, farbowana blondynka.

– Bolało – mówi. – Byłam potem naprawdę obolała.

Susan się rozpromienia. Najwidoczniej dokładnie tego oczekiwała.

– Właśnie! – woła. – Po porodzie seks bywa bolesny.

Wskazówka minutowa na ściennym zegarze przeskoczyła na piętnaście po dziesiątej. W myślach zaczynam odliczanie. Dziesięć, dziewięć, osiem, siedem, sześć, pi… jest wycie potępieńca. Co do minuty. Przysięgam, to dziecko to automat. Wszyscy odwracają się w moją stronę, oczekując kolejnego spektaklu z butelką, a ja tylko się uśmiecham i sięgam do torby na pieluchy. Brak przygotowania do karmienia to nie ten rodzaj błędu, który mogłabym popełnić dwa razy, możecie mi wierzyć. Wyciągam niewielki pojemnik izotermiczny, w którym mam butelkę z przygotowaną wcześniej mieszanką. I nie mija sekund sześć, a Parker leży wygodnie w moich ramionach, ssąc zadowolona. Susan uśmiecha się do mnie z uznaniem i kontynuuje zajęcia.

– Jak już powiedziałam, seks może sprawiać ból, ale powinnyście wiedzieć, że jest coś, co zminimalizuje dyskomfort.

Pochyla się, jakby chciała nam wyjawić jakiś wielki sekret, a potem zniża głos.

– Możecie zastosować środek nawilżający…

No niesamowite. Wielkie mi odkrycie. Kto dziś tego nie używa?

Ale jedna z mam podnosi rękę.

– Co masz na myśli? – pyta, podczas gdy na jej twarzy maluje się lekkie zdziwienie.

– Po porodzie spada poziom estrogenu, co może powodować suchość pochwy, w związku z czym stosunek jest bolesny. Niektórzy używają więc środka nawilżającego, aplikując go przed stosunkiem.

Osłupiała, ta sama kobieta znów podnosi rękę.

– Gdzie można to kupić? – chce wiedzieć.

Patrzę na nią z niedowierzaniem. To ma być żart? Nigdy nie była w aptece? Ale Susan nawet nie mrugnie.

– Właściwie w każdej aptece – odpowiada zwyczajnie, jakby całkowita niewiedza w tym względzie u dorosłej kobiety z dzieckiem była czymś najzupełniej normalnym. Rozglądam się wokół, chcąc sprawdzić, czy ktoś reaguje podobnie jak ja, ale one wydają się autentycznie zainteresowane. Hm... Zaczynam się zastanawiać, czy nie jestem przypadkiem zepsutą dziewczynką, i po prostu o tym nie wiem. Przecież używam KY odkąd skończyłam lat szesnaście. I przyszłam tutaj wprost ze spotkania z byłą burdelmamą! Rany, gdyby tak mamunistki poznały kiedyś Nadine, padłyby jak rażone piorunem.

Wtedy podnosi rękę inna mamuśka. Niska farbowana blondynka z wielkimi oczami jelonka Bambi i włosami, które powinna skrócić o siedem centymetrów, żeby pasowały do jej twarzy.

„Boże, tylko nie ona".

To jedyna osoba, której od początku nie toleruję. Mówi napraaaawdęęęęę baaaardzoooo pooowoooliii, a jej pytania są po prostu niedorzeczne. Ostatnio na przykład zapytała Susan, czy to niebezpieczne, jeśli czasami w nocy kocyk owinie się jej synkowi wokół szyi.

Halo, jest tam kto? Nawet ja znam odpowiedź.

Susan udziela jej głosu, a ona, ku mojemu zaskoczeniu, wyskakuje z kryptoreklamą żelu KY.

– Susan ma rację – rozpływa się Bambi. – Wszyscy mi mówili, że po porodzie będzie bolało, panicznie się więc tego bałam, ale potem koleżanka powiedziała mi o KY. Nie bardzo chciałam jej wierzyć.

Z jakiegoś powodu fantazjuję, że omawiają temat na jakimś piżama party, kiedy nagle uświadamiam sobie, że to dlatego, że przypomina mi Sandy z *Grease*. Powstrzymuję śmiech, wyobrażając sobie, jak wszystkie mamy tłoczą się wokół niej i spontanicznie zaczynają śpiewać *Tell Me More*, tu i teraz.

– Ale jednak postanowiłam spróbować i rzeczywiście sprawdziło się! W ogóle nie bolało. Teraz mamy z mężem taki swój prywatny kod: kiedy chcemy się kochać, mówię: „Hej, słonko, skocz po KY", i oboje wybuchamy śmiechem.

Uuu, niegrzeczna dziewczynka. Na następne zajęcia przyjdzie w obcisłej czerni i z trwałą na głowie.

OK, wystarczy, mam dość. Nie chcę wpisać się w cały ten obrazek, kiedy będą opowiadały tę historię przyjaciółkom, przyprawiając je o drgawki ze śmiechu. Wyciągam rękę najwyżej, jak potrafię, i niecierpliwie czekam na udzielenie głosu. W końcu widzę skinienie Susan.

– Osobiście – dzielę się swoim zdaniem – wolę astroglide. Jest o wiele lepszy od KY.

Z ich spojrzeń wnioskuję, że prawdopodobnie niepotrzebnie się martwiłam. Ale nie mogę się już powstrzymać. Zdopingowana nowo nabytym statusem dewiantki seksualnej, kontynuuję.

– Ale oczywiście pod prysznicem albo w basenie należy zastosować coś na bazie silikonu, jak Eros Bodyglide. Jeśli podstawą receptury jest woda, wszystko się zmyje.

Mamunistki gapią się na mnie, jakbym właśnie wyciągnęła wielkiego sztucznego penisa z rogami i kazała im go dotknąć.

– Dzięki – mówi Susan, mrugając powiekami. – O tym nie wiedziałam, będę musiała przyjrzeć im się dokładniej.

Skromnie kiwam głową. Ależ bardzo proszę, to drobiazg. Po czym rozglądam się, uśmiechając do wszystkich. Mamunistki w odpowiedzi udają uśmiechy, ale to jasne, że trochę się mnie obawiają, mnie i mojego arsenału przerażającej wiedzy o seksie.

Uch. Wygląda na to, że właśnie zapracowałam sobie na opinię.

Zaraz po zajęciach wsiadam do samochodu, łapię komórkę i wybieram numer. Mam do wykonania dwa ważne telefony i nie mogę czekać, aż wrócę do domu. Julie odbiera po pierwszym dzwonku.

– Halo?

– Błagam, powiedz mi, że wiesz, co to takiego KY.

– Laro – mówi tonem łagodnej reprymendy, jakbym wypowiedziała jakieś brzydkie słowo w obecności dzieci, a potem zniża głos. – Oczywiście, że wiem, co to KY. Dlaczego?

– Bo właśnie wyszłam z zajęć Susan i nikt tam tego nie wiedział. Zaczęłam już czuć się jak dziwka. Ale jeśli ty wiesz, to jestem spokojna. Jesteś moim barometrem normalności.

– Ja? – w jej głosie pobrzmiewa autentyczne zaskoczenie.

– Jul, przykro mi, że akurat ja muszę ci to zakomunikować, ale, niestety, nie ma na świecie ludzi normalniejszych od ciebie. Natomiast co do mnie, stopniowo schodzę na tej skali coraz niżej i dlatego muszę kończyć.

Właśnie, jak najszybciej muszę pogadać z ojcem i zapytać go, dlaczego chce się ożenić z alfonsem.

– Hej – zastanawiam się. – Jest jakieś żeńskie określenie na alfonsa? Alfonska?

– Nie tak szybko, Laro – gubi się Julie. – O czym ty właściwie mówisz?

– Nieważne – zapewniam ja. – Tak mi przyszło do głowy. Kocham cię.

Rozłączam się, a potem wstukuję 411, hotel Beverly Hills. Kiedy odbiera, od razu wiem, że cały poranek spędził przy aparacie, czekając na telefon ode mnie albo Nadine, żeby dowiedzieć się, jak poszło w Peninsula. Chyba ja pierwsza się zameldowałam.

– No więc, jak poszło? – pyta podnieconym głosem.

– Jak poszło? – powtarzam za nim sarkastycznie. – Hm, zastanówmy się. Poznałam jedną z jej byłych „konsultantek", przedstawiła mnie jako swoją córkę, a potem przez pół godziny zupełnie ignorowała. O, zapomniałabym. Kiedy się żegnałyśmy, powiedziała, że była najprawdziwszą hollywoodzką burdelmamą – staram się, by mój głos brzmiał jak najpogodniej i bardzo wesoło. – Poszło więc świetnie.

Po drugiej stronie słuchawki zapada na moment cisza.

– Powiedziała ci to?

– Mhm. Z całą pewnością.

Długa chwila milczenia.

– Laro, to nic takiego. Zamknęła cały interes cztery lata temu, długo zanim się poznaliśmy. Teraz żyje całkowicie legalnie.

– OK – zaczynam. – Po pierwsze, przestańmy mówić o tym „interes", dobrze? A po drugie, co jest legalne? To, że rozbija się po mieście, wydając miliony zarobione nielegalnie jako prostytutka?

– Zaraz, zaraz, zagalopowałaś się – w jego głosie słyszę złość. – Nadine nigdy nie była prostytutką. Zajmowała się papierkową robotą i obsługą klientów, ale nigdy nie pracowała w terenie.

Prycham.

– W terenie? Tak to nazywają? Jest agentem CIA?

– Mówię poważnie, Laro. Nadine nie robiła niczego, czego miliony innych korporacji nie robiłyby co dnia. Nie jest gorsza niż Enron czy Tyco, czy inni. Wszyscy oszukiwali.

– Tato – odpowiadam, zdezorientowana nieco takim argumentem. – To, że inni robią nielegalne interesy, nie oznacza jeszcze, że wszystko jest w porządku. I nie rozmawiamy tu o skorumpowanym dyrektorze legalnie działającej firmy. Cały jej biznes był nielegalny. Naprawdę tego nie widzisz?

– Widzę, Laro, widzę – wzdycha. – Ale to mnie nie obchodzi. Słuchaj, dużo w życiu widziałem, i wierz mi, jest mnóstwo uczciwych ludzi, którzy mimo to są bardzo źli. A Nadine to wysoka jakość. Traktowała te dziewczyny jak córki, wszystkie zdobyły zawody i teraz pracują najzupełniej legalnie. Jak ta, którą dziś poznałaś. Gdyby nie Nadine, do dziś tańczyłaby gdzieś przy rurze w Valley.

Zniża głos, jakby podejrzewał, że ktoś może podsłuchiwać.

– Nadine ma nie byle jakie koneksje, Lar. Byłabyś zdziwiona, gdybyś wiedziała, kogo zna. W zasadzie może załatwić wszystko.

Głośno wypuszczam powietrze, tak by zrozumiał moje obrzydzenie.

– Osobiście chciałabym jedynie, żeby zostawiła mnie w spokoju. Może ty lubisz zadawać się z kryminalistami, ale Andrew i ja nie po to przez dziesięć lat urabialiśmy sobie ręce po łokcie, żeby teraz nasze dziecko narażać na kontakt z półświatkiem Los Angeles. Uwierz mi, w liceum i tak będzie miała całe mnóstwo okazji.

– Nadine na nic Parker nie narazi. Jest na emeryturze. Laro, po prostu daj jej szansę, ona jest nieszkodliwa.

– Nie. Nie chcę jej dawać szansy. Nie chcę mieć z nią nic wspólnego. Nie chcę jej widywać, nie chcę, żeby pojawiała się na naszych spotkaniach, nic z tego. Jeśli chcesz być obecny w moim życiu, musisz to zrobić bez niej.

Długie westchnienie.

– OK – mówi. – Postaram się.

Bardzo zachęcające. Biorąc pod uwagę, jak starał się w przeszłości.

– Jeszcze jedno, Lar – w jego głosie słyszę wahanie.

– O co chodzi?

– Nie mów o tym nikomu, dobrze? Okres przedawnienia minie dopiero za kilka miesięcy, jeśli więc ktoś się dowie, mogą ją oskarżyć.

Jeszcze jeden głęboki wydech z mojej strony.

– Jasne, tato. Z przyjemnością utrudnię pracę organom ścigania. Zrobię to dla ciebie i twojej uroczej narzeczonej. Ale ty w zamian zrób coś dla mnie. Nie chcę wiedzieć nic więcej, jasne? Jeśli ty też jesteś ścigany, albo też Nadine kogoś zabiła, wolę o tym nie wiedzieć.

– Przysięgam, Laro. Nie ma nic więcej.

– Wspaniale. Cieszę się, że to słyszę. Słuchaj, muszę już kończyć. Mam własne problemy.

Rozłączam się. „Boże, jak ja się tu znalazłam?" To znaczy – jeszcze nie tak dawno byłam normalną dziewczyną z przedmieścia. Największa trauma, jaką przeżyłam, to fakt, że byłam dzieckiem z kluczem na szyi. A teraz mam popieprzonego ojca, który doprowadza mnie do szału, męża, którego zaledwie centymetry dzielą od romansu z dwudziestopięciolatką, dziecko i absolutnie żadnego pojęcia o tym, jak je wychować, oraz nianię przekonaną, że rzuca na mnie zaklęcia wudu. A na dokładkę już wkrótce mam zostać pasierbicą mentorki Heidi Fleiss.

Rany. Wcale nie schodzę stopniowo na skali normalności. Ja z niej najnormalniej zeskoczyłam.

12

The Wiggles śpiewają *Hewenu Szalom Alejchem*. Lub raczej, jak informuje napis u dołu ekranu, *Havenu Shalom Alachem*. Jak Boga kocham, nie zmyślam tego. Każdy z czterech facetów stoi na białym podeście, a na podłodze pod nimi znajduje się pięć nastoletnich dziewcząt w kostiumach przypominających ludowe stroje bawarskie. Dziewczęta tańczą, wymachując wstążkami na patykach. Przypuszczalnie The Wiggles uznali, że przeprowadzą wspaniałą lekcję o wielokulturowości dzisiejszego świata, pokazując dzieciaki przebrane za niemieckie dziewoje świętujące nadejście wiosny w Izraelu.

Głośno się śmieję i zerkam na Parker, żeby przekonać się, czy ona również uważa, że to zabawne. Ale ona patrzy przed siebie, zahipnotyzowana. Chyba nie dostrzega humorystycznych wątków. Wielokulturowość czy nie, dziś pozwalam jej oglądać tylko pół godziny. Przepraszam, małe sprostowanie. Dziś pozwalam sobie być leniwą matką do niczego jedynie przez pół godziny, mimo że o niczym tak nie marzę, jak o tym, by posadzić ją przed telewizorem na całą resztę wieczoru, a samej usiąść spokojnie, zamykając oczy, dokładnie tak jak robiłam w tych czasach, gdy jeszcze było mi wszystko jedno, jaką matką zostanę. Stare, dobre czasy.

Ale w tej chwili nie jest mi wszystko jedno. Te dwie godziny po zniknięciu z horyzontu Deloris są dla mnie kluczowe, jeśli w ogóle mam szansę utrzymać swoje miejsce w hierarchii Parker: mama/Deloris/tata. Musicie wiedzieć, że taki porządek to zjawisko płynne i sam fakt bycia mamą wcale nie gwarantuje miejsca na szczycie. Trzeba na nie ciężko zapracować – śpiewając, bawiąc się, angażując – a biorąc pod uwagę, że Deloris niczego bardziej nie pragnie, jak tylko kolejności odwrotnej: Deloris/mama/tata (czy też, co bardziej prawdopodobne, Deloris/tata/mama), muszę w pełni wykorzystać każdą minutę daną mi z tym dzieckiem sam na sam.

Przy okazji, Andrew uważa, że mam co do Deloris urojenia. Ciągle na nią narzekam, a on twierdzi, że jestem przeczulona. Jasne, nie ma go tutaj w ciągu dnia. Nie widzi tego ciągłego krążenia w pobliżu, nieskrywanych prób utrzymania Parker z dala ode mnie i w ogóle całej jej postawy, która mówi, że ona radzi sobie z nią o wiele lepiej niż ja. I nawet nie stara się być subtelna. Jeśli wie, że wrócę w południe, zabiera ją na spacer za piętnaście dwunasta. Kiedy wracam niespodziewanie, natychmiast oznajmia, że Parker jest zmęczona i kładzie ją do łóżeczka. A kiedy bawię się z Parker albo ją trzymam, sterczy nade mną, niecierpliwiąc się, póki jej małej nie oddam. Jestem przekonana, że Deloris uważa, że nie zasługuję na dziecko. Nie zasługuję, ponieważ zajmuję się nim zrywami, od czasu do czasu, nie mam natomiast cierpliwości spędzać z nią całego dnia, dzień po dniu, tydzień po tygodniu, nie robiąc nic prócz przesiadywania na podłodze i zachęcania jej do przewrócenia się na drugi bok. Nie zasługuję, ponieważ źle znoszę chodzenie z nią na rękach tam i z powrotem, godzinami, kiedy tylko mała zapłacze. No i zdecydowanie nie zasługuję, bo przestałam karmić piersią. To o mały włos nie załamało Deloris. Słuchając jej, można by pomyśleć, że karmię małą odpadami radioaktywnymi. Przez tydzień, przechodząc obok butelki z przygotowaną mieszanką, z trudem powstrzymywała się od płaczu.

W każdym razie, ponieważ nie zasługuję, Deloris uznała, że Parker powinna być jej dziewczynką, i robi wszystko, co może, żeby Parker to uzmysłowić. I traktuje sprawę śmiertelnie poważnie. Jest tutaj, żeby wygrać. Wierzcie mi, to nie przypadek, że Deloris robi podchody do Andrew. Zawsze piecze dla niego ciasteczka, nagrywa programy na Animal Planet, a wystarczy, że on znajdzie się w pobliżu, cała jest w „och, tak, oczywiście, pani Laro, ha, ha, ha", udając, że kocha mnie do szaleństwa. Wszystko po to, żeby to jej uwierzył, kiedy dojdzie do sytuacji, gdy moje słowo stanie przeciwko jej słowu. Co już dawno by się stało, gdybym tak bardzo nie bała się jej zdenerwować.

No nie, co ja mam zrobić? Nie potrafię upomnieć Deloris. Nie umiem upomnieć nawet swojej dwudziestosześcioletniej asystentki w pracy, a co dopiero kobietę, która jest ode mnie dwa razy starsza i o piętnaście centymetrów wyższa. Nie, nie, nie. Lepiej już, żebym ja chodziła cały dzień ze ściśniętym brzuchem, niż żeby ona wysłuchiwała, że mam ją za apodyktyczną manipulatorkę, która nie dopuszcza mnie do dziecka. Jakoś nie potrafię wchodzić w konflikt z ludźmi, z którymi nie jestem w żaden sposób spokrewniona ani spowinowacona. O ileż łatwiej jest przyjąć postawę pasywnej agresji. I oczywiście, nie oszukujmy się – chociaż nie cierpię mieszkać z Deloris, mam dość rozumu, by wiedzieć, że mieszkanie bez niej stanowi opcję nieporównywalnie gorszą. Poza tym wracam niedługo do pracy. Potrzebuję Deloris. Owszem, mogłabym ją zwolnić i zacząć szukać kogoś nowego, ale znacie to powiedzenie: lepszy znany diabeł niż nieznany. A ona świetnie radzi sobie z Parker. Jest wredna i krytyczna jedynie w stosunku do mnie, to wszystko.

A zresztą. Nie ma o czym mówić, ponieważ Deloris nigdzie się nie wybiera. Ja muszę po prostu być czujna i dobrze wykorzystać swój czas z Parker, tak by wzmocnić w niej przekonanie, że to ja jestem tą osobą, do której powinna zwracać się „mama".

The Wiggles dobiegają końca, wyłączam więc telewizor i zabieram Parker do jej pokoju, gdzie kładę ją na macie pod zabawkami i podaję kilka pluszaczków. Ale nie interesują jej zabawki. Obsesyjnie próbuje włożyć duży palec swojej stopy do buzi, a kiedy dochodzi do wniosku, że nie potrafi, zaczyna płakać.

– Proszę – mówię do niej. – Spróbuj z nim.

Podaję jej niewielkiego pieska, który wygrywa „B-I-N--G-O", kiedy pociągniesz go za ogon, i pomagam jej włożyć go do buzi. Gryzie go może dwie sekundy i znowu w płacz. Boże. Tak mnie kusi, żeby posadzić ją znów przed telewizorem. Ale myśl o tym, że pierwszym słowem Parker mogłoby być „Deloris", wystarcza, aby mnie od tego odwieść. Zamykam oczy i robię kilka głębokich wdechów i wydechów, po czym podnoszę powieki. OK. Spróbujmy czegoś innego. Parker lubi tę głupią piosenkę o motorówce, którą śpiewamy na koniec zajęć Susan. Spróbujemy. Podnoszę jej nóżki i zaczynam nimi kręcić jak na rowerku.

– Motorówka, motorówka, płynie powolutku. Motorówka, motorówka,.pędzi już jak wiatr. Motorówka, motorówka, trzeba dodać gazu, łiiiiiiii! – łaskoczę ją po brzuszku i pod brodą, a ona wrzeszczy jeszcze głośniej.

– Dobrze – ustępuję znużona. – Wezmę cię. Już cię biorę, tylko znajdę ręcznik.

Wstaję i otwieram górną szufladę komody, żeby poszukać ręcznika, który przewieszę sobie przez ramię, ale nie znajduję tam ani jednego. Super. Mam na sobie moją ulubioną koszulkę „Coke Is It" – dziś po raz pierwszy mogłam ją włożyć bez uwidaczniających się natychmiast na plecach fałdów tłuszczu. Nie mogę pozwolić, żeby całą ją opluła, bo boję się, że po wypraniu się skurczy i znów się w nią nie zmieszczę. Rozglądam się za czymś zamiennym. Wtedy przypominam sobie, że po ostatniej wizycie w Target włożyłam jednorazowe ręczniki, pieluchy i chusteczki do górnej szafki. Ciekawe, czy wciąż tam są, czy też Deloris już zdążyła je odkryć.

Parker brakuje jeszcze dziesięciu sekund, żeby rozkrzyczeć się na dobre, czym prędzej więc wyciągam rękę, żeby sprawdzić, czy tam jeszcze są. Cholera. Nie sięgam. Staję na placach i dłonią przebiegam wzdłuż szafki. Koniuszkami palców wyczuwam plastik. Płacz Parker nasila się. Cholera jasna. OK. Muszę podskoczyć i spróbować zrzucić to na dół. Uginam kolana, a potem wyskakuję tak wysoko, jak potrafię, zmiatając półkę dłonią. Au!

Z tyłu słyszę chichot, natychmiast więc się odwracam. Parker nie płacze i uśmiecha się do mnie.

– Śmiałaś się? – pytam ją. – Uważasz, że to było zabawne?

Dolna warga zaczyna drgać, a twarz Parker robi się nadąsana. Mina, która niechybnie zwiastuje kolejny atak płaczu.

– Nie, nie, tylko nie to – błagam ją. – Nie płacz. O, popatrz.

Skaczę jak najwyżej i znów rozlega się chichot.

– O mój Boże. Ty się śmiejesz. Nie wiedziałam, że potrafisz się śmiać.

Ciekawe, czy śmieje się też do Deloris, ale ona mi o tym nie wspomniała, czy to zupełnie nowa umiejętność. Nie, to musi być coś nowego. Deloris z satysfakcją rzuciłaby mi tym w twarz, gdyby to do niej Parker zaśmiała się po raz pierwszy. Dokładnie tak, jak ja rzucę jej to w twarz jutro rano.

– Podoba ci się, co? OK. – Jestem teraz podekscytowana. – Spójrz tylko.

Staję na baczność, nogi razem, ręce wzdłuż tułowia.

– Gotowa? – śpiewam, uderzając o prawe udo. – Zaczynamy.

Wyskakuję w powietrze, rozszerzając nogi i klaszcząc w dłonie ponad głową, i powtarzam ten motyw wiele razy. Klasyczny pajacyk.

– H-U-R-R-A! – wołam po literce przy każdym podskoku. Przy ostatniej ląduję z jednym kolanem na podłodze, a drugim ugiętym, ręce wyrzucone do góry na kształt litery „V". Owszem, byłam cheerleaderką, kapitanem drużyny, jeśli już musicie wiedzieć. Włosy upinałam w kucyk z boku głowy, wykorzystując do tego wielką, czerwoną gumkę. A tak, tapirowałam grzywkę. I spryskiwałam lakierem. A czasami zaplatałam na noc setki warkoczyków. Ale nasz zespół nigdy pojechał na żaden obóz, nie używałyśmy też dodatkowych akcesoriów, w ogóle nic ambitnego. Byłyśmy właściwie antycheerleaderkami: grupka żydowskich księżniczek, które nie potrafiły wykonać salta ani piramidy, skarżąc się na bóle w krzyżu i kłopoty z kolanami, i które nie pojawiły się na trwających cały tydzień zawodach koszykówki, bo musiały kuć do egzaminów. Zawsze trochę żałowałam, że brałam udział w takim tandetnym, powszechnie wyśmiewanym, antyfeministycznym „sporcie" – właśnie, jak dobrze, że nie znałam w liceum Stacey, bo ona na pewno by mnie sterroryzowała – ale to wszystko wydarzyło się, zanim odkryłam, że dzięki temu Parker będzie się zaśmiewała do rozpuku. Teraz więc, nawet jeśli tylko z tego jedynego powodu, jestem wniebowzięta, że trafiłam wtedy do drużyny.

– OK, OK – mówię do niej. – Jeszcze raz. Gotowa?

Hop.

– H-U-R-R-A!

Parker znów się śmieje, tym razem głośniej, a ja śmieję się z jej śmiechu. Powtarzam moje przedstawienie, jeszcze raz, i jeszcze, aż nasz śmiech staje się histeryczny, a ja dodatkowo się pocę i nie mogę złapać oddechu.

– H-U-R-R-A!

– Co ty robisz?

W pozycji na kolanie, z rękami wysoko w górze ułożonymi w kształt litery „V", symbolu zwycięstwa, obracam głowę. W drzwiach stoi Andrew, a tuż za nim Courtney, Jędrna Dziewoja z Pudlem, szczupła, opalona i doskonała jak zawsze. Szybko wstaję i dłonią ocieram z czoła pot.

– Takie małe przedstawienie dla Parker – wyjaśniam. – Rozśmieszałam ją.

Zerkam na JDP, a potem wściekłym spojrzeniem omiatam Andrew.

– A co ty robisz?

– O – odpowiada za niego JDP. – Zostawiłam obrożę Zaka na ziemi obok rzeczy Zoey i Andrew zabrał ją przez przypadek, zatrzymałam się więc po drodze, żeby ją odebrać. Nie lubię zostawiać Zaka na cały dzień bez obroży, no wiesz, żeby mógł wyjść na spacer.

– Courtney bardzo późno wraca – wtrąca Andrew. – Pracuje w agencji nieruchomości.

– Tymczasowo – Courtney się rumieni. – Skończyłam hotelarstwo. Nie znalazłam jeszcze nic interesującego w swojej branży.

Przygryzam policzki i milczę. JDP czuje się chyba niezręcznie.

– Macie piękny dom – próbuje z gasnącym uśmiechem.

– Dzięki – odpowiadam szorstko, ale jedyne, o czym mogę myśleć, to jak tragicznie musiał wyglądać mój tyłek, trzęsący się po całym pokoju, kiedy tak sobie podskakiwałam, prezentując stary numer z liceum. „Boże. Jaka ja jestem żałosna".

– No tak – Courtney, podnosząc rękę, pokazuje mi obrożę, którą trzyma w dłoni. – Lepiej już pójdę. Pewnie macie sporo roboty z dzieckiem i w ogóle, więc... – nie kończy zdania.

– Chodź – Andrew przechodzi tak, żeby stanąć przed nią. – Odprowadzę cię.

– Nie – sprzeciwiam się, podnosząc Parker z podłogi i wręczając ją ojcu. – Ja to zrobię.

JDP i Andrew wymieniają nerwowe spojrzenia, a potem JDP schodzi za mną po schodach.

– Dzidziuś jest naprawdę śliczny – odzywa się znów Courtney. – Jesteście rodziną doskonałą. Piękna mama, piękne dziecko, piękny dom, piękny pies.

Nie umyka mojej uwagi, że pominęła pięknego tatusia. Albo nie uważa wcale, że Andrew jest aż taki przystojny. Muszę pamiętać, żeby mu to wypomnieć, jak potem będziemy się o nią kłócić.

Zastanawiam się chwilę, jak jej odpowiedzieć. Tak bardzo chciałabym być osobą, która potrafiłaby jej rzucić w twarz, że tak, do cholery, mam doskonałą rodzinę, niech się więc lepiej od niej odpieprzy, ale, jak już wspominałam, nie wchodzę w konflikty z osobami spoza rodziny. W tej sytuacji uśmiechnę się tylko i udam, że nie mam nic przeciwko temu, że cudowna blondynka w wieku lat dwudziestu pięciu spędza czas z moim mężem, a potem rzucę kilka w pełni uprzejmych, a jednak kąśliwych uwag, próbując dać jej do zrozumienia, że jednak mam coś przeciwko temu. I to wcale niemało.

– Tak, założę się, że to samo mówili o rodzinie Mansona.

Prawie niezauważalnie, ale jednak odchyla głowę w bok, starając się dojść, czy to była groźba, czy może jednak nie. Zanim jednak zdąży dojść do słowa, otwieram szeroko drzwi, posyłając jej na pożegnanie zbyt szeroki uśmiech.

– A oto i wyjście – mówię.

Uśmiecha się w odpowiedzi i wychodzi na werandę.

– Dobranoc – odwraca się jeszcze do mnie. – Miło było cię znów zobaczyć.

– Nawzajem – z tym słowem zamykam jej drzwi przed nosem.

Na wypadek gdyby Andrew nie był pewien, czy jestem wkurzona, czy nie, wchodzę po schodach, a potem udaję się do pokoju Parker, tupiąc najgłośniej, jak się da.

Andrew przemierza pokój z wrzeszczącym dzieckiem na rękach.

– Jeszcze nie zacząłeś kąpieli? – rzucam na wpół pytającym, na wpół oskarżającym tonem, spoglądając na zegarek.

– Jest prawie dziewiąta.

Niemal mu ją wyrywam.

– Nalej wody do wanienki – rozkazuję.

Ze zwieszoną głową, powłócząc nogami, Andrew idzie do łazienki i odkręca kran. Rozbieram Parker, przygotowuję piżamkę, a potem zanoszę ją do łazienki i wkładam do letniej wody. Andrew obserwuje mnie bez słowa. Tchórz. Przedłużę jeszcze jego męki.

– Dobrze, Parker – mówię, kładąc jej myjkę na brzuszku, żeby nie zmarzła, i oblewając resztę małego ciała wodą. – Spójrz na kaczuszkę. O, tutaj jest twoja kaczuszka.

Kwaczę gumową kaczką, która pływa w wanience, a Parker sięga po nią i wkłada sobie do buzi.

Andrew stoi cały czas za mną, przebierając nogami i czekając, aż zmyję mu głowę, a kiedy nie potrafi już dłużej znieść mojej obojętności, odzywa się.

– Co jej powiedziałaś? – pyta nieśmiało.

– Nic, po prostu ją odprowadziłam.

Patrzy, jakby mi niedowierzał.

– Jesteś zła?

Odwracam głowę i rzucam mu spojrzenie, które by go zabiło, gdyby oczywiście spojrzenia mogły zabijać.

– Zła? – pytam w odpowiedzi. – Dlaczego miałabym być zła? Z tak błahego powodu, że przywiozłeś ją tutaj, do domu, kiedy wiesz, że podejrzewam, że coś między wami jest? I to miałoby mnie rozzłościć?

Wcieram szampon we włosy Parker, kiedy napotykam w lustrze jego wzrok.

– Laro, przysięgam ci, nic między nami nie ma. Przecież nie przywoziłbym jej tutaj, gdybym z nią sypiał. Uważasz mnie za idiotę?

Chwytam leżący na sedesie różowy ręcznik z kapturem, ozdobiony żółtymi płatkami kwiatów, i przykładam go sobie do szyi, dociskając jeden z płatków podbródkiem. Potem wyjmuję Parker z wanny, ustawiam jej głowę w środku kaptura i jednym płynnym ruchem owijam ją ręcznikiem. Wygląda jak dziecko z fotografii Anne Geddes.

– Andrew, to chyba ty uważasz mnie za idiotkę. Wierzę, że z nią nie sypiasz. Ale nie o to tutaj chodzi. Chodzi o to, że ona ci się podoba i chciałbyś z nią sypiać, ale ponieważ nie jesteś na tyle dojrzały, żeby się do tego przed sobą przyznać, udajesz, że to po prostu znajoma, możecie więc dalej spędzać miło razem czas bez poczucia winy.

Wychodzę z łazienki, gasząc światło, chociaż Andrew wciąż tam jest, ale szybko wychodzi za mną.

– To nieprawda – upiera się. Rzucam mu zniecierpliwione spojrzenie i kładę Parker na stoliku do zmieniania pieluch, wycierając ją delikatnie ręcznikiem.

– Ale co ja mam zrobić? – jęczy Andrew. – Dopiero co się tu przeprowadziła, nie ma znajomych, przylgnęła więc do mnie, bo jestem jedyną normalną osobą na tych zajęciach. Przecież nie mogę jej powiedzieć, że muszę przestać się do niej odzywać. To by było podłe.

– O, teraz więc jej uczucia są ważniejsze niż moje. Wprost fantastycznie.

Wcieram krem w pupę Parker i zakładam pieluchę, a potem zapinam piżamowe śpioszki frotté.

– Wcale nie – mówi Andrew. – Nie bądź śmieszna.

Przerywam zapinanie i wyrzucam ręce w górę.

– Boże – wykrzykuję sfrustrowana, bo widzę, że został mi jeden zatrzask, którego nie mam z czym połączyć. – Kto to wymyślił, żeby na głupich śpioszkach naszywać dziewięć tysięcy zatrzasków?

Przyglądam się dokładniej piżamie, przytrzymując jedną dłonią nóżki Parker, żeby nie wierzgała, i znajduję winowajcę. Odpinam zatrzaski na prawej nogawce i zapinam od nowa.

– Czy ty mnie w ogóle słuchasz? – pyta Andrew.

– Tak, słucham bardzo dokładnie. Nazwałeś mnie śmieszną, bo powiedziałam, że lecisz na seksowną dwudziestopięcioletnią blondynkę z wielkim cycem i samoopalaczem w kieszeni.

Kiedy w końcu udaje mi się zapiąć piżamkę, biorę Parker na ręce, wyciągam butelkę z podgrzewacza, kładąc ją na nocnym stoliku, i przygaszam światło. Wreszcie siadam, żeby ją nakarmić.

– Nie – Andrew ciągnie swoje. – Nazwałem cię śmieszną, bo powiedziałaś, że jej uczucia są dla mnie ważniejsze od twoich.

Parker odwraca się, by na niego spojrzeć, i jej główka spada z mojego ramienia.

– Ciii – szepczę. – Przeszkadzasz jej.

– OK – szepcze Andrew. – Ale to twoje uczucia są dla mnie ważniejsze. I dobrze o tym wiesz.

– W porządku – szepczę w odpowiedzi. – Przestań więc się z nią zadawać.

– Laro, chodzimy na te same zajęcia.

– To zacznij chodzić na inne – syczę.

Rozkłada ręce.

– Nie mogę. To jedyne na poziomie Zoey. Inne są dla niej zbyt łatwe.

– Proszę bardzo, teraz więc pies okazuje się ode mnie ważniejszy – warczę. – Wiesz co, Andrew? Najlepiej będzie, jak stąd wyjdziesz. Muszę położyć naszą córkę spać.

Andrew patrzy na mnie, jakby nie do końca rozumiał, co właściwie zaszło, a potem odwraca się i niechętnie wychodzi.

– A to, Parker – tłumaczę jej szeptem – nazywa się „noszenie spodni w rodzinie". Patrz i ucz się, żółtodziobie. Patrz i ucz się.

Następnego ranka jestem wykończona. Przez większość nocy nie spałam, pokrzykując na JDP, oczywiście tylko w głowie, oraz myśląc o tych wszystkich wrednych rzeczach, które chciałabym umieć jej rzucić w twarz, ale, niestety, nie umiem, bo jestem na to zbyt wielkim cykorem. I teraz czuję, że boli mnie gardło. Zostaję w łóżku, udając, że śpię, aż Andrew wyjdzie z Zoey na spacer. Cały wieczór nie odzywałam się do niego, a w tej chwili nie czuję się jeszcze na siłach stawiać czoło sytuacji.

Kiedy wychodzi, otwieram oczy i spoglądam na zegarek: ósma dwadzieścia dwie. Zajęcia, na które chodzę codziennie, zaczynają się o dziewiątej, i nie wydaje mi się, żebym miała dziś wystarczającą motywację, by zebrać się w piętnaście minut. Olać to. Po prostu dziś nie pójdę. Te głupie zajęcia nie odjęły nawet jednego grama z tych pięciu kilo, które mi pozostały do zrzucenia. Poza tym spędzę trochę czasu z Parker. Ostatnio przesypia bez przerwy po dziesięć godzin i przeważnie już mnie nie ma, kiedy się budzi. Sama nie wierzę, że to mówię, ale prawie brakuje mi jej nocnych pobudek. To był dobry czas bez Deloris, w którym rodziła się i umacniała między nami więź.

Wpatruję się w monitor, spostrzegając, że udało się jej przekręcić w łóżeczku, tak że głowa leży dokładnie naprzeciwko kamery, którą umieściłam w samym rogu, między ramą łóżeczka a materacem.

„OK – myślę sobie. – Zanim otworzy oczy, ja się ubiorę".

Idę do łazienki na siku i mycie zębów. Wkładam spodnie od dresu i koszulkę bez rękawów. Kiedy wychodzę, na monitorze widać już, że nie śpi. Wierci się, próbując włożyć stopę do buzi, ale jeszcze nie zaczęła płakać, postanawiam więc poprzyglądać się jej trochę, bo to zabawne patrzeć, co robi, kiedy myśli, że nikt jej nie widzi. Po trzech nieudanych próbach przewrócenia się na brzuszek, poddaje się i pozostaje na boczku, zupełnie nieruchomo. Jej głowa znajduje się w tej chwili na wprost kamery i jest tak blisko, że widzę tylko trzy czwarte twarzy. Wpatruje się w soczewkę, a potem, nagle, zauważa ją. Wyciąga rączkę i zaczyna trącać kamerę – słyszę jej oddech i trzaski poruszanego urządzenia. Dźwięki i ogromne powiększenie jej twarzy sprawiają, że czuję się, jakbym oglądała *Blair Witch Project*. Parker ciągnie kamerę do siebie, aż widzę tylko jej buzię, a potem ciemność.

Cholera, chce zjeść kamerę.

Skaczę na równe nogi i wybiegam z sypialni, w lekkiej panice, niepewna, czy może ją w tej sytuacji porazić prąd. W ciągu kilku sekund jestem w drzwiach pokoju, ale okazuje się, że zostałam uprzedzona. Deloris już tam jest, wyciągając dziecko z pościeli.

– Trzeba wyjąć kamerę z łóżeczka – mówi, nie patrząc w moją stronę. – Przewód może owinąć się jej wokół szyi.

– Wiem – odpowiadam. – Widziałam na monitorze. Właśnie po nią szłam.

Deloris przenosi Parker do stolika z pieluchami, wciąż nie odwracając do mnie głowy.

– O, nawet nie wiedziałam, że pani jeszcze jest.

To dopiero bzdura. Nigdy nie wychodzę, nie uprzedzając jej.

– Tak, postanowiłam dziś zostać w domu. Dlatego ją wezmę. Dzięki, Deloris.

Deloris spogląda z ukosa.

– Nie, nie – przekonuje. – Deloris chętnie zostanie. Proszę pozałatwiać swoje sprawy.

– Nie mam nic do załatwienia. Naprawdę, wezmę ją.

Podchodzę do stolika i staję za głową Parker. Ona patrzy na mnie i częstuje mnie odwróconym do góry nogami uśmiechem.

– Cześć, słoneczko. Mamusia jest tutaj.

Deloris kończy zmieniać pieluszkę, zapina piżamkę. Kiedy podnosi Parker, łapię ją pod pachami.

– Dzięki – mówię do Deloris.

Niechętnie odpuszcza, a potem schodzi za nami do kuchni, gdzie przygotowuje mleko, podczas gdy ja stoję z Parker i czekam.

– Jesteś głodna? – pytam Parker głosem o sześć oktaw wyższym niż normalnie. – Pewnie umierasz z głodu. Przecież nic nie zjadłaś od wczorajszego wieczoru, a na pewno masz niezły apetyt po naszych wczorajszych śmiechach i zabawach.

Tu zauważam brwi Deloris wędrujące nieznacznie w górę. „Tak, tak, kochanieńka. Mama/Deloris/tata".

Parker śmieje się do mnie.

– Wiem, wiem – kontynuuję swoim falsetem. – Mamusia jest bardzo zabawna, prawda?

Deloris potrząsa butelką.

– Gotowe – mówi. – Wezmę ją teraz.

– Nie – staram się być uprzejma. – Ja ją nakarmię.

Teraz już patrzy z wściekłością, ale podaje mi butelkę.

– Dobrze – mówi szybko. – Zabiorę się za pranie.

Zadowolona z siebie idę z Parker do salonu, gdzie siadam na kanapie i włączam *Today*.

Nie mija dziesięć minut i Deloris jest z powrotem.

– Wszystko zjedzone? – pyta, wyciągając ręce po dziecko. Podnoszę pustą butelkę i wręczam ją jej.

– Tak, bardzo ci dziękuję, Deloris.

Deloris nachmurza się i marszczy brwi, ale udaję, że tego nie zauważam.

– Chodź, Parker, pobawimy się trochę.

Wstaję i przechodzę za kanapę, gdzie Andrew zainstalował prowizoryczny plac zabaw. Jest to gumowa mata z całą kolekcją porozrzucanych zabawek oraz odblaskowym zielonym tunelem z plastiku, biegnącym bokiem. Delikatnie kładę ją na macie i siadam na kolanach. Jeszcze nie podniosłam pierwszej zabawki, a Deloris już sadowi się obok mnie.

Ale mnie to denerwuje. Bierze grzechotkę i zaczyna potrząsać nią przed twarzą Parker, ta odwraca więc główkę w kierunku dźwięku.

– Tutaj, Parker – woła. – Popatrz tylko, co ma Deloris!

O mój Boże. Nie mogę w to uwierzyć. Próbuje odwrócić ode mnie uwagę Parker.

Cóż. W tę grę można grać też we dwójkę. Podnoszę większą zabawkę, która wygrywa melodyjkę *Yankee Doodle Dandy*, i macham nią przy uchu dziecka.

– Par-ker – mówię, zaczynając śpiewać razem z zabawką. Odwraca głowę i patrzy znów na mnie, a ja zaczynam klaskać w rytm melodii.

– *And with the girls be randy*... – wyśpiewuję, uświadamiając sobie, że moje słowa to nieprzyzwoita wersja piosenki, którą śpiewało się na biwakach, ale co tam. Patrzy na mnie, a ja się do niej uśmiecham, łaskocząc ją delikatnie w podbródek, próbując nie zawracać sobie głowy Deloris, która wciąż potrząsa grzechotką, wołając Parker. W końcu Deloris wstaje.

„Najwyższy czas" – myślę sobie. Ale wtedy kątem oka widzę, że wciąga na matę tunel. Co ona wyprawia? Układa go tak, że jeden koniec znajduje się tuż przy głowie Parker, a potem sama klęka przy jego drugim końcu.

– A ku-ku, Parker! – woła do niej. Zaintrygowana, Parker odwraca główkę, a Deloris szybko wychyla swoją z tunelu.

– Aha! – wydziera się i znów jej głowa znika w tunelu. Parker uśmiecha się.

– A ku-ku! Aha!

Tym razem słyszę znajomy chichot i muszę zebrać wszystkie siły, żeby powstrzymać się od zaatakowania Deloris i unieszkodliwienia jej. Podnoszę się lekko, zła, i z wściekłością patrzę na nianię.

„To mój śmiech, wredna jędzo".

Wtedy do pokoju wpada Zoey, cała w błocie po spacerze, a tuż za nią wchodzi Andrew.

– Hej – mówi mile zaskoczony, że zastaje nas we trójkę. – Co robicie?

Deloris zwraca się do niego z promiennym uśmiechem.

– Och, po prostu bawimy się, panie Andrew. Świetnie się bawimy.

Andrew odwdzięcza się jej uśmiechem, a potem rzuca sondujące spojrzenie w moją stronę, chcąc wybadać nastrój. Patrzę na niego lodowatym wzrokiem, a jego uśmiech gaśnie.

– Możemy porozmawiać? – zwracam się do niego, na co on się denerwuje.

– Jasne.

Wstaję i podchodzę do niego. Łapię go za ramię i wciągam do kuchni.

– O co chodzi? – pyta, siląc się na wesoły ton.

– Nie myśl sobie, że ci wybaczyłam tylko dlatego, że teraz z tobą rozmawiam – warczę. Marszczy brwi.

– Ta kobieta to wariatka – szepczę dalej. – „Och, bawimy się, panie Andrew" – naśladuję Deloris. – My wcale się nie bawiłyśmy. To ja się bawiłam z Parker, a ona naruszała naszą suwerenność.

Andrew jest skołowany.

– O czym ty mówisz?

– Andrew, informuję cię, że ona mnie nienawidzi! Uważa, że jestem złą matką, próbuje więc wszystkiego, żeby trzymać mnie z dala od dziecka. Czuję się, jakbym miała tu wyznaczoną przez sąd przyzwoitkę.

Kręci głową.

– To niedorzeczne.

– To nie jest niedorzeczne. To prawda. Konkuruje ze mną o miłość Parker. Chce, żeby Parker myślała, że to ona jest jej mamą! – mówię ze łzami w oczach.

– Jest wielką jamajską kobietą – Andrew uśmiecha się. – Parker musiałaby być albo daltonistką, albo naprawdę beznadziejnie głupim dzieckiem, żeby pomylić ją z tobą.

Mój wzrok mówi mu, że nie uważam, by jego wypowiedź była choć w najmniejszym stopniu zabawna, poważnieje więc.

– Laro, ona po prostu wykonuje swoją pracę.

– Tak, jakby do jej obowiązków należało odsuwanie mnie na bok.

– Nie – mówi z powagą Andrew. – To klasyczny przykad projekcji. Po prostu przenosisz na nią swoje zachowanie, swoją agresję osobowości typu A ze Wschodniego Wybrzeża. To nie ona konkuruje, tylko ty.

Przewracam oczami.

– Oszczędź mi, proszę, tego psychologicznego gówna, OK?

– Akurat z psychologii miałem piątkę – broni się Andrew. Prostuje się, dumnie wypinając pierś. – Profesor sugerował, że mógłbym pójść w tym kierunku.

Pstrykam na niego palcami obu dłoni.

– Brawa dla Andrew.

Ignoruje moją uwagę.

– Posłuchaj – zaczyna. – Wynajęłaś ją, żeby zajmowała się dzieckiem, i to właśnie robi. Jestem pewien, że czułaby się niezręcznie, siedząc bezczynnie, kiedy ty wykonujesz jej pracę.

Kręcę głową. Jak zwykle, nic nie rozumie.

– To znaczy, że bierzesz jej stronę. Wspaniale. Najpierw Courtney, teraz Deloris. Czy są w twoim życiu jeszcze jakieś ważniejsze ode mnie kobiety, o których powinnam wiedzieć?

Zamyka oczy, wznosząc głowę ku niebu.

– Laro, niezależnie, czy w to wierzysz, czy nie, to ty jesteś najważniejszą kobietą w moim życiu. Czasami nie jestem do końca pewien, dlaczego, ale jesteś. Sam jednak fakt, że jesteś najważniejsza, nie znaczy, że zawsze muszę przyznawać ci rację. I w tym wypadku uważam, że nie masz racji. Deloris jest wspaniałą osobą, która traktuje Parker jak własne dziecko. Jest godna zaufania, można na niej polegać, i nie skrzywdziłaby muchy.

Szczęka mi opada.

– Andrew – wydzieram się na niego. – Ta kobieta ma w swoim pokoju lalki wudu!

– To dekoracja – odpowiada na to. – Posłuchaj, spróbuj spojrzeć na to wszystko z jej perspektywy i skończ z tym, zanim ją wystraszysz i zostaniemy bez opiekunki. Bo tego chyba nie chcesz, prawda?

Zaciskam usta, nie patrząc na niego.

– No tak, muszę iść do pracy. Możemy dokończyć tę rozmowę później?

– Nie wiem – syczę. – Jeszcze nie zdecydowałam, czy w ogóle z tobą rozmawiam.

– OK. – Z jego tonu wnoszę, że ma mnie powyżej uszu. – Jak już zdecydujesz, daj mi znać.

Bierze klucze, wsuwa portfel do tylnej kieszeni i wychodzi.

Super. W drodze do pracy pewnie zadzwoni do Courtney, żeby jej opowiedzieć, jaką ma żonę i jak bardzo by chciał, żeby bardziej przypominała ją.

„Cóż, Andrew, byłam taka jak ona, dopóki mnie nie zapłodniłeś".

Wzdycham. Jak to możliwe, żebym to ja okazywała się złym charakterem, kiedy to przecież Andrew za chwilę będzie miał romans?

13

Tego samego dnia po południu, podczas gdy Parker ucina sobie drzemkę, siadam przy komputerze, żeby sprawdzić pocztę. Nie robiłam tego od tygodnia, mam więc w skrzynce czterdzieści nowych wiadomości. Jedna trzecia to ogłoszenia porno („Gorące!!! nastolatki". „Seksowna dziewczynka z pieskiem"), jedną trzecią stanowią maile od rzekomych dygnitarzy z krajów, o których istnieniu nigdy nie słyszałam, proponujących niesamowite nagrody, jeśli wykorzystam swój status obywatelki amerykańskiej i pomogę im przeprowadzić multimilionową transakcję bankową w walucie amerykańskiej, i w końcu jedna trzecia wiadomości pochodzi od znajomych mi osób.

Zobaczmy... dwie od nauczycieli ze szkoły, pytają, jak ma się dziecko. Trzy od byłych uczniów – o, Marc wrócił właśnie z kursu dla studentów pierwszego roku w BU i podobało mu się. Dzięki Bogu. Martwiłam się o niego. Jest jeden od mamy, która błaga o więcej zdjęć Parker, mimo że nie radzi sobie z przeglądaniem. Zawsze są gigantyczne i ucho czy ręka zajmują cały ekran. Jednego adresu nie rozpoznaję, a jeden jest od Nadine. Klikam na Nadine.

Cześć, Laro,

Do ślubu tylko sześć tygodni... czas zacząć planować wieczór panieński. Może zjemy razem lunch?

Całuski i uściski
Nadine

Ciekawe. Od czasu, kiedy powiedziałam ojcu, że nie chcę mieć z nią nic wspólnego, ani on, ani ona się do mnie nie odezwali. Aż do teraz. Na pewno jej nie powiedział. Albo, jeśli powiedział, ona ma to gdzieś. Panna „Nie uznaję słowa nie". Czym sobie zasłużyłam na otoczenie takich ludzi? Wzdycham. Jakbym ja miała wiedzieć, gdzie urządzić wieczór panieński. Nie wychodzę z domu od zajścia w ciążę, czyli od ponad roku. Nawet nie znam nazwy żadnego dobrego klubu.

Muszę się jakoś z tego wyplątać. Może jak nie odpowiem, to się odczepi. To niezła strategia. Zamykam wiadomość. W temacie wiadomości z nieznajomego adresu napisano „Nie myślcie, że zwariowałam".

Zaintrygowana, otwieram ją. O, to od Melissy, jedynej szatynki w grupie mamunistek. Ciekawe, czego może ode mnie chcieć.

Drogie mamuśki,

Mam nadzieję, że nie macie mi za złe tego maila, ale zastanawiałam się nad naszą „dyskusją" z ostatnich zajęć i przyszedł mi do głowy pomysł na wspólny wieczór, który mógłby być pierwszym krokiem w integracji naszej grupy. Koleżanka opowiadała mi o imprezie, na której była niedawno – wyłącznie kobiety – i na której pewien „seksperť" pokazywał, jak usprawnić techniki oralne, jeśli wiecie, o co mi chodzi. Koleżanka twierdziła, że był niezły ubaw, pomyślałam więc, że mogłybyśmy zorganizować sobie takie nieoficjalne grupowe „zajęcia praktyczne". Przez kolejne osiemnaście miesięcy będziemy się przecież spotykać, nie zaszkodzi więc poznać się bliżej i przyjemnie spędzić czas. Zainteresowanych proszę o odpowiedź. Jeśli uda nam się zebrać sześć osób, któregoś wieczoru wykopię męża z domu i zaproszę seksperta. Czekam.

Melissa (mama Hanny)

Impreza „Jak zrobić loda"? Chce urządzić taką imprezę z udziałem dziewic z klubu Susan? Chyba żartuje. Czytam powtórnie. Sama nie wiem, czy bardziej niepokoić się treścią wiadomości, czy raczej tym, że otrzymuję korespondencję od osoby, której głównym źródłem samoidentyfikacji jest fakt bycia czyjąś matką.

Dzwoni telefon. Łapię słuchawkę, zanim zdąży zadzwonić kolejny raz i obudzić Parker. Przysięgam, że to dziecko ma sen lżejszy niż byli gliniarze z filmów akcji, no wiecie, ci, którzy w czasie służby wiele przeszli, budzą się więc z najgłębszego snu, kiedy tylko mocniej zawieje wiatr, błyskawicznie wyciągając spluwę spod poduszki.

– Halo? – szepczę w słuchawkę.

– Hej, czy coś się stało? – to Stacey.

– Nie, mówię cicho, żeby nie obudzić Parker.

– Budzi ją zwykła rozmowa? Czy dzieci nie powinny aby spać jak dzieci? Myślałam, że nic nie jest im w stanie przeszkodzić.

– Nie z moim te numery. Jest wyjątkiem. I nie ma też pupy gładkiej jak niemowlę. Ma na niej pełno krostek od siedzenia na własnym moczu, a w dodatku wychodzi jej jakaś egzema okołoodbytowa.

– Dzięki za sugestywny opis.

– Cała przyjemność po mojej stronie. Co jest?

– Nic – mówi, zniżając głos. – Ale doszły do mnie plotki, że głosowanie dotyczące wspólników będzie pod koniec tygodnia, i jestem taka nerwowa, że nie mogę się skupić na niczym ważnym, pomyślałam więc, że z tobą pogadam.

– OK – przełączam się na poważny ton. – Odkładając na bok twoją implikację, że nie jestem ważna, nic z tego nie rozumiem. Przecież mamy środek lipca. Myślałam, że decyzja miała zapaść pod koniec lata.

– Ja też, ale bardzo wiarygodne źródło doniosło, że spotykają się w tym tygodniu. Nie mam pojęcia, co jest grane.

– O Boże. Wariujesz już? Kiedy ci powiedzą?

– Nie mam zielonego pojęcia – mówi Stacey głosem o ton wyższym niż normalnie, co u niej oznacza granicę histerii. – Nic nie wiem. Zachowują się jak w stowarzyszeniu studenckim. Wspólnicy to członkowie, a pracownicy to kandydaci, same tajemnice. Nie wolno mi o nic pytać.

Wzdycham współczująco.

– Z drugiej strony, pomyśl, że to już niedługo. Albo cię wezmą, albo nie, a jeśli nie, zaoszczędzą ci przynajmniej kilku tygodni ciężkiej harówki.

– No tak – mówi Stacey. – Nie chce mi się o tym gadać. Opowiedz, co u ciebie. Jak z ojcem?

– O rany, kiedy ostatnio rozmawiałyśmy? Wiesz w ogóle o Nadine?

Kolejne dwadzieścia minut opowiadam o planowanym weselu („Myślisz, że na środku parkietu stanie rura? Może Colin Cowie okryje ją różami?"), o tym, jak zostałam wrobiona w rolę starościny („Ale z ciebie tchórz. A co z zasadami?"), i o przyjęciu przedślubnym w Peninsula („Naprawdę napisała «oddana»? Cofam moje słowa. Nie jesteś tchórzem, jesteś tchórzem do kwadratu"). Opowiadam jej o Courtney („Więc jednak Andrew pękł? Ciekawe. Chociaż ja stawiałam na alkoholizm, nie na zdradę"), o Deloris („Jesteś żałosna. Ja wrzeszczę na swoją sekretarkę, jeśli nie podoba mi się sposób jej oddychania"), i o e-mailu, który właśnie otrzymałam od Melisy (mamy Hanny) (Cisza. Zatkało ją, nie może więc wymyślić ciętej uwagi).

Jedyna rzecz, którą pomijam, to biznes Nadine. Korci mnie strasznie, i wiem, że Stacey ma to gdzieś, ale jestem zbyt przerażona, żeby rozmawiać o tym z kimkolwiek. To znaczy, wiele razy już się w życiu przez ojca wstydziłam. Dajcie spokój – przez niego nie mogłam jeździć do szkoły w samochodach innych rodziców, bo kiedy przychodziła nasza kolej i ojciec wiózł całą ferajnę, słuchał Howarda Sterna, pewnego dnia Maggie Feurstein zapytała więc swoją mamę, co to znaczy „analny". A kiedy byłam w siódmej klasie, przyjechał do mnie na obóz w dniu odwiedzin i uparł się, żeby sprawdzić usta mojego chłopaka, czy są spuchnięte od ssania którejś części mojego ciała. Ale ten ostatni numer bije wszystko na głowę. Ślub z burdelmamą. Nawet nie jestem pewna, czy potrafiłabym to głośno wypowiedzieć. Nie powiedziałam nawet Andrew.

– Nieźle – Stacey komentuje ostatnie trzy tygodnie mojego życia. – Jak w operze mydlanej. Nie miałam pojęcia, że życie mamuśki przy mężu może być aż tak skomplikowane.

– Właśnie, do ślubu jeszcze sześć tygodni, potem wracam do pracy, mam więc nadzieję, że wszystko się jakoś uspokoi i stanę się znów tą samą nudziarą co kiedyś. Chociaż, jeśli chodzi o Andrew, to nie wiem.

– Słuchaj, Lar. Naprawdę nie sądzę, żeby Andrew mógł cię fizycznie zdradzić, ale musisz dać mu powód, żeby przestał zadawać się z tą Courtney. Może ta impreza by coś pomogła. Może właśnie tego ci teraz trzeba, żeby przestał myśleć o niej, a zaczął znów myśleć o tobie.

– Stacey – protestuję. – Nie jestem zainteresowana robieniem loda. To dobre dla dziewoi, które polują na pierścionek, nie dla mężatek z pięcioletnim stażem.

– Założę się, że Courtney robi to bez namysłu.

Zamykam oczy. Głęboki wydech.

– Dobra – zgadzam się. – Od razu jej odpiszę.

Klikam na przycisk „odpowiedz", pisząc i czytając jednocześnie Stacey treść maila.

– Droga Melisso, brzmi zachęcająco. Możesz na mnie liczyć. Dzięki, Lara.

– To wszystko? – pyta kpiąco Stacey.

– Niech ci będzie – ripostuję. – Lara, nawias, mama Parker, nawias.

Stacey wybucha śmiechem.

– Nigdy bym nie pomyślała, że do tego dojdzie.

– Witamy w klubie.

Parker budzi się akurat na czas. Zdążymy na wizytę u doktora Newmana, umówioną na piętnastą trzydzieści. Parker ma prawie szesnaście tygodni, co oznacza cztery miesiące, ale idziemy dziś na bilans, który powinien być zrobiony po trzech miesiącach, ponieważ przez ostatnie półtora tygodnia doktor Newman był na urlopie, a w jego gabinecie powiedzieli, że do drugiego sierpnia, który wypada za dwa tygodnie, i tak nie będzie miała jeszcze skończonych czterech miesięcy. Naprawdę, cały ten dziecinny świat jest czasami bardzo dziwaczny. Dopiero co odkryłam, że przez cały czas niewłaściwie zapinałam Parker w jej foteliku samochodowym. Starałam się przekładać jej nóżki przez pasy, zamiast po prostu zapiąć je nad nóżkami, i niemal łamałam dzieciaka wpół, próbując dopiąć celu. Idiotka. Nie mogłam zrozumieć, dlaczego ludzie tak chwalą te foteliki, kiedy ja przechodziłam męki, ilekroć się gdzieś wybierałyśmy.

W każdym razie, Andrew miał przyjść wprost do lekarza, ale widzę, że się spóźnia. Już się zarejestrowałam, siedzę więc w poczekalni i karmię Parker, która powinna jeść o piętnastej piętnaście, ale żeby tu zdążyć, musiałam przesunąć porę posiłku – co sprawiło, że nasza przejażdżka była o wiele zabawniejsza – kiedy wpada Andrew.

– Cześć – mówi do mnie. – Przepraszam. Miałem rozmowę.

– Z Courtney? – prycham.

Patrzy na mnie krzywo.

– Z księgową.

Zniża głos i mówi dalej rozdrażniony.

– Nie mam pojęcia, co ci chodzi po głowie, ale mogłabyś sobie odpuścić tę sprawę z Courtney. W ogóle nie rozmawiamy przez telefon. Spotykamy się tylko na agility. To wszystko. Jest znajomą z zajęć agility.

– W porządku – porzucam temat. Nie dlatego, żebym uważała, że jest w porządku, oczywiście, że nie, ale po prostu dlatego, że w poczekalni jest druga mama, która udaje, że nie podsłuchuje, ale wiem, że to właśnie robi, i niedoczekanie, żeby dzięki mnie miała o czym opowiadać przy dzisiejszej kolacji.

Parker skończyła butelkę, sadzam ją więc sobie prosto na kolanach, żeby się jej odbiło. I wtedy pielęgniarka otwiera drzwi i wywołuje nasze nazwisko.

– Parker Stone – mówi, patrząc na mnie. – Proszę bardzo. Żółty gabinet.

Zabieram więc Parker, fotelik i torbę z pieluchami, zostawiając Andrew, i idę korytarzem za pielęgniarką, wprost do gabinetu z podłogą w kolorze żółtym.

– Proszę rozebrać dziecko do pieluszki. Zaraz wrócę i zważymy pani córkę.

Wychodzi, zamykając za sobą drzwi. Andrew siada na krześle w kącie, a ja rozbieram Parker. Panuje cisza.

– Jak ona się miewa, tak w ogóle? – pyta mój mąż, gdy właśnie ściągam osłonę pieluchy w biało-różowe paseczki. Parker nosi ją pod swoją różową sukienką na ramiączkach.

– Bardzo dobrze – odpowiadam. – Śmieje się już. Wiedziałeś o tym? I próbuje przewracać się na brzuszek.

– Tak, wiem. Deloris mi powiedziała.

Wstaje i podchodzi do nas. Głaszcze Parker po głowie.

– Cześć – mówi do niej. Podnosi ją tak wysoko, by jej twarz znalazła się na wysokości jego twarzy.

– Kto jest twoim tatą? – zwraca się do niej głosem przypominającym nieco głos Ciasteczkowego Potwora z *Ulicy Sezamkowej*, gdyby Potwór ten grał w pornosach. – Kto. Jest. Twoim. Tatą?

Warga Parker zaczyna drżeć i po chwili rozlega się wycie. Zabieram ją od Andrew, a ona kładzie główkę na moim ramieniu i kwili. Hm... Może jej hierarchia ma mniej szczebelków, niż myślałam, i w ogóle nie uwzględnia tatusia.

– Nie ma pojęcia, kto jest jej tatą – rzucam oskarżycielsko. – Prawie nie bywasz w domu.

Rany. Ale te czasy się zmieniają, skoro teraz to ja wypominam Andrew jego nieobecność w domu. Ale Andrew się przejął, wygląda na zdruzgotanego.

– Ona mnie nienawidzi – jęczy.

– Nie może cię nienawidzić, bo w ogóle cię nie zna.
Rzucam mu znaczące spojrzenie.
– Teraz rozumiesz, jak czuję się z Deloris?
Andrew otwiera usta, ale w tym momencie wchodzi pielęgniarka, nic więc na to nie odpowiada, i chyba dobrze.
– Tak. Proszę zdjąć pieluszkę i połóżmy dziecko na wagę.
Dokładnie wykonuję instrukcję. Czekamy, aż cyferki na wyświetlaczu się ustabilizują. Kiedy przestają się zmieniać, pielęgniarka wyciąga długopis i głośno recytuje, jednocześnie zapisując odczyt.
– Siedem kilogramów siedemset siedemdziesiąt gramów.
Patrzy na mnie.
– Ma cztery miesiące?
– Trzy miesiące – poprawiam ją. Oczy pielęgniarki rozszerzają się.
– Ale skończyła szesnaście tygodni – dodaję szybko. Jej mina mówi mi, że to właściwie bez znaczenia.
– Duża dziewczyna – komentuje sędziowskim tonem. Po czym łapie kartę Parker i wychodzi, oglądając się na koniec przez ramię.
– Zaraz przyjdzie lekarz.
Zakładam Parker pieluszkę, próbując zachować spokój.
– Jest G-R-U-B-A – informuję Andrew.
– Dlaczego literujesz?
– Ponieważ – wyjaśniam mu – nie chcę, żeby to ode mnie Parker nauczyła się słowa G-R-U-B-A. Ani słowa „dieta" czy „kalorie" – kończę półgłosem. – Pilnuj się więc.
Tytułem wyjaśnienia, dlaczego kieruję tego typu ostrzeżenie do męża, przypomnijcie sobie, proszę, że poślubiłam Andrew Stone'a, Króla Przedziwnych Nawyków i Śmiechu Wartych Ekscentryczności. Andrew, w całej rozciągłości hetero, według niektórych nadmiernie dba o swój wygląd i ogólnie pojmowaną higienę osobistą, znany jest także ze swojej drobiazgowej znajomości zawartości kalorycznej różnych produktów. Czasami mnie to przeraża. A wszystko zaczę-

ło się, kiedy skończył trzydziestkę i przeszedł mały kryzysik. Zdecydował wtedy, że chce wyglądać i ważyć tyle, ile ważył w ostatniej klasie liceum. Nie zapominajcie, że Andrew ma metr siedemdziesiąt (on twierdzi, że metr siedemdziesiąt i pół), a w talii jest szczuplejszy niż ja przed ciążą. Ale jemu nie wystarczało bycie szczupłym. Koniecznie musiał odzyskać płaski brzuch z kaloryferem oraz gładką skórę niedojrzałego nastolatka. Zaczął więc golić klatkę piersiową (co zaowocowało miesiącami drapiącego zarostu oraz włoskami pod skórą rozmiarów małych guzków), codziennie przed położeniem się do łóżka robił trzysta brzuszków i przeszedł na intensywną dietę odchudzającą w celu zrzucenia trzech kilogramów.

Przez trzy miesiące miał obsesję na punkcie kalorii: limit dzienny wynosił tysiąc pięćset, i ani jednej więcej. Praktycznie nauczył się na pamięć „Podręcznego licznika kalorii". Zwariował. Kiedy na przykład wybieraliśmy się do kina, przygotowywał sobie przekąski w domu – popcorn light (dwadzieścia pięć kalorii) oraz pięć sztuk czerwonej lukrecji (trzydzieści pięć kalorii każda) – a potem ja musiałam przemycać je w torebce na salę. Kiedy byliśmy u kogoś, a na stole pojawiała się na przykład miseczka z M&M, siedział przy niej, próbując dojść, na ile sztuk może sobie pozwolić, nie przekraczając limitu („Dziesięć M&M to trzydzieści kalorii, a więc jedna sztuka ma trzy, może cztery, co oznacza, że jeśli zjem trzydzieści trzy sztuki... Hej, czy ktoś ma kalkulator?") Z kolei na przyjęciu, na którym podano ciasteczka, tort albo jakiś inny deser o nieznanej mu zawartości kalorycznej, zaczynał obwąchiwać go ze wszystkich stron, nie zważając na nic, wszyscy wokół zastanawiali się więc, co jest ze mną nie tak, że muszę wychodzić za tego dziwacznego człowieczka. No i, oczywiście, Andrew czuł się zobowiązany podawać mi wartość kaloryczną wszystkiego, co sama zjadałam.

„Kochanie – zwykł mawiać, unosząc brwi, kiedy sięgałam właśnie po parmezan, aby posypać nim swój szpinak. – To dodatkowe dwadzieścia pięć kalorii. Jedna łyżeczka dziennie w ciągu roku doda ci pół kilograma".

Wyobrażacie sobie? Jedna znajoma terapeutka przydybała mnie pewnego dnia na imprezie urodzinowej po kolejnym incydencie z obwąchiwaniem i przeprowadziła dwudziestotrzyminutowy wykładzik na mój wyłączny użytek, o tym, że mężczyźni również cierpią na zaburzenia jedzenia. Wybaczcie więc, że martwię się, że to Andrew może nabawić Parker większego kompleksu na punkcie jedzenia niż ja.

Znów drzwi się otwierają, ale tym razem pojawia się doktor Newman. Od razu przechodzi do rzeczy.

– Witam – mówi, nie czekając na naszą odpowiedź. – Gratulacje. Udało wam się przeżyć pierwsze trzy miesiące. Daje wam już spać?

Kiwam głową.

– Całe jedenaście godzin.

Doktor Newman potakuje i wskazuje miejsce na stole, gdzie mam położyć Parker.

– Przewraca się na brzuszek?

Kręcę głową.

– Nie, ale próbuje.

Znów kiwa, po czym przykłada stetoskop do piersi Parker, a ona uśmiecha się do niego. Odwzajemnia uśmiech, wkładając jej następnie do buzi patyczek i zaglądając do gardła.

– OK. Będzie się teraz non stop ślinić i wszystko wkładać do buzi.

„Dzięki za ostrzeżenie".

– Tak jest przed ząbkowaniem – kontynuuje. – Zęby mogą się pojawić między piątym a dwunastym miesiącem – mówi powoli, dokładnie wymawiając każde słowo, jakby uważał, że nie zdołam przyswoić takiej ilości informacji naraz.

Kiwam głową, że rozumiem, a potem odchrząkuję.

– Czy Parker jest zbyt ciężka? – pytam otwarcie.

Zagląda do karty, potem patrzy na nią. Wiem, wiem, to tylko dziecko, a ja nie powinnam fiksować na punkcie jej tuszy, ale to jest silniejsze ode mnie. Wałki tłuszczu, w których można nawet zapodziać kilka rzeczy, nie są chyba czymś naturalnym u szesnastotygodniowego dziecka. Przysięgam, czasem wydaje mi się, że gdzieś w jej szyi ukrywa się kilka zaginionych osób.

– Siedem siedemset – zastanawia się doktor Newman, przechylając głowę to na prawo, to na lewo. – Jest duża, ale nie ma się czym martwić.

Patrzy mi w oczy. W jego wzroku widzę wyraźne „a nie mówiłem".

– To mieszanki – wzrusza ramionami. – Dzieci karmione piersią są szczuplejsze.

Dzięki. Czekam tylko, aż mi powtórzy, że powinnam była karmić przynajmniej trzy miesiące. Ale nie, powstrzymuje się. Zamiast tego zwraca się teraz do nas obojga.

– Zauważyliście może, że tył jej główki robi się trochę spłaszczony? – pyta, a w jego głosie słychać umiarkowany niepokój. Natychmiast czuję, że oczy wychodzą mi z orbit. Ciekawe, czy naprawdę mogą wypaść. Andrew upuszcza kluczyki od samochodu.

– Co takiego? – wołamy razem.

Doktor Newman rozkłada ręce w uspokajającym geście.

– To bardzo częste – wyjaśnia. – Kości czaszki są jeszcze miękkie i nacisk na materac może powodować spłaszczenie.

Cofam się lekko i lustruję czaszkę Parker, patrząc z boku. Ma rację. Wygląda, jakby ktoś przyłożył jej w tył głowy patelnią.

O mój Boże, jestem taka okropna. Martwię się jej wagą, a nawet nie zauważyłam, że główka rośnie jej w kształcie litery „D".

– Co można zrobić? – pytam gorączkowo. – Da się to wyleczyć?

Nie panuję nad sobą. Już widzę Parker idącą do ołtarza w welonie, który wygląda, jakby ktoś przyczepił go do kawałka kartonu. Ale doktor Newman nie wygląda na specjalnie zmartwionego.

– Wszystko jest do naprawienia – uspokaja. – Proszę układać ją do snu na bok, a główka będzie się rozwijać normalnie.

Już chcę odetchnąć z ulgą, kiedy przypominam sobie, że teraz jestem przecież neurotyczną żydowską matką i jako taka powinnam marudzić nie do wytrzymania.

– A jeśli nie? – pytam w panice.

Rzuca mi wymowne spojrzenie i podnosi kartę Parker.

– Nie ma takiej możliwości – odpowiada tonem, który oznajmia koniec dyskusji.

14

Dwa dni później siedzę na zajęciach Susan, badając uważnie wzrokiem wszystkie po kolei obecne na sali dzieci, próbując stwierdzić, czy którekolwiek z nich posiada również jakieś dziwaczne deformacje fizyczne, czy też moje jest w tej kwestii osamotnione. Chyba jednak jesteśmy jedyne. Niektóre maluchy są stuprocentowo łyse, ale to się nie liczy. Jeden ma wielki nos – mam na myśli ogromny haczykowaty nochal – a jedna bidulka to po prostu brzydula, ale przecież nie o to tutaj chodzi.

„Nie" – myślę, bardzo starając się nie rozpłakać, kiedy już dochodzę do wniosku, że wszystkie pozostałe dzieci są najzupełniej normalne. Wszystkie. Jedenaścioro w pełni normalnych, szczuplutkich tyczek z idealnie normalnymi, okrągłymi jak kule do kręgli główkami, oraz jedna wielka, okrągła kula do kręgli zakończona głową w kształcie rakiety tenisowej. „Boże, może mieszanki w proszku odpowiadają również za syndrom płaskiej głowy?"

Wzdycham. Od wizyty u doktora Newmana mam obsesję na punkcie główki Parker. Kupiłam już niewielką poduszkę z otworem w środku – przypomina tę część łóżka do masażu, gdzie kładziesz głowę, tyle że tutaj w otwór wchodzi tył głowy, kiedy dziecko leży na podłodze – i poinstruowałam Deloris, że Parker, w miarę możliwości, ma leżeć na brzuszku, chociaż nie cierpi tak leżeć i drze się wniebogłosy, ilekroć próbuję ją do tego nakłonić.

Odpoczynek nocny staje się jednak problemem. Przewracam Parker na bok, jak zalecił doktor Newman, ale ona przekręca się na powrót w ciągu dwudziestu sekund. Pierwszej nocy biegałam do dziecięcego pokoju co pięć minut, korygując jej pozycję, ale to na pewno nie jest rozwiązanie na dłuższą metę. Zadzwoniłam więc wczoraj do doktora, wyjaśniając, że metoda nie działa, a on zalecił zastosowanie specjalnych poduszek ograniczających do łóżeczek, pozwalających utrzymać pożądaną pozycję dziecka. Kupiłam więc dwa różne rodzaje takich, ale to też się nie sprawdza. I tak się przekręca.

Przysięgam, nie macie pojęcia, jak mnie to stresuje. Ostatecznie, jak mam mu wierzyć, że jej główka wróci do normy, skoro jego metody nie pomagają? Ciekawe, czy Susan orientuje się w temacie. Chyba zapytam ją o to pod koniec zajęć, w czasie na „pytania i odpowiedzi".

Dzisiejsze zajęcia są poświęcone przyswajaniu języka. Susan zaopatrzyła nas w długaśną listę książek odpowiednich dla potomstwa w tym wieku. Niezbyt uważnie słucham, bo za bardzo pochłania mnie porównywanie głowy Parker z głowami innych dzieci, ale jestem prawie pewna, że Susan uważa, że powinnyśmy czytać dziecku przez godzinę dziennie. Czysty absurd, jeśli ktoś chciałby znać moje zdanie. To znaczy – nie wiem, kiedy Susan próbowała ostatnio czytać trzymiesięcznemu dziecku, ale to zupełnie bez sensu. Nie dalej jak w zeszłym tygodniu chciałam poczytać Parker o małym króliczku Pacie, ale ją interesowało wyłącznie próbowanie, jak smakują kartki. Obrzydliwe. Śliniła się i królicze futerko zamokło, stając się w ten sposób całe oślizłe. Ostatecznie nieco sierści dostało się do gardła Parker i potem przez całe popołudnie próbowała się go pozbyć. Dla mnie nie było to przyjemne doświadczenie. Wcale a wcale. Ale chyba robię coś nie tak, bo inne mamy potakują Susan, jakby od zawsze czytały swoim dzieciom i nie miały z tym absolutnie żadnych problemów. Wywracam oczami sama do siebie.

„Proszę, proszę, robię więc coś nie tak. A to mi nowina".

Naprzeciwko mnie dziecię w różowym dresiku marki Juicy właśnie odwróciło się na brzuszek, a mamusia klaszcze, wydając okrzyk zadowolenia, przerywając tym samym Susan w środku zdania.

– O mój Boże, udało ci się – wykrzykuje mama. – Przewróciłaś się na brzuszek!

Pochyla się, by pocałować pociechę, która, tak mi się wydaje, ma na imię Ava. Wszyscy pozostali nieruchomieją, przyglądając się temu, i nagle w powietrzu pojawia się namacalne napięcie.

Znam to. Dokładnie takie samo napięcie pojawia się zawsze podczas spotkań z rodzicami w jedenastej klasie, kiedy dociera do nich, że to nie ich dziecko uczestniczyło w zajęciach z programem rozszerzonym i nie ich dziecko otrzymało wyróżnienia. To napięcie neurotycznych matek, których dzieci powinny być najlepsze, kiedy okazuje się, że inne dzieci mają lepsze wyniki.

Nagle słyszę szept. W moją stronę pochyla się farbowana na blond mamunistka, która zajmuje miejsce obok mnie.

– Twoja córka już się przewraca? – pyta, wskazując na Parker. Kręcę głową.

– To dobrze – mówi z wyraźną ulgą w głosie. – Moja też nie, ale gdyby twoja się przewracała, zaczęłabym się martwić.

Przyglądam się jej podejrzliwie. „I cóż to niby miało znaczyć?" Spostrzega, że czuję się urażona, dodaje więc kilka słów wyjaśnienia.

– Bo jest już taka duża – szepcze. – Wydaje mi się, że może jej być trudniej, skoro jest ciężka.

Tak. Właśnie coś zrozumiałam. Kiedy wszystkie idą razem na lunch i rozmowa schodzi na mnie, wcale nie jestem mamą Parker. Jestem mamą tego tłuściocha. Tak właśnie powinnam podpisać się pod mailem do Melissy: „Dzięki, Lara (mama tłuściocha)".

Odchylam się na swoje miejsce, cała roztrzęsiona, i próbuję słuchać Susan, która udaje, że nie zauważyła, jak dziesięć mam udaje, że w ogóle nie obchodzi ich to, że czyjemuś dziecku po raz pierwszy w życiu udało się przewrócić na brzuszek.

– Na was spoczywa obowiązek poszerzania słownictwa dziecka – mówi Susan. – A najlepszym sposobem jest powtarzanie. Proponuję wybierać jeden przedmiot na tydzień, na przykład lampę, i za każdym razem, kiedy przechodzicie z dzieckiem obok lampy, wskazywać na nią i mówić „lampa". W końcu, gdy zapytacie, gdzie jest lampa, dziecko wskaże na nią.

Wcale niegłupie. Muszę to wypróbować. Z tym, że zacznę od pasa wyszczuplającego, bo wydaje się, że będzie to jedna z najważniejszych rzeczy w garderobie Parker.

Mamunistyczna jędza obok mnie podnosi rękę.

– Tak? – mówi Susan, kiwając głową w jej stronę.

– A co z bajkami z serii „Baby Einstein"? Puszczam je Emmie i ona chyba je lubi.

Susan z dezaprobatą marszczy czoło.

– Absolutnie odradzam. Żadnej telewizji do ukończenia dwóch lat. To, że w tytule znajduje się nazwisko Einstein, nie oznacza jeszcze, że bajki te służą naszym dzieciom.

Niezadowolona z odpowiedzi jędza naciska dalej.

– Ale są tam także zajęcia językowe. I zawsze wraz z obrazkiem wymawiają słowo i zapisują je.

Susan pochyla się, celując w nią palcem.

– Chcesz pozbawić dziecko umiejętności uczenia się? Bo tam właśnie zdążamy, pozwalając dziecku oglądać telewizję w wieku trzech miesięcy.

Mamunistyczna jędza kuli się cała i wygląda, jakby zaraz miała się rozpłakać. Gdyby przed chwilą nie obraziła mnie tak okropnie, pocieszyłabym ją, mówiąc, że nie powinna aż tak rozpaczać, bo na przykład Parker niechybnie nabawiła się już uszkodzenia mózgu, biorąc pod uwagę ilość czasu, który pozwalam jej spędzać przed telewizorem. Ale że mnie obraziła, ściągam usta i posyłam jej spojrzenie mówiące wyraźnie „to straszne, że już spieprzyłaś życie swojemu dziecku, życzę szczęścia z następnym".

– Dobrze – kontynuuje Susan. – Na dziś to wszystko. Czy są jakieś pytania?

Tak, są. Ja mam jedno. Naprawdę bardzo chcę je zadać, ale teraz nie potrafię. Bo jeśli je wypowiem, nie będę już tylko Larą (mamą tłuściocha). Będę Larą (mamą tłuściocha ze spłaszczoną głową). A tego bym nie chciała. Wzdycham. Poczekam po prostu, aż wszyscy wyjdą i wtedy spróbuję dorwać Susan.

Kiedy już wszystkie pytania zostały zadane, dziesięć minut bawimy się, śpiewając piosenkę o motorówce, o pająku i o migających gwiazdkach. Na koniec wszystkie wstajemy i, trzymając dzieci, formujemy krąg, a potem wykonujemy coś na kształt tańca w cztery pary do melodii *Kukabura*. Po każdym wersie Susan wykrzykuje instrukcje. Kukabura, gdybyście nie wiedzieli, to australijski ptaszek, który żywi się, między innymi, pisklętami innych ptaków (nie potrafię zdecydować, czy piosenka jest nieprzyzwoicie nieodpowiednia czy raczej wprost idealnie cudownie dobrana do tych konkretnych zajęć).

„Na gałęzi przysiadł kukabura" – kołyszemy się w przód i w tył.

„Najweselszy z niego buszu król" – idziemy w prawo.

„Śmiej się, kukaburo, śmiej" – teraz w lewo.

„Niech twój śmiech rozbrzmiewa wszędzie pośród kniej" – pod rękę i dookoła. (Żartuję.)

Kiedy kończymy, plecy tak mnie bolą od trzymania tłuściocha – to znaczy Parker – przed sobą, że muszę położyć ją na chwilę na podłodze, czekając, aż wszystkie mamusie wyjdą. Ale kiedy one są w trakcie ładowania rzeczy do toreb od Prady, Melissa (mama Hanny) staje na środku sali z zamiarem ogłoszenia czegoś.

– Słuchajcie – woła, starając się uciszyć pozostałe. Kiedy już wszyscy zwracają się w jej stronę, ogłasza: – Ponieważ wszystkie odpowiedziałyście na mój mail pozytywnie – tu rzuca nam znaczące spojrzenie – chciałabym wybrać dzień, a raczej wieczór, który wszystkim odpowiada. Pomyślałam o przyszłym piątku. Czy ktoś jest zajęty?

Wszystkie patrzymy po sobie. Nikt się nie odzywa.

– Super. Zamówię sałatki i zaczniemy o siódmej. Dla odmiany pozwolimy naszym mężom położyć pociechy do łóżeczek.

Przyjmują to wybuchem śmiechu, a Melissa żegna się, dodając, że prześle nam do domu informację, jak do niej dojechać.

Ekstra. Przyjęcie oralne tuż, tuż.

Pozostaję jeszcze na miejscu, udając, że szukam czegoś w torbie, a kiedy ostatnia osoba wychodzi, biorę Parker na ręce i podchodzę do Susan siedzącej za biurkiem.

– Ee... Susan – zaczynam. Susan odwraca się do mnie.

– Tak, słucham.

– Mam jedno pytanie, ale nie czułam się na siłach zadać je przy wszystkich. Mam nadzieję, że nie będziesz miała mi za złe?

Uśmiecha się.

– Ależ oczywiście, że nie. Czy mogłabyś przypomnieć mi swoje imię oraz imię dziecka. Po prostu tego nie ogarniam.

„Jasne. Ja jestem Lara, a to moja córka, Kwadratowy Łeb".

– Ja jestem Lara, a to Parker.

– Właśnie – mówi Susan. – Dobrze, Laro, o co chodzi?

– W zeszłym tygodniu miałyśmy wizytę kontrolną i nasz lekarz stwierdził, że główka Parker nieco się płaszczy. Kazał mi kłaść ją na boku, ale to nie działa. Może ty znasz jakieś inne sposoby? Próbowałam ograniczników, ale to też nie zdaje egzaminu.

Susan marszczy brwi.

– Oprzyj ją na ramieniu i daj mi obejrzeć tę główkę – poleca.

Podnoszę Parker wyżej, a Susan, jak sędzia na wystawie psów, obchodzi nas w kółko, dokładnie badając głowę Parker. Przechyla ją na boki, kręci dookoła trzy razy. Kiedy kończy, jej brwi wciąż są zmarszczone.

– Co prawda widziałam już o wiele gorsze główki, ale nie jest dobrze.

Przełykam ciężko, a ona ciągnie dalej.

– Powinnaś natychmiast umówić się na konsultację do specjalisty. Parker może okazać się kandydatką na hełm, a na pewno wolałabyś przejść przez to teraz, niż czekać, aż będzie gorzej. Pediatrzy zawsze zbyt długo zwlekają. Dostanie się do specjalisty może trwać miesiącami i wtedy okazuje się, że jest za późno.

Mam wrażenie, jakbym słyszała ją w zwolnionym tempie, wydaje mi się, że zgubiłam się gdzieś przy hełmie.

– Hełm?

Susan potakuje.

– Dokładnie. W wypadku płaskiej głowy czasami nakłada się dzieciom hełm, przeważnie na sześć miesięcy. Nie ma wtedy ucisku i główka wraca do normy.

Chyba zwymiotuję. I chyba wyglądam, jakbym zaraz miała zwymiotować, bo Susan uśmiecha się do mnie i kładzie dłoń na moim ramieniu.

– Och, nie ma się czym martwić. Robią teraz naprawdę śliczne hełmy.

Wyobrażam sobie hełm Svarowskiego, w panterkę i z kryształkami, coś jak torba od Judith Liber, ale to mnie wcale nie uspokaja. Susan sięga po długopis.

– Proszę – zwraca się do mnie, zapisując coś na kartce. – To fantastyczny pediatra-neurolog. Jest naprawdę dobry, a jego partner to chirurg plastyczny specjalizujący się w chirurgii czaszkowo-twarzowej, jeśli więc zostanie zdiagnozowana, możesz od razu na miejscu wykonać zabieg.

Podaje mi kartkę. Odbieram ją od niej drżącymi rękami. Neurolog? Chirurg plastyczny? Patrzę na Parker, której główka spoczywa teraz na mojej piersi, i czuję napływające łzy. To nie może się dziać naprawdę. Po prostu nie może.

– OK – mówię niemal szeptem. – Dzięki.

Po wyjściu na zewnątrz i zapięciu Parker w wózku wpadam w histerię, jestem na granicy załamania nerwowego. Chwytam komórkę i gorączkowo wybieram numer biura Andrew.

– Andrew Stone.

Ciężko oddycham do telefonu, niezdolna wykrztusić słowa.

– Halo? – niecierpliwi się Andrew. Biorę głęboki wdech i zaczynam.

– Właśnie wyszłam z zajęć Susan. Zapytałam ją o główkę Parker i Susan powiedziała, że natychmiast powinniśmy zadzwonić do neurologa i że nasze dziecko przez sześć miesięcy będzie nosiło hełm.

Zaczynam szlochać.

– Nie chcę, żeby nasze dziecko nosiło hełm. To najsmutniejsza rzecz, jaką słyszałam.

– Jest aż tak źle? – pyta Andrew. Słyszę, że jest zdenerwowany.

Pociągam nosem.

– Susan powiedziała, że widziała już głowy w gorszym stanie, ale że na pewno nie jest dobrze. Mówi, że na wizytę u specjalisty czeka się miesiącami i że należy zadzwonić od razu, zanim będzie za późno. Chcę powiedzieć to doktorowi Newmanowi. Zadzwonisz do niego? Od razu?

– Dobrze. Oddzwonię do ciebie, jak tylko z nim porozmawiam.

– OK – znów pociągam. W tej chwili czuję do niego tyle miłości, że prawie nie mogę tego znieść. Na całym świecie nie ma drugiej osoby, która potrafi tak dobrze zrozumieć, jak źle się teraz czuję. Po raz pierwszy od porodu czuję, że jesteśmy partnerami w rodzicielstwie.

– Andrew?

– Tak?

– Nic innego nie ma znaczenia. Courtney nie ma znaczenia, Deloris nie ma znaczenia. Nic. Chcę tylko, żeby Parker była zdrowa – jeszcze jedno pociągnięcie. – Nie chcę, żeby była dzieckiem w hełmie.

– Ja też nie – mówi Andrew. – Przekonajmy się, co powie lekarz.

Jak na złość, po zajęciach umówiłam się z Julie na lunch, żeby obgadać jej wypracowania, które napisała dla Instytutu. Jest to ostatnia rzecz, na którą w tej chwili mam ochotę. Teraz chcę tylko wrócić do domu i przeszukać cały Internet pod kątem spłaszczonych główek i hełmów, ale jest już zbyt późno, by odwołać to spotkanie. Julie na pewno czeka w restauracji. A skoro o tym mowa, jej wypracowania są beznadziejne. To najżałośniejsze, najbardziej lizusowskie wypociny, jakie czytałam, a możecie mi wierzyć, że w swoim życiu przeczytałam tony żałosnych, lizusowskich wypocin, mam więc porównanie.

Yyy... W tym momencie na myśl o Julie robi mi się niedobrze. Jest ostatnią osobą, z którą chciałabym omawiać sytuację Parker. To znaczy – naprawdę lubię Julie, ale nie chcę, żeby główka mojego dziecka stała się pożywką dla plotek krążących wśród mamunistek LA. Już widzę, jak wydzwania od jednej do drugiej, informując ją szeptem, jakie to nieszczęście, że córeczka Lary musi nosić hełm. Nie, no jasne, trudno ją winić. Też bym tak zrobiła, gdyby jej Lily musiała nosić coś takiego na głowie, ale uważam, że całą sprawę z hełmem należy traktować dyskretnie. W tych okolicznościach to najroztropniejsze, co można zrobić. Będę po prostu udawać, że wszystko jest w porządku, i postaram się, żeby Parker cały czas była zwrócona do Julie twarzą.

* * *

Dziesięć minut później pcham Snap-N-Go między stolikami, idąc w stronę Julie i Lily, które na nas czekają. Lily siedzi w wysokim dziecięcym foteliku i wyjada maleńkie kawałeczki indyka z plastikowej maty, którą położyła przed nią mama. Natychmiast sprawdzam jej główkę. Po prostu muszę. I oczywiście jest idealna. Okrągła jak księżyc w pełni. Czuję w gardle Luthora – już od jakiegoś czasu mnie nie odwiedzał, początkowo więc go nie rozpoznałam – i zaczynam płakać.

Cholera. Julie patrzy na mnie zaniepokojona.

– Laro – mówi z troską w głosie. – Co się stało? Dobrze się czujesz?

Kręcę głową, załamuję się i opowiadam jej całą historię. Kiedy kończę, Julie wygląda na wstrząśniętą.

– Mogę ją zobaczyć? – pyta, niepewna, czy wypada. Ale kiwam głową, że może, i wyciągam Parker z wózka w nadziei, że może Julie uzna, że Susan przesadza. Odwracam ją tyłem do Julie i Julie zagryza dolną wargę.

– No, jest może troszeczkę spłaszczona – orzeka.

Zamykam oczy. O nie.

– To po prostu okropne – płaczę. – Nie mogę jej włożyć na pół roku do hełmu. Nie zrobię tego. Co z tego, że ma płaską głowę? Przecież urosną jej włosy. Nikt nawet nie zauważy.

Julie wygląda teraz na zakłopotaną.

– Susan powiedziała, że hełmy są bardzo ładne?

– Tak, jestem pewna, że to cudeńka.

Opowiadam jej o mojej wizji Judith Leiber.

– Można by zacząć nowy biznes. Projektant niemowlęcych hełmów. Kupujesz odpowiedni sprzęt i sukces gwarantowany.

Grozi mi kolejny wybuch łez, kiedy słyszę dzwonek komórki. Odbieram.

– Halo?

To Andrew.

– Rozmawiałem z lekarzem.

– No i? – pytam niecierpliwie.

– Powiedział, żeby zmienić zajęcia „Mama i ja" na jakieś inne.

Wydech. Julie patrzy na mnie i bezgłośnie pyta: „Co powiedział?".

Wyciągam do góry palec, dając jej do zrozumienia, żeby poczekała, aż Andrew skończy.

– Powiedział, że hełmy to absolutnie ostatnia deska ratunku i że główka Parker wygląda jak piłka do nogi w porównaniu z dziećmi, które kwalifikują się do hełmu. Wszystko jest w porządku. Mówi, że jeśli ograniczniki nie pomagają, można spróbować układać ją odwrotnie i być może wtedy Parker sama odwróci główkę na bok.

– A jeśli nie? – znów wpadam w panikę.

– Wiedziałem, że to powiesz – mówi Andrew. – Powiedział, że w takim razie trzeba poczekać, aż zacznie się przewracać na brzuszek, nie będzie wtedy spędzała tyle czasu, leżąc, i w ten sposób problem się rozwiąże. Ale zapewnił mnie, że Parker zdecydowanie nie jest kandydatką do noszenia hełmu. Powiedział, że co roku odsyła do specjalistów dziesiątki dzieci i że nawet przez myśl mu to nie przeszło, kiedy badał Parker. Prosił, żeby powtórzyć Susan, że jest idiotką.

– Dobrze – mówię z ulgą, ale nie do końca uspokojona. Przytulam mocniej Parker. – Dzięki, że do niego zadzwoniłeś. Pogadamy później, OK?

– Poczekaj – woła Andrew, po czym robi krótką przerwę. – Mówiłaś wtedy serio? – pyta. – Że Courtney nie ma znaczenia?

Robię długi wydech, kupując sobie chwilę na powtórne zastanowienie.

– Tak – decyduję ostatecznie. – Serio.

W końcu, przecież Andrew mnie nie zdradza. I wiedział, że powinien zapytać lekarza „a co, jeśli nie?". Tego rodzaju kwalifikacji w wypadku męża nie można przecenić. Poza tym właśnie się dowiedziałam, że moje dziecko powinno udać się do neurologa oraz chirurga plastycznego specjalności czaszkowo-twarzowej. Czas spojrzeć na sytuację z właściwej perspektywy.

– Cieszę się – mówi Andrew takim zadowolonym głosem, jakiego nie słyszałam u niego od tygodni. – To po prostu znajoma, Lar. Powinnaś wiedzieć, że nigdy bym cię nie zdradził. Za bardzo cię kocham.

– Wiem – odpowiadam na to. „Ale czy naprawdę twoja znajoma nie mogłaby wyglądać inaczej?"

– Ja też cię kocham, słonko – kończę rozmowę.

Julie patrzy na mnie wyczekująco.

– No i? Co powiedział?

– Że wszystko jest w porządku, a Susan to idiotka.

Julie denerwuje się na to stwierdzenie. Jakbym jej powiedziała, że zabawki firmy Lamaze zawierają karcenogeny.

– Susan nie jest idiotką – fuka. – Codziennie udziela matkom nieocenionych rad. Moje siostry mówią, że bez niej nie przeszłyby przez pierwszy rok. A ja ją uwielbiam. Ostatnio dostałam od niej fantastyczną książkę na temat podróży i mam zamiar w całości ją wykorzystać przy okazji kolejnego wyjazdu.

Kręci głową.

– Trudno mi uwierzyć, że Susan mogłaby się pomylić w takiej sprawie.

Patrzę na nią, niepewna, co na to odpowiedzieć. Chyba tak właśnie czuje się człowiek, kiedy ma powiedzieć dziecku, że Święty Mikołaj to pogański mit. Hm, istnieje jednak jakiś plus bycia Żydówką.

– Jul – staram się nie zabrzmieć protekcjonalnie. – Każdy czasami się myli. Nawet Susan.

Wzrusza ramionami.

– Wiesz co? Jeśli wolisz posłuchać lekarza, nie ma sprawy. Ale ja na pewno uwierzyłabym Susan, a nie mojemu pediatrze, w każdej kwestii.

Uznaję, że gra nie jest warta świeczki. O co tu się kłócić? Jeśli Julie chce wierzyć, że Susan to wszystkowiedzące bóstwo, które potrafi diagnozować choroby lepiej niż profesjonalista posiadający stopień naukowy i wieloletnie doświadczenie, to proszę bardzo. Ja na pewno nie mam zamiaru pozbawiać ją złudzeń.

– W porządku, niech ci będzie – próbuję potraktować nonszalancko to dziwaczne uwielbienie dla Susan. – Chcesz pogadać o Instytucie?

– Jasne – w jej głosie pobrzmiewa ulga, że zmieniłam temat. Sięga do torby z pieluchami, błyskawicznie wyciągając czerwoną, plastikową teczkę wypełnioną papierami.

– Moja teczka instytutowa – informuje, wskazując ją głową. – Założyłam osobną dla każdego przedszkola, w którym składamy wniosek. Każdą w innym kolorze.

Kiedy nie patrzy, przewracam oczami. Dokładnie wiem, jaka była w liceum. W Bel Air Prep mam takich na pęczki. Niezbyt lotne, co próbują rekompensować superorganizacją. Przysięgam, gdyby na naukę poświęciły choć połowę tego czasu, który marnują, kompletując i organizując swoje notatki w niezwykle złożony system, wklejając w odpowiednich miejscach kolejne litery alfabetu, zaznaczając ważne miejsca markerami w szesnastu kolorach, mogłyby nawet mieć szansę na dostanie się do jednego z tych college'ów, których materiały taszczą ze sobą w segregatorach, skrzętnie poukładane w odpowiedniej kolejności.

– OK – zaczynam moim tonem doradcy akademickiego. – Przeczytałam twoje wypracowania i wydaje mi się, że nieco zboczyłaś z drogi.

Jej twarz zastyga. Na pewno uznała, że jej wypracowania są wspaniałe.

– Naprawdę? Ale przecież zrobiłam dokładnie to, co mówiłaś.

– No tak, zrobiłaś, ale po drodze to się gdzieś pogubiło. Sprawiają wrażenie, jakbyś chciała się im podlizać. I niczym się nie wyróżniają.

Julie wydaje się urażona.

– Wcale nie chcę się podlizywać – upiera się.

– Wiem, że nie miałaś takich intencji, ale tak właśnie to wyszło. O – wyciągam z torebki jedno z wypracowań. – Posłuchaj.

Trzymam kartkę i zaczynam czytać, z całych sił starając się nie wpaść w ironiczny ton.

– Wierzę, że Instytut to właściwy wybór dla mojej rodziny, ponieważ jest jednym z najbardziej poważanych przedszkoli w kraju. Wasze znakomite referencje, kompetentni nauczyciele, zaangażowanie oraz zróżnicowana oferta edukacyjna to rzeczy, których szukamy dla swojej córki.

Odkładam kartkę i podnoszę wzrok na Julie.

– Jul, gadasz jak Miss America. Brakuje tylko wzmianki o tym, że pragniesz pokoju na świecie.

– To nie jest zabawne.

– I nie ma być.

Julie wygląda, jakby zaraz miała się rozpłakać.

– To już nie wiem, co mam zrobić. Mówiłaś, żeby opowiedzieć, dlaczego chcę się do nich dostać, i wspomnieć o zróżnicowanej ofercie edukacyjnej, i to właśnie zrobiłam.

Wzdycham. „Boże, czuję się, jakbym rozmawiała z siedemnastolatką". Nie miałam pojęcia, że tak źle reaguje na krytykę.

– Musisz im opowiedzieć jakąś historię – wyjaśniam. – Wpleść swoje powody w narrację, tak żeby dowiedzieli się czegoś o tobie i twojej rodzinie, i żeby wszystko razem było ciekawie opowiedziane. A ty, jak na razie, powiedziałaś im rzeczy, które oni doskonale wiedzą.

– Wiesz co, Laro? – oznajmia Julie, odzyskując spokój. – Może to wcale nie był taki dobry pomysł. Ogólnie rzecz biorąc, wypracowania nie są tu aż tak ważne. To przecież tylko przedszkole. Liczy się to, kogo znasz.

Zbiera papiery i wkłada je do czerwonej teczki.

– Chyba bardziej mi się opłaci podzwonić po ludziach, szukając więcej dojść.

„Boże. A może porozmawiamy o lenistwie?" To zupełnie nowa strona Julie, której nigdy dotąd nie widziałam. Nic dziwnego, że nie pracuje. Nie stać jej na minimum wysiłku.

– Jak uważasz – mówię do niej. – Próbuję ci jedynie pomóc.

– Dzięki. Doceniam to, naprawdę. Ale może mogłabyś zorientować się, czy ktoś w Bel Air Prep zna kogoś w Instytucie? To mogłoby pomóc.

Wzruszam ramionami.

– Zobaczę, co da się zrobić – odpowiadam, nie mając najmniejszego zamiaru zobaczyć, co da się zrobić. Nie będę dla niej pociągać sznureczków. Nie z takim nastawieniem.

Widzę wyraźnie, że czuje, jaka jestem wkurzona, ale uśmiecha się promiennie.

– Świetnie – mówi, otwierając kartę dań. – Co zamówimy na lunch?

15

Ciągle zapominam o tej nieszczęsnej lampie. Przechodzę obok niej z Parker na ręku przynajmniej sto razy na dzień i zawsze zapominam. Wskazać na nią i powiedzieć „lampa", pamiętacie? No tak, ja też nie. Oczywiście ilekroć jestem w samochodzie albo pod prysznicem, albo wypruwam flaki w siłowni, powtarzam sobie: „Cholera, następnym razem muszę pamiętać, żeby mówić «lampa», kiedy obok niej przechodzę", ale do czasu, kiedy rzeczywiście obok niej przechodzę, myślę już o tysiącu innych rzeczach, na przykład jak się wymigać z organizacji wieczoru panieńskiego Nadine albo co włożyć na dzisiejszą imprezkę oralną, albo dlaczego Stacey nie oddzwania, mimo że zostawiłam jej przynajmniej siedemdziesiąt trzy wiadomości od czasu, kiedy miały się ważyć jej losy wspólnika, co nastąpiło w zeszłym tygodniu. Wnerwia mnie to również dlatego, że wyobrażam już sobie wszystkie mamunistki z mojej grupy cały dzień spacerujące po domu i wskazujące lampy, i wiem już, że nie ma co liczyć na spektakularny sukces w czytaniu, jeśli chodzi o Parker – może jakaś czwóreczka.

Jasne, mogłabym poprosić Deloris, żeby to robiła – ona na pewno by nie zapomniała – ale nie chcę. W pomyśle, żeby Deloris uczynić odpowiedzialną za słownictwo mojej córki, jest coś niepokojącego. Może i nauczy się, co to takiego lampa, ale Bóg jeden wie, co jeszcze podłapie. Poza tym techniki związane z opieką nad dzieckiem zatrzymuję dla siebie. Teraz szczególnie potrzebuję każdej bzdury, która da mi choć cień przewagi, bo Deloris stała się zupełnie nie do wytrzymania. Posłuchajcie tylko. Wczoraj, kiedy była na spacerze z Parker, weszłam do jej pokoju, żeby zostawić tam kilka nowych opakowań chusteczek. I co znalazłam? Znalazłam mianowicie lalkę wudu podejrzanie podobną do mnie. Blond włosy i czarny dres, a to właśnie noszę na co dzień w domu. I na pewno nie miała jej na początku, kiedy się wprowadziła. Nie zauważyłam wtedy żadnych blondynek. Po drugie, wcale nie leżała na widoku, jak inne. Przez przypadek zauważyłam, że wystaje zza jakichś łachów na półce... Właściwie to była w górnej szufladzie jej komody. Z tyłu. Pod T-shirtami.

Wiem, wiem, jestem okropna i nie powinnam myszkować po jej szafach, ale byłam pewna, że rzuca na mnie zaklęcia, i moje odkrycie to potwierdza. W dodatku zaczynam podejrzewać, że one działają, bo nie zrzuciłam nawet pół kilograma, odkąd pojawił się na mojej wadze niebieski proszek, a przecież przez kilka ostatnich tygodni nie tylko jestem na diecie, ale też ćwiczę jak maniak.

Zaraz, zaraz, o czym ja właściwie mówiłam?

A, tak. Lampa. Chodzi o to, że zapominam pokazywać jej tę głupią lampę, i jestem taką złą matką, że wolę zapewnić dziecku problemy z czytaniem, niż dać niani satysfakcję wskazywania Parker różnych przedmiotów.

Przysięgam, czasami nie jestem pewna, kto tu rzeczywiście zwariował, Deloris czy ja.

Dzwoni telefon.

Może to Stacey? Chwytam słuchawkę i sprawdzam, kto dzwoni. To nie Stacey. Ojciec. Albo raczej @#*!. Muszę jak najczęściej przypominać sobie, kim jest – miernotą nazywanym uprzednio moim ojcem. Nie mogę pozwolić sobie na myślenie o nim inaczej, bo kiedy tak się stanie, on zniknie, a wtedy będę musiała ponownie przechodzić przez to piekło. A możecie mi wierzyć: tego bym nie chciała.

Rozlega się kolejny dzwonek. Rany. @#*! wydzwania do mnie codziennie, czasami nawet dwa razy na dzień, ale ja nie oddzwaniam. Szczerze mówiąc, brzydzę się nim. Drugie małżeństwo to jedna sprawa, ale małżeństwo z kimś takim jak Nadine... Nie potrafię przejść nad tym do porządku dziennego. Im więcej o tym myślę, tym bardziej się wkurzam, ale nie ma sposobu, żeby go od tego odwieść. A powinniście wiedzieć, że próbowałam. Ale jego po prostu nic nie obchodzi, że degraduje całą rodzinę. Ani to, że nie będę się mogła pokazać publicznie, jeśli ktokolwiek się o tym dowie. Albo, jeszcze gorzej, jeśli aresztują Nadine. Boże. To potwierdza jedynie, że wcale się nie zmienił i że wciąż nie pojmuje, że konsekwencje jego decyzji dotykają także innych.

Wciąż dzwoni. Sprawdzam monitor na moim nocnym stoliku. Chyba muszę odebrać, bo Parker dopiero co zasnęła, a jeśli odezwie się sekretarka, na pewno ją obudzi. Do diabła z tym. Wciskam przycisk.

– Cześć, tato – mówię sucho.

– No cześć, niunieczka – woła ojciec, wesoło i nerwowo zarazem. – Jak się ma moja dziewczyna?

Rany.

– Nie jestem twoją dziewczyną, tato – teraz jestem zła.

– To tylko wyrażenie, Laro. Nie bądź taka drażliwa.

– Następnym razem nie znikaj na osiem lat, to może nie będę.

Wzdycha.

– Teraz więc będziesz mi to wypominać przez resztę życia? – pyta, a w jego głosie słychać zmęczenie.

Nie mogę, co jest z tymi facetami? Naprawdę myślą, że mogą wszystko spieprzyć, a potem nikt o tym nawet nie wspomni?

– Chyba że usuną mi krtań. W przeciwnym wypadku będę ci to wypominać przez resztę życia.

– OK, w porządku. Nie dzwonię, żeby się kłócić.

– Więc po co?

Bierze głęboki oddech i powoli wyrzuca to z siebie.

– Dzwonię, i to nie pierwszy raz, poprosić cię, żebyś przestała unikać Nadine. Jest jej przykro, że nie odpowiedziałaś na mail w związku z wieczorem panieńskim. Powiedziała, że dzwoniła do ciebie trzy razy, ale się nie odezwałaś.

Przygryzam wargę. Tu mnie ma.

– Posłuchaj, tato. Przecież już ci mówiłam, że nie chcę jej w moim życiu. Wrobiła mnie w to starostowanie, ale szczerze mówiąc, wcale nie czuję się zaszczycona. Czuję presję. Dopiero co urodziłam dziecko, nie wiem, w co ręce włożyć, i nie mam czasu na planowanie panieńskich wieczorów nierządnic. Możesz jej więc przekazać, że powiedziałam: dzięki, ale nie, dzięki.

– Wiesz, Laro? – pyta ojciec, teraz wkurzony. – W ogóle się nie zmieniłaś. Nawet jako dziecko zawsze wszystkich osądzałaś i zawsze musiało być tak, jak ty chcesz. Jeśli dostałaś, czego chciałaś, w ogóle nie obchodziło cię, kto na tym cierpiał.

Przez minutę nie odzywam się, próbując zrozumieć to oskarżenie. Czy nie to właśnie zarzucałam jemu? Z jakiegoś powodu ta rozmowa przypomina mi pewne wydarzenie z liceum.

W drugiej klasie, w październiku, a może na początku listopada, nauczycielka hiszpańskiego dobrała mnie w parę z Gretchen Flickert. Miałyśmy pracować przez miesiąc nad pewnym projektem. Gretchen była największą kujonką w całej klasie. Miała dwie sukienki z filmu *Domek na prerii* i chodziła w nich zawsze do szkoły, na zmianę. Jedyne, o czym była w stanie rozmawiać, to koń, na którym jeździła po lekcjach. Nazywał się chyba Lwia Paszcza. Tak czy inaczej, nie chciałam pracować z nią, tylko z moją przyjaciółką Allison, poszłam więc do *seniory* i powiedziałam, że mam alergię na sierść konia i nie mogę pracować z Gretchen, bo czuć od niej koniem. Seniora tego nie kupiła, ale biedną Gretchen nazywano odtąd „Koniną". Czułam się przez to okropnie. Właściwie nadal tak się czuję. Jeśli kiedykolwiek wybiorę się na któreś klasowe spotkanie po latach, mam zamiar ją przeprosić. Pod warunkiem, że się pojawi. To znaczy, ja raczej bym nie przyszła, gdyby wszyscy, z którymi mam się spotkać, nazywali mnie Koniną.

– Cóż, tato – mówię zjadliwie – uczyłam się od mistrza.

– Być może – ripostuje. – Ale ja przynajmniej staram się zmienić.

I jakby wypowiedzenie tego przypomniało mu, że ma się zmienić, łagodzi ton.

– Pewnie gdybym zaczął się starać wcześniej, byłabyś innym człowiekiem. Jeśli więc ty wcześniej zaczniesz, może Parker nie przejmie pałeczki.

OK. Dotknął czułej struny. Nie miałam pojęcia, że wie, że panicznie boję się spieprzyć życie Parker. Ale zaraz dociera do mnie, że być może kiedyś to on miał takie same obawy. Hm. Przez moment czuję do niego niespotykaną empatię – jakbyśmy nie byli ojcem i córką, tylko dwojgiem rodziców, którzy chcą jak najlepiej dla swoich dzieci. Spuszczam z tonu.

– Zastanowię się nad tym, w porządku?

– W porządku. Ale tak czy inaczej, musisz się pospieszyć. Ślub za pięć tygodni.

– Przecież wiem.

Zamykam oczy i wzdycham.

– Mam pewne plany na dziś wieczór i muszę się przygotować, ale zadzwonię do niej jutro rano.

– Świetnie – mówi z ulgą. – Powiem Nadine. Będzie wniebowzięta.

– Dobra – ja nie jestem wniebowzięta i słychać to w moim głosie. – Teraz muszę lecieć.

– Leć, leć, na razie. Pogadamy później. Lara?

– Tak?

– Dzięki, skarbie.

„Nie dziękuj, nie robię tego dla ciebie. Robię to dla Parker".

– Cześć.

Uprzedziłam Andrew, że musi być w domu wcześniej, i ten jeden raz rzeczywiście jest. Przy okazji – nie ma pojęcia, dokąd się wybieram. Myśli, że mam dziś specjalne wydanie zajęć „Mama i ja". Nie chciałam mu powiedzieć, że idę doskonalić techniki oralne, bo a) nie chcę, żeby miał jakieś oczekiwania, na wypadek gdybym zmieniła zdanie, i b) jeśli go nie zmienię, chcę go wziąć z zaskoczenia. Z pewnością bardziej mu się spodoba, jeśli uzna, że spontanicznie postanowiłam zrobić mu tę przyjemność, ot, ni stąd, ni zowąd. Nie musi wiedzieć, że wcześniej siedziałam z całym babskim oddziałem i trenowałam.

Chociaż, szczerze mówiąc, tak naprawdę Andrew wcale nie jest ciekaw, dokąd idę. Jest po prostu podekscytowany perspektywą spędzenia wieczoru sam na sam z Parker. Podejrzewam, że ponieważ ciągle siedzi w biurze, ma fałszywe wyobrażenia o cudownych wieczorach z dzidziusiem. Wiem doskonale, jak pracuje jego mózg. Całą wiedzę czerpie z telewizji, wizualizuje więc ten wieczór jako montaż wszystkich zapamiętanych uroczych i ckliwych reklam. Długie wspólne drzemki na kanapie. Czytanie bajeczki Parker, która spokojnie siedzi na jego kolanach. Kołysanie w ramionach córeczki wpatrującej się w niego zachwyconym wzrokiem. Przyznaję, że zdarzają się przyjemne chwile, ale wciąż jeszcze są niezwykle rzadkie. Przez większość czasu Parker jest wiercącym się drapieżnikiem z obsesją na punkcie wkładania wszystkiego do ust. Mowy nie ma o długiej, spokojnej drzemce na kanapie. Nie z tym dzieckiem. Każda jej drzemka poprzedzona jest dwudziestominutowym koncertem w łóżeczku. O czytaniu już wspominałam. Zresztą, ponawiałam swoje próby – wiele razy – teraz więc wszystkie książki są albo w strzępach, albo brakuje im tych części, które Parker odgryzła. Kołysanie też nie wchodzi w grę. Dziecko dosłownie katapultuje się z moich ramion, kiedy tylko usiądę, jeśli natomiast zdarzy się jej na mnie spojrzeć, to na pewno nie w zachwycie. W jej wzroku widzę zamiar odgryzienia mi nosa lub wydrapania oczu.

Ale niech sam się przekona. Trzy godziny to aż nadto, żeby jego fantazje legły w gruzach. Już nie mogę się docze-

– Bawcie się dobrze!

Idę do garażu, gdzie spędzam około pięciu minut na poszukiwaniach kluczyka, aby w końcu wyjechać i kilka domów dalej uświadomić sobie, że zapomniałam butelki wina, którą zamierzałam ze sobą zabrać. Cholera. Zastanawiam się, czy wypada pojechać z pustymi rękami, ale przypominam sobie, że mamy tu do czynienia z mamunistkami, a takie *faux pas* omawiane byłoby przynajmniej przez kilka miesięcy. Jeśli nie lat. Z rezygnacją zawracam. Przed domem zostawiam kluczyk w stacyjce i biegnę po wino, które powinno znajdować się na stoliku w salonie.

O, mamo, będę okropnie spóźniona.

Przede wszystkim zauważam, że wyłączyli muzykę. Ha, a więc *Just the two of us* nie było jednak takie super. W przedpokoju ściągam buty, bo łatwiej jest mi biec boso niż na szpilkach. W salonie widzę Parker, która leży na swojej podłogowej macie. Andrew, odwrócony do mnie plecami, stoi przed nią. No, właściwie niezupełnie stoi. Gwałtownie wymachuje w powietrzu rękami, jednocześnie wykonując nogami wykopy.

– Agresja. A-gresja. A-G-R-E-S-J-A. Agresja. Łaaa!

Parker mu się przygląda, ale bez cienia uśmiechu. Za to ja zaczynam się śmiać. I to histerycznie.

Andrew się odwraca.

– Co tu robisz?

– Zapomniałam tego – mówię, podnosząc butelkę wina. – A co ty robisz?

Udaje, że wcale nie jest zmieszany.

– Chcę, żeby się uśmiechnęła – wyjaśnia rzeczowo. – Tak jak ty.

Kręcę głową, jakbym mówiła, że to nie tak.

– Spróbuj z H-U-R-R-A – radzę mu. – Lubi to.

Kieruję się z powrotem do drzwi.

– I podskoki – wołam do niego przez ramię. – Uwielbia podskoki.

Śmieję się do siebie, biegnąc do samochodu. Nieważne, że się spóźnię. Warto było to zobaczyć.

Szesnaście po siódmej stoję na progu domu w Beverly Hills, z butelką w dłoni. Naciskam dzwonek i kilka sekund później drzwi się otwierają, po czym zostaję przywitana przez Melissę (mamę Hanny).

– To Lara – oznajmia wszystkim najgłośniej, jak potrafi. Ma zaróżowione policzki i nieco szkliste oczy, a ja mam wrażenie, że zaczęła imprezę sporo przed siódmą.

Wchodzę do środka, potem do salonu, gdzie wszystkie mamunistki zebrały się już wokół półmiska z serami oraz miski warzyw z sosem farmerskim. Oczywiście wszystkie mają na sobie identyczne stroje. Dżinsy True Religion/Rock & Republic/Blue Cult, srebrne lub złote sandały i bluzkę bez rękawów. Nawet dodatki są podobne: dwa lub trzy sznury czegoś na szyję różnej długości, brylantowe kolczyki, sporo świecidełek na dłoniach i modna torebka. Jakby żony ze Stepford przeniosły się do Beverly Hills.

Melissa podaje mi kieliszek wina, który opróżniam w kilka sekund, a ona napełnia go ponownie, podobnie jak własny. Ponad jej ramieniem zauważam, że do abażuru lampy w rogu pokoju doczepiono niewielką etykietkę. A na niej wielkimi literami, jakimi mogłaby pisać przedszkolanka, wykaligrafowano słowo „lampa".

– A to co? – pytam ją, wskazując głową w tym kierunku. Melissa odwraca się i jej twarz poważnieje.

– O, właśnie to zaczęłam. Pamiętasz, jak Susan mówiła, żeby wskazywać na rzeczy, bo to pomaga uczyć nowych słów?

Kiwam głową.

– No więc, dodaję jeszcze etykietki. W pierwszej fazie będzie jej jeszcze łatwiej rozpoznawać słowa.

Biedna Parker, problemy z czytaniem to mało powiedziane – dobrze będzie, jak załapie się na dwójczynę.

– Z kim zostawiłaś Parker?

– Z mężem. I z nianią, ale ona kończy o siódmej, właściwie będzie więc sam.

– I ułoży ją do snu? – pyta z niedowierzaniem. Kiwam głową, sącząc wino.

– Super – kontynuuje Melissa. – Kiedy to mówiłam na zajęciach, żartowałam. Mój mąż nie zająłby się dzieckiem, nawet gdybym mu za to zapłaciła. Nie wiedziałby, jak. Musiałam dziś wyekspediować Hannę na noc do mojej mamy, a Scott poszedł na pokera. Nie mógł się już doczekać.

„Ciekawostka" – myślę.

– Hm, Andrew dużo ostatnio pracuje, nie mógł więc poświęcić Parker zbyt wiele czasu. Właściwie to było słodkie. Naprawdę cieszył się na dzisiejszy wieczór.

Akurat Lisa (mama Cartera) przechodzi obok nas, Melissa łapie więc jej ramię i przyciąga do siebie, żeby mogła posłuchać mojej cudownej opowieści.

– Posłuchaj tylko – mówi Melissa. – Mąż Lary zajmuje się dzisiaj dzieckiem. Sam. Z własnej woli. Kładzie ją spać i tak dalej.

Lisie opada szczęka.

– I robi kąpiel?

Potakuję, a Lisa w zdumieniu potrząsa głową.

– Niesamowite. Czy twój mąż mógłby pogadać z moim?

Obie się śmieją, a ja czuję nagły przypływ złości. Niby dlaczego to Andrew zbiera punkty za bycie dobrym ojcem? W końcu to jeden jedyny głupi wieczór w ciągu trzech i pół miesiąca. Ci faceci muszą być rzeczywiście do niczego, jeśli nie stać ich nawet na to. Oczywiście jestem już nieźle wstawiona, co do pewnego stopnia wyjaśnia słowa, które wymykają się z moich ust. Do pewnego stopnia.

– Nie myślcie sobie, że jest taki wspaniały. Tak naprawdę ma romans z seksowną dwudziestopięciolatką. Dlatego jestem tu dzisiaj. Muszę go od niej odciągnąć.

W momencie wypowiadania tych słów wiem już, że nie powinnam ich wypowiadać. Nie mogę uwierzyć, że to robię.

Za późno, stało się. Ich twarze zastygają, jakby próbowały wymyślić jakąś poprawną, uprzejmą odpowiedź.

„Boże. Co ja wyprawiam? Muszę je jakoś zagadać. Odwrócić ich uwagę od tego, co właśnie powiedziałam, może nie zapamiętają".

– W dodatku Parker ma spłaszczoną głowę – wyrywa mi się.

Jestem naprawdę okropna. Poświęcam dziecko, żeby chronić siebie. Jestem jeszcze gorszą matką, niż mi się wydawało.

Ale chyba poskutkowało. Obie robią wielkie oczy i niemal ślinią się w oczekiwaniu na więcej.

– Naprawdę? – to Lisa.

Wykrzywiam twarz i kiwam głową.

– Susan powiedziała, że grozi jej hełm, ale mój pediatra mówi, że nie jest tak źle.

Melissa zakrywa usta dłonią.

– O Boże, mam znajomą, której dziecko nosiło taki hełm. Okropne. Jesteś pewna, że to nie będzie konieczne?

– Tak twierdzi mój lekarz.

Na ich twarzach maluje się rozczarowanie, ale zanim którejkolwiek udaje się otworzyć usta, by poradzić mi udanie się po drugą opinię, znów słychać dzwonek. Melissa spogląda na zegarek i podekscytowana podnosi głowę.

– Tym razem to musi być ona! Dziewczyny, najprawdopodobniej pojawiła się sekspertka.

Odpowiada jej nerwowy śmiech, a zaraz potem zapada cisza. Melissa idzie otworzyć drzwi. Trzydzieści sekund później wraca, prowadząc sekspertkę. Stoję z drugiej strony pokoju, trudno mi więc dostrzec jej twarz, ale to bez znaczenia. Kiedy tylko zauważam czerwone szpile, wiem wszystko.

Zakrywam usta dłonią, jakbym próbowała powstrzymać odruch wymiotny, i powoli zaczynam się wycofywać, w nadziei, że mnie nie zobaczy.

To się nie dzieje naprawdę, to nie może się dziać naprawdę.

Dziwne, ale w głowie pojawia mi się poradnik z serii „Najgorszy możliwy scenariusz – jak się zachować?".

Najgorszy możliwy scenariusz: moja macocha uczy ludzi, jak zrobić facetowi loda. Rany. Zamykam oczy.

„Oddech, Laro. Głęboki, spokojny oddech".

Złość, którą czuję w tej chwili do ojca, jest wprost nie do zniesienia. Widzicie, właśnie dlatego nie powinien z nią być. Będę musiała zrezygnować z zajęć Susan, a potem z całą dokładnością upewnić się, że w przedszkolu Parker nie będzie żadnego z obecnych tu dzieci, bo jeśli to wyjdzie na jaw, obie jesteśmy skończone. LA to małe miasto – wszyscy się znają. Niezależnie, gdzie będziemy, Parker na zawsze pozostanie tą dziewczynką, której babcia jest sekspertką. Fakt, że to nie jej prawdziwa babcia, nie ma tu większego znaczenia. Wierzcie mi, będzie tęsknić do dni, kiedy była tylko tłuściochem ze spłaszczoną głową. Już słyszę, jak mnie obgadują. „Pamiętacie, ile wiedziała o nawilżaniu? Te wszystkie żele!" Boże, nie mogę w to uwierzyć. Będziemy się musieli przeprowadzić do cholernego Valley.

Ni stąd, ni zowąd trafiam w pobliże stołu, na którym umieszczono cały zapas wina, dzięki Bogu. Powoli odwracam się i napełniam swój kieliszek po brzegi. Odstawiając butelkę, spostrzegam zdjęcie formatu dwadzieścia na dwadzieścia pięć centymetrów. Uwieczniono na nim Melissę w sukni ślubnej oraz starszego faceta w smokingu, który jest zapewne jej ojcem, bo mają takie same nosy. Patrząc na to zdjęcie, czuję nagle ukłucie w sercu – powiedziałabym, że to smutek, ale zabrzmiałoby zbyt melodramatycznie, określę więc je jako ogólne, nieszczególne ukłucie związane z rodziną smutkowatych. Ojciec Melissy wygląda tak normalnie. Tak szlachetnie i odpowiedzialnie. Założę się, że nigdy nie był hazardzistą. I że nie umawiał się ze striptizerką. Założę się, że przez całe życie ani razu nie zawiódł córki.

Wzdycham, a potem opróżniam kieliszek i nalewam sobie kolejny. Odwracam się znów, chcąc w dalszym ciągu pozostać w ukryciu. Ciekawe, czy ktoś by zauważył, gdybym zanurkowała pod kanapę? Pewnie tak. Muszę po prostu ukryć twarz za czyimiś włosami i modlić się, żeby mnie nie zauważyła.

– Dobry wieczór! – krzyczy Nadine. – Witam drogie panie na spotkaniu, które może okazać się najbardziej odkrywczym wieczorem waszego życia.

Mamunistki chichoczą, a Nadine kontynuuje.

– Mam na imię Anna – Anna?! – i jeśli wszystkie zajmiecie miejsca, możemy zaczynać.

Ku mojemu przerażeniu tłumek przede mną rozpierzcha się i w ciągu zaledwie kilku sekund zostaję sam na sam z Nadine. Nie.

W desperackiej próbie zakamuflowania się podnoszę kieliszek wina i próbuję schować w nim całą twarz, ale nic z tego. Nadine już mnie dostrzegła. Nasze oczy spotykają się, a moje serce zaczyna walić. Wstrzymuję oddech w oczekiwaniu na jej uśmiech, machnięcie ręką lub też podejście, uściskanie mnie i oznajmienie, że jestem jej córką. Ale Nadine spuszcza wzrok, a na jej twarzy nie pojawia się nawet cień, który by świadczył, że mnie rozpoznaje.

„O – myślę, odczuwając jednocześnie zaskoczenie, ulgę i zmieszanie. – Zachowała się super". Piję jeszcze kilka łyków wina i znów zaczynam oddychać, a potem idę w kąt pokoju i siadam w najmniej widocznym miejscu. Nie ma sensu przypominać jej, że tu jestem, na wypadek gdyby zmieniła zdanie.

Nadine/Anna ma na sobie strój nauczycielki wprost z erotycznego snu piętnastolatka – krótiuteńka, czarna prosta mini, biała bluzka odpięta na tyle, żeby pokazać czerwony, koronkowy biustonosz push-up, okulary w czarnej oprawce i podtapirowany kok, w który wpięty został ołówek. Zwracając się do nas, otwiera czarną teczkę i wyciąga z niej dwanaście średniej wielkości penisów, które układa na stole Melissy; na drogim stoliku wykonanym z ciemnego drewna. Domyślam się, że to pierwszy penis w karierze stolika.

– A teraz, moje panie – oznajmia Nadine, przyglądając się nam po kolei – chciałabym, abyście z dzisiejszych zajęć zapamiętały przynajmniej tę jedną rzecz, nawet jeśli wszystko inne zostanie zapomniane. Proszę, zakodujcie sobie, że robienie loda nie powinno się nazywać robieniem loda, ponieważ nie ma to nic wspólnego z robotą. Jeśli tylko podejdziemy do sprawy właściwie, będzie to relaksująca, erotyczna przygoda dla was obojga. Tak więc – składa ręce – dzisiejszego wieczoru będziemy to nazywać oralną przygodą.

Wszystkie się śmieją, a Nadine/Anna uśmiecha się do nas w odpowiedzi.

– Dobrze. Zaczynajmy więc – milknie na chwilę, patrząc na nas wyzywająco. – Tylko szczerze. Która z was przeżyła taką oralną przygodę w ciągu ostatniego roku?

Patrzymy po sobie, ale nikt nie podnosi ręki. Przynajmniej nie jestem osamotniona. Nadine kiwa głową, jakby tego właśnie się spodziewała.

– W ciągu ostatnich dwóch lat?

Wszystkie ręce nadal pozostają w dole.

– W takim razie, inne pytanie. Ile z was przeżyło taką przygodę już po ślubie?

Uśmiechamy się do siebie, ale bez podnoszenia rąk.

– Tak właśnie myślałam. A przed ślubem? Ile z was zafundowało sobie przed ślubem oralną przygodę?

Wszystkie ręce strzelają i wpadamy w histeryczny śmiech.

– Och, nieszczęsna dola żonatych mężczyzn – lamentuje Nadine, kręcąc głową. Sięga do teczki i wyciąga opakowanie kondomów, po czym wręcza je Melissie.

– Niech każda się poczęstuje i poda dalej.

Kiedy już każda z nas ma własną prezerwatywę, Nadine zaczyna rozdawać penisy. Instruuje nas, żeby je na nie założyć, co posłusznie czynimy. A potem, zupełnie bez ostrzeżenie, wkłada sobie jeden w usta i zaczyna spektakl. Jęczy, zamyka oczy i porusza, z niejaką przesadą, głową w górę i w dół, a ja wyobrażam sobie, że robi to mojemu ojcu, i jest to chyba najobrzydliwszy obrazek, jaki kiedykolwiek wizualizowałam. Wyjaśnia on jednak całkowicie zagadkową dotąd kwestię, dlaczego właściwie ojciec chce się z nią żenić.

Po dziesięciu długich minutach Nadine powoli oblizuje usta, zdejmuje kondom z plastikowego penisa i kładzie oba przedmioty na stole. Spogląda na nas i wtedy na widowni wybucha aplauz. Nadine kłania się.

– I to właśnie nazywam przygodą.

Wszystkie wybuchamy śmiechem, a kilka bardziej pijanych mamunistek zaczyna piać z zachwytu. Muszę przyznać, że w tym wypadku są bardzo w porządku. Spodziewałam się, że będą raczej sztywne i chichotliwe. Oczywiście poczucie humoru Nadine nie jest tu bez znaczenia, podobnie jak to, że podchodzi do tematu z przymrużeniem oka. Wiecie co? Gdybym wcześniej nie zdążyła zapałać do niej nienawiścią, uznałabym prawdopodobnie, że jest niezła.

W każdym razie, po krótkim wyjaśnieniu, gdzie znaleźć najczulsze miejsca, oraz opisaniu kilku pozycji języka, a następnie żenującej, grupowej demonstracji nabytej wiedzy (wyobraźcie sobie dwanaście pijanych kobiet, z pasemkami koloru blond wartymi około pięciu tysięcy dolców, próbujących nie zakrztusić się sztucznymi penisami ubranymi w prezerwatywy), Nadine pakuje swój kram i kończy przedstawienie. Kilka mam podchodzi do niej z podziękowaniami, prosząc o wizytówkę, po czym Nadine znika za drzwiami.

I dzięki Bogu. Jestem tak pijana, że ledwie widzę, ale muszę się stąd wydostać. Nie mam zamiaru kusić losu, bo znów wymsknie mi się coś głupiego i wszystko się wyda. Podchodzę do Melissy.

– Chyba będę musiała lecieć – stwierdzam. – Wielkie dzięki, superzabawa.

Melissa udaje obrażoną i otacza mnie ramieniem.

– Już uciekasz? Dopiero co przynieśli sałatki. I liczyłam, że lepiej się poznamy.

Posyłam jej smutny uśmiech, demonstrujący, jak strasznie mi przykro, że ominie mnie lepsze poznawanie się.

– Tak, wiem. Ale trochę się denerwuję, co z dzieckiem. Nigdy nie zostawiałam Parker z mężem na tak długo. Muszę się upewnić, czy wszystko w porządku.

Kłamczucha, ale wymówka idealnie w stylu mamunistki. Któż mógłby kwestionować matczyny niepokój?

– OK – mówi rozczarowana Melissa. A potem pochyla się w moją stronę, zniżając głos. – Ale i tak ci nie wierzę.

Serce zaczyna mi walić. „Czyżby Nadine napomknęła jej o czymś na odchodne?"

– Dlaczego? – pytam nerwowo.

Melissa kręci głową i robi zaczepną minę.

– Chcesz iść do domu i wypróbować nowe techniki. Przecież musisz odzyskać męża, pamiętasz?

Kurczę. Wprost niewiarygodne, że to zapamiętała mimo wlanej w siebie ilości alkoholu. Ale udaję, że ma rację, chcąc przyspieszyć odwrót.

– No tak – mówię tonem, który wskazuje, że mnie przyłapano. – Przejrzałaś mnie.

Melissa piszczy.

– Ja też dziś spróbuję – oznajmia. – Już nie mogę się doczekać Scotta – przeciąga językiem po zębach, naśladując Nadine. – Ta Anna nieźle mnie nakręciła.

„Obrzydliwe. Za dużo gadasz, maleńka. Ja wysiadam".

Udaję uśmiech i unoszę brwi.

– Do dzieła, dziewczyno – dopinguję, wznosząc pięść w siostrzanym geście poparcia. Melissa ściska mnie, a potem nagle uświadamia sobie, że nie wie, gdzie zostawiła swojego drinka, i zaczyna rozglądać się wokoło.

„Dobra. Czas się 'zmywać".

Bez słowa wymykam się, otwierając i zamykając za sobą drzwi. Udało się.

16

Wdech nosem, wydech ustami. Wdech, wydech, wdech. Chwilowo nie ma mowy o prowadzeniu, tymczasem więc oddycham głęboko, siedząc na schodach domu Melissy i próbując zanalizować to, co się tam wydarzyło. Właśnie, a co mianowicie takiego się wydarzyło? Oczywiście doskonale wiem, co. Grupka pijanych, znudzonych MDNP-ek (matek z dziećmi, niepracujących – nie mylić z matkami, które pozostają w domu, również nie pracują zawodowo i mają dzieci, ale nie zapisuje się ich skrótem, ponieważ zajmują się dziećmi bez pomocy dodatkowego personelu, jak również gotują, sprzątają i piorą, a także szyją samodzielnie stroje na Halloween) otrzymała lekcję, jak zrobić przyjemność swoim mężom, od narzeczonej mojego własnego ojca, a mnie chce się ryczeć.

Ale czym ja się tak denerwuję?

Nie mogę do tego dojść. To nie wina Nadine. Przecież nikt nie wiedział, że właściwie można ją nazwać moją macochą.

Na pewno nie czuję się tak z powodu Nadine.

O co więc chodzi? I dlaczego Luthor znów zapycha mi gardło?

Oplatam się ramionami, bo marznę. Nie cierpię tych chłodnych kalifornijskich nocy, nawet w lecie. Tego jednego mi brakuje, jeśli chodzi o lato na Wschodnim Wybrzeżu – gorących, parnych nocy. Tego oraz deszczu. Tutaj w lecie deszcz po prostu nie pada. Kiedy pierwszy raz przyjechałam do Kaliforni latem i w czasie wakacji po ukończeniu college'u pracowałam jako opiekun na obozie, nikt ani razu nie wspomniał, co robić z dziećmi, kiedy zacznie padać. Pod koniec szkolenia zapytałam więc o to, a wszyscy spojrzeli na mnie z rozbawieniem.

– W Los Angeles latem nie pada – odrzekli.

– Nigdy? – dopytywałam się.

– Nigdy – zapewniono mnie.

I rzeczywiście. Ani razu, calutkie lato. Nie mogłam w to uwierzyć. I nadal nie mogę, choć mieszkam tu już dziesięć lat. Ale brakuje mi tego. Na przykład letnia deszczowa sobota. Jest w niej coś szczególnego, jest jak wymówka, żeby zostać w łóżku i pooglądać telewizję bez poczucia winy, że nie wychodzisz na świeże powietrze. To chyba jakiś kompleks Wschodniego Wybrzeża. Wiecie, jeśli jest ciepło i słonecznie, należy to wykorzystać, bo nie wiadomo, kiedy znów będzie ciepło i słonecznie. Próbowałam kiedyś wyjaśnić tę sprawę Andrew, ale on nie łapie. Powiedział, że to bez znaczenia, czy zmarnujesz cały słoneczny dzień na leżeniu w łóżku, ponieważ jutro wstanie kolejny słoneczny dzień. Ale to nie to samo. Jeśli chodzi o mnie, słonecznych dni po prostu nie można trwonić, niezależnie od tego, ile mamy ich jeszcze przed sobą. Sama myśl o tym nie daje mi spokoju.

OK. Myślę, że teraz mogę już wstać.

Podnoszę się więc, trzymając ramiona wyciągnięte na boki, żeby łatwiej było mi iść prosto. No, może być. W końcu mieszkam półtora kilometra stąd. Idę podjazdem, schodzę na chodnik i kieruję się w stronę miejsca, gdzie zaparkowałam samochód. Jestem mniej więcej w połowie drogi, kiedy słyszę w ciemności głos. Próbuję zlokalizować jego źródło, ale moje oczy mają problem z ustawieniem ostrości.

– Nie wydaje mi się, abyś była w stanie prowadzić, skarbie.

To Nadine. Odwracam się, bo nie wiem, czy jeszcze ktoś oprócz mnie wyszedł z imprezy wcześniej, ale wokół jest pusto, podchodzę więc do niej.

– Pewnie masz rację – bełkoczę.

Na koniec tracę równowagę, prawa stopa wyślizguje się z buta. Nadine podtrzymuje mnie.

– Zostałam matką – informuję. – Powinnam być odpowiedzialna.

– Może pójdziesz ze mną? – proponuje Nadine. – Znam takie miejsce niedaleko stąd, gdzie można spokojnie wytrzeźwieć. Napijemy się kawy.

– Nie pijam kawy. Dostaję od tego rozstroju żołądka.

– W takim razie napijesz się wody. Chodź, wskakuj do samochodu.

Otwiera przede mną drzwi, a ja wsiadam, opadając na czarny skórzany fotel. Nadine przechodzi dookoła, zajmuje miejsce kierowcy i uruchamia silnik. Przez kilka minut żadna z nas się nie odzywa. W końcu zdobywam się na odwagę, by przerwać milczenie.

– Dlaczego nic nie powiedziałaś? – chcę wiedzieć.

Na jej twarzy pojawia się cierpki uśmieszek.

– Skarbie, w mojej branży zasada numer jeden brzmi: nie witasz się z nikim, kto się ciebie nie spodziewa.

Kiwam głową, przyswajając tę myśl. Mądra zasada.

– Dzięki – mówię, unosząc jedno ramię. – Trudno byłoby to wyjaśnić.

Nadine patrzy przed siebie, skoncentrowana na drodze.

– Zawsze jest trudno.

Kilka minut później zatrzymuje samochód przy krawężniku, a ja spostrzegam parkingowego, który spieszy otworzyć moje drzwi. Przy wejściu do knajpy stoi jeszcze pięciu lub sześciu starszych mężczyzn.

„Chwila, chwila – myślę, przypominając sobie kostium nauczycielki, w którym Anna wystąpiła dzisiejszego wieczoru. – Przecież nie mogę się tak z nią pokazać". Zerkam w jej stronę, gotowa zaprotestować, ale teraz Nadine wygląda normalnie. Bluzka zapięta, włosy opuszczone na ramiona, okulary gdzieś znikły. Gdyby nie czerwone szpile, można by pomyśleć, że zwyczajnie idzie na drinka po długim dniu w biurze. W porządku.

Wysiadam i rozglądam się, szukając szyldu, ale nic takiego tu nie ma. „Hm, trendy. Ciekawe, czy trzeba znać hasło, żeby dostać się do środka".

– Co to za miejsce?

– To Miejsce – odpowiada.

Przechylam głowę.

– Widzę, ale jak się nazywa? – czuję się jak Abott. Albo Costello. W każdym razie ten, który jest zwykle zdezorientowany.

– Nazywa się To Miejsce – wyjaśnia mi Nadine w drodze do wejścia. – Jest tutaj od zawsze. Przychodziłam tu jeszcze w szkole średniej. Jimmy, właściciel, ma chyba ze dwieście lat, i wciąż co noc stoi za barem – rzuca mi znaczące spojrzenie i unosi brwi. – Jimmy nas przygarnie. To jeden z moich starych znajomych – stary znajomy zdecydowanie został wzięty w cudzysłów, domyślam się więc, że chodzi o byłego klienta. Ciekawe, czy jest to określenie powszechnie stosowane w branży, czy też wymyśliła je na własny użytek.

Nadine podchodzi do jednego z facetów, tego z kolczykiem, i szepcze mu coś do ucha. Ten natychmiast otwiera drzwi. Wchodzimy. Ku mojemu zaskoczeniu pomieszczenie jest przestronne, światło przyćmione, a na czarnym pianinie w rogu ktoś gra piosenkę w klimacie Franka Sinatry. Zawitało tu dziś sporo osób, ale, jak zwiastował tłumek na zewnątrz, młodzieży nie uświadczysz. Głównie obleśni faceci po pięćdziesiątce. Garnitury i niezdrowa opalenizna. Wszyscy wpatrzeni w Nadine. Ja nie zostałam zaszczycona ani jednym spojrzeniem. Nawet pobieżnym.

„A co tam – myślę, starając się nie zwracać uwagi na to, że zostałam zdegradowana do roli brzyduli pałętającej się u boku kobiety właściwie dwa razy starszej ode mnie. – Przynajmniej nie spotkam tu znajomych".

Facet z kolczykiem prowadzi nas do boksu. Siadam na czerwonym winylu, a chwilę potem pojawia się kelnerka. Nadine zamówiła koktajl z wódką i sokiem z limonki, a ja poprosiłam o szklankę wody. Teraz, w oczekiwaniu na zamówienie, opieram głowę na czerwonym winylu i zamykam oczy. Ale wtedy zaczyna mi się kręcić w głowie, dlatego natychmiast je otwieram. Może powinnam coś mówić, żeby zapomnieć, jak mi niedobrze. Przez chwilę przyglądam się Nadine, kiedy ona lustruje knajpę.

– Dlaczego właściwie to robisz?

Nadine odrywa się od lustrowania i uderza długimi paznokciami o blat stolika.

– Co robię?

– Te imprezy. Myślałam, że jesteś na emeryturze.

– Jestem na emeryturze, skarbie – mówi z uśmiechem. – Ale emerytura jest okropnie nudna. Nie potrafię siedzieć bezczynnie.

Robię zamach.

– Nie słyszałaś nigdy o golfie? – pytam.

Nadine wybucha śmiechem.

– Dobre. Muszę to powtórzyć twojemu ojcu. Mówi, że jesteś zabawna. Nie uwierzyłam mu, ale tak mówił.

– Naprawdę?

Kelnerka przynosi drinki. Po jej odejściu Nadine miesza koktajl, wyciska do niego cytrynę, a potem wypija mały łyczek. Kiwa do mnie głową.

– Z całą pewnością.

Widząc moje zdziwienie, kontynuuje:

– Jest z ciebie naprawdę dumny. Opowiada wszystko, co się da. Prymuska w szkole, kapitan drużyny cheerleaderek, Ivy League. Chwali się tobą każdemu, kto zechce słuchać.

– Chwali się?

Nadine jeszcze raz kiwa głową.

– Jest twoim ojcem, skarbie. Kocha cię. Owszem, zachował się idiotycznie, ale to nie zmieniło jego uczuć do ciebie.

– Tego akurat nie wiem – kręcę głową. – Ostatnio trochę się pogubiłam co do miłości. Nie jestem nawet pewna, czy w ogóle wiem, co to takiego.

– Och, daj spokój – beszta mnie Nadine. – Kochanie i lubienie są jak sztuka i pornografia. Czasami trudno opisać różnicę, ale w momencie, kiedy ją widzisz, nie masz żadnych wątpliwości.

– Gdzieś już to słyszałam – mówię, próbując się skupić. – Czekaj, to stara sprawa w Sądzie Najwyższym. Czytałam o tym na studiach. Dlaczego cytujesz Sąd Najwyższy?

Zamykam oczy, bo mój mózg czuje się zmęczony wykonanym wysiłkiem, ale natychmiast je otwieram. Wirujący czerwony winyl to nic dobrego.

Nadine śmieje się.

– Powiedzmy, że jestem nieźle zorientowana w niektórych kwestiach prawnych – mówi, akcentując wypowiedź niewielkim prychnięciem – ale nie o to chodzi. Co masz na myśli, mówiąc, że nie wiesz, co to miłość?

Wzdycham. Gdzieś w zakamarku mózgu słyszę trzeźwą siebie, która próbuje odwieść wstawioną mnie od odkrywania duszy przed Nadine, zwłaszcza przed Nadine. Ale tej drugiej „ja" jest w tej chwili wszystko jedno.

– No więc... OK. Andrew, mój mąż, chodzi z psem na zajęcia agility. Może widziałaś je na Animal Planet?

Nadine kręci głową.

– Szkoda, spróbuj kiedyś, są naprawdę fajne. W każdym razie, jest tam nowa dziewczyna, dwadzieścia pięć lat, naturalna blondynka, szczupła, i Andrew z nią flirtuje. Nie powiedział jej, że ma dziecko, a mnie, że ona przychodzi na zajęcia, i teraz czuję się jak ta stara kula u nogi, rozumiesz? Ona nie ma męża, nie ma dzieci, jest wolna, i myślę, że to pociąga Andrew.

Nadine słucha i potakuje.

– Podejrzewasz, że ma z nią romans? – pyta.

Krzywię się.

– Może jestem naiwna, ale nie, nie sądzę. – Wzdycham. – To znaczy, wiem, że Andrew mnie kocha i zawsze znosił moje wyskoki, ale teraz, odkąd jest Parker, zachowuję się jak ta stara nudziara. Ciągle jestem zmęczona, czuję się gruba, wszystko mnie stresuje. Wcale bym go nie winiła, gdyby miał romans. Osobiście nie chciałabym być ze mną na jego miejscu. I prawie się nie kochamy, to znaczy, zdarza się, i było już lepiej, ale kiedy odkryłam tę sukę od pudla... Sama nie wiem. Na pewno przesadzam, ale czuję się taka niepewna. Poszłam więc tam dzisiaj poszukać inspiracji (byłaś bardzo dobra), ale nie znalazłam tego. W ogóle nie czuję się ostatnio sobą. Chyba nie potrafię już być sexy. Czuję się jak prawdziwa mama. Przemęczona, zestresowana i gruba.

Nadine znów potakuje.

– To wszystko? I dlatego jesteś taka zdezorientowana w kwestii miłości?

Kręcę głową i wypijam ostatni łyk wody.

– Nie. Nie dlatego. Nie wiem, co myśleć o Parker. Weź te dziewczyny na imprezie, wszystkie chodzą na moje zajęcia „Mama i ja" i wszystkie uwielbiają spędzać czas ze swoimi dziećmi. Mają obsesję na ich punkcie. Jakby tylko one się dla nich liczyły. A ja wiem, że kocham Parker, ale nie jestem taka jak one. Chciałabym tak to odczuwać i tak reagować, ale nie odczuwam i nie reaguję, koniec. Parker czasami mnie nudzi, czasami frustruje, i nie chcę być z nią przez cały dzień. A wiesz, co jest naprawdę chore? Nie mogę się doczekać powrotu do pracy. I wcale nie chodzi o to, że tak bardzo kocham to, co robię. To znaczy, lubię swoją pracę, owszem, ale to nie jedyny powód. Praca jest świetną wymówką, żeby nie spędzać czasu z Parker bez poczucia winy.

W mojej głowie zapala się żarówka i uśmiecham się podniecona.

– Tak naprawdę – mówię, wyciągając prawy palec wskazujący – praca jest jak deszcz. Deszcz w lecie – potakuję sama sobie, bardzo zadowolona z tej analogii.

– Trochę się pogubiłam – stwierdza Nadine.

Pojawia się znów kelnerka z kolejną wodą dla mnie i powtórką koktajlu dla Nadine, zostawia je i znika. Cholera. Chciałam ją zagaić o dietetyczną colę. Odczuwam potrzebę kofeiny.

– Nie szkodzi. Tak sobie głośno myślałam. Ale zdarza mi się też myśleć, że jej nie kocham. Albo raczej, że kocham ją, ale niewystarczająco albo niewłaściwie.

I nagle, zupełnie znikąd, zalewa mnie fala pijackiego olśnienia i już wiem, dlaczego tak źle się czułam. Wszystko staje się doskonale jasne.

– Wiesz co? – zwracam się do Nadine podniecona tym, że sama do tego doszłam. – Chyba zazdroszczę tym mamunistkom. Tym MDNP. Ich życie jest takie proste, wiesz? Niczego nie spodziewają się po mężu, nie przeżywają więc rozczarowań. Nie pracują, nie muszą więc zawracać sobie głowy, jak wypośrodkować z czasem. Bez przerwy mogą gadać o dzieciach, zabierać je na zajęcia, na zakupy, i przyklejać etykietki na przedmioty codziennego użytku, a ponieważ nie mają nic innego do roboty, nic w tym złego, że na kilka godzin zostawią dziecko z nianią. A ja nie jestem taka. Chcę, żeby Andrew brał w tym udział, bo zawsze byliśmy partnerami, i nie widzę powodu, dlaczego teraz miałoby być inaczej, wkurza mnie więc, kiedy zachowuje się tak, jakbym to ja powinna wszystko robić. I wiesz, co jeszcze?

Nadine kręci głową.

– Nie. Co?

Znów strzelam palcem w powietrze i w miarę mówienia akcentuję nim swoje kwestie.

– Ponieważ wiem, że za kilka tygodni wracam do biura, uważam, że muszę teraz maksymalnie dużo czasu spędzić z Parker. Muszę wykorzystać ten moment, bo kończy mi się urlop macierzyński. Wydaje mi się, że mam tylko te pięć miesięcy, żeby zrobić na niej wrażenie, i popracować nad tym, żeby to mnie pokochała najbardziej, bo kiedy wrócę do pracy, nie będę miała czasu. I właśnie dlatego zawsze czuję się winna, kiedy ją zostawiam, i dlatego tak bardzo stresuję się tym, czy jestem dla niej najważniejsza, czy ktoś mnie wyprzedził i dlatego doprowadzam się do obłędu, przeliczając stosunek liczby godzin, które Parker spędza ze mną, do liczby godzin, które spędza z Deloris. I to jest mój problem. Właśnie o to chodzi.

Kręcę głową, zdumiona tym niesamowitym odkryciem.

– Skarbie – mówi Nadine. – Muszę ci powiedzieć, że w tym, co mówisz, nie ma zbyt wiele sensu.

– Przykro mi. Ale w mojej głowie ma.

Nadine potakuje.

– Rozumiem. Jeśli chcesz znać moje zdanie, musisz po prostu odzyskać wiarę w siebie. Nie czujesz się seksowna i nie czujesz się dobrą matką. Można tak ująć to w skrócie?

– Mhm.

Kończę kolejną wodę i zaczynam ssać kostkę lodu. „Gdzie ta kelnerka?"

– Posłuchaj. Po pierwsze, twój mąż musiałby być idiotą, żeby cię zdradzać. Tak pięknej kobiety nie spotkałam już od bardzo dawna. Gdyby to było dziesięć lat temu, próbowałabym cię zwerbować do pracy u mnie. A uwierz mi, miałam tylko najwybredniejszych klientów.

Prycham na nią.

– Ciekawe w takim razie, dlaczego każdy facet w tej budzie patrzy wyłącznie na ciebie?

Nadine uśmiecha się.

– Bo znam pewien sekret, skarbie. Żeby mieć mężczyzn na pęczki, wcale nie musisz być piękna. Musisz w siebie wierzyć, być pewna siebie i emanować tą pewnością – w momencie wypowiadania słowa „emanować" wyciąga przed siebie dłonie, aby zobrazować, o co jej chodzi. – Po prostu musisz to czuć, ot i wszystko. Daj spokój, Laro. Ta dziewczyna, z którą flirtuje twój mąż? Dwadzieścia pięć lat! To dziecko. Pomyśl, jaka musi być tobą onieśmielona. Ty jesteś kobietą. Żoną. Matką. I co z tego, że jest szczupła? Ty jesteś doświadczona. Znasz życie i świat – na jej twarzy pojawia się psotny uśmieszek. – A teraz w dodatku wiesz, jak zrobić fantastycznego loda.

– Raczej, jak zafundować sobie niezapomnianą oralną przygodę – poprawiam ją.

– Dokładnie – klepie mnie po ramieniu. – Sprawdzałam tylko, czy uważałaś.

Wypija kolejny łyczek swojego drinka i kręci na mnie głową.

– A dziecko? Laro, nie istnieje coś takiego, jak właściwy sposób bycia matką. Za dużo o tym myślisz. Po prostu kochaj ją tak, jak potrafisz, a ona będzie cię uwielbiać za twoje starania.

Wzdycham.

– No tak, ale wszystkie te inne mamy... Nie mogę z nimi konkurować.

– To nie zawody, skarbie.

– A jednak tak to odczuwam, jakby to były zawody.

Tym razem wzdycha Nadine.

– Nie mam dzieci – mówi – i może nie jestem najlepszym źródłem wiedzy na ten temat. Ale według mnie całkiem nieźle sobie radzisz, a to, że tak bardzo się tym przejmujesz, już samo w sobie nie jest chyba bez znaczenia.

Wzruszam ramionami, nieprzekonana. Nadine pochyla się do mnie.

– Posłuchaj, skarbie. Wszystkie siły działają teraz przeciwko tobie, a ty musisz tylko znaleźć sposób na to, żeby zaczęły pracować na twoją korzyść. A kiedy odkryjesz, jak to zrobić, nic cię nie powstrzyma. Możesz mi wierzyć, sama przez to przeszłam. To w ten sposób zaczyna się każda historia sukcesu. Każda, bez wyjątku.

Nie mam pojęcia, o czym mówi – siły działają przeciwko mnie? Czy ja jestem Luke'em Skywalkerem? Cóż, chyba tego powinnam się spodziewać, skoro zwracam się z prośbą o radę w kwestii małżeństwa i wychowania dzieci do niezamężnej, bezdzietnej, emerytowanej burdelmamy, która w wolnym czasie uczy ludzi, jak zrobić loda, i która jest zaręczona z moim ojcem, dokładnie. Właśnie, jej gust, jeśli chodzi o mężczyzn, nie dodaje jej w moich oczach wiarygodności. Chociaż, z drugiej strony, chyba zaczynam ją lubić. Może to alkohol, ale Nadine coraz bardziej mi się podoba.

– Nadine, mogę cię o coś zapytać?

– Oczywiście, skarbie.

– Co ty właściwie widzisz w moim ojcu?

Nadine uśmiecha się z nostalgicznie i zastanawia się chwilę przed udzieleniem odpowiedzi.

– Widzę w nim siebie – mówi w końcu. – Kogoś o dobrym sercu i czystych intencjach, kto jednak dokonał w życiu niewłaściwych wyborów. Wiesz, skarbie, twój ojciec potrzebuje kogoś, kto się nim zaopiekuje, i będzie nad nim czuwał.

Chichocze do siebie.

– I kto nauczy go, jak budować związek. To jego słaba strona, ale pracujemy nad tym.

– Brzmi, jakbyś mówiła o dziecku.

– Wszyscy mężczyźni to dzieci, Laro. I to jest klucz do zrozumienia ich.

– Chyba więc nigdy ich nie zrozumiem, bo dzieci to nie moja specjalność.

Nadine wydaje się zbita z tropu. Posyła mi współczujący uśmiech, ale nic nie odpowiada. I dobrze, naprawdę, bo właśnie zaczynam trzeźwieć i mam już dość słuchania siebie.

– Muszę się napić coli – oznajmiam, wstając. – Chcesz coś jeszcze?

– Nie, dziękuję. Ale pójdę z tobą. Przywitam się z Jimmym. Nie widziałam go kilka miesięcy.

Wychodzimy z naszego boksu i idziemy w stronę baru, gdzie stoimy chwilę, czekając, aż Jimmy znajdzie dla nas czas. Rozglądam się wokół i nagle, kątem oka, dostrzegam siedzącą przy barze kobietę, kilka krzeseł ode mnie. Wygląda bardzo, ale to bardzo znajomo.

„Niemożliwe. To nie może być ona".

Gapię się na nią, próbując dojrzeć twarz. Niestety, mam tylko profil. Muszę to sprawdzić, przesuwam się więc kilka kroków w jej kierunku i siadam na sąsiednim taborecie, a potem pochylam się do przodu, zaglądając jej w twarz. A jednak. Kładę jej rękę na ramieniu. Odwraca się.

– Stacey. Co ty tu robisz? Dlaczego nie oddzwoniłaś?

Stacey wydaje się przerażona moim widokiem.

– Co ty tutaj robisz?! – pyta defensywnie.

Opieram ręce na biodrach, gromiąc ją wzrokiem.

– Ja pierwsza zapytałam.

Przewraca oczami.

– Niech ci będzie. Nie udało się, OK? Zabrakło dwóch głosów. Zaproponowali mi pracę na zlecenie, kazałam więc im się odpieprzyć. Teraz jestem bezrobotna i spędzam swoje dni w tym barze, topiąc smutki w kieliszku i zastanawiając się, jak z powrotem poskładać w całość moje rozbite na kawałki życie. Zadowolona?

Kręcę głową.

– Boże, tak mi przykro. Nie mogę w to uwierzyć.

Stacey potakuje. W jej oczach widzę łzy.

– To idioci. Nigdy nie znajdą kogoś równie dobrego.

– Dobra, już dobra, oszczędź mi tych gadek. Skończyłam z tym. Miałam do ciebie zadzwonić w weekend. Wcześniej po prostu nie mogłam.

– W porządku. Masz jakiś pomysł, co dalej?

Wzrusza ramionami.

– Coś tam chodzi mi po głowie. Zastanawiam się. Ale co ty tutaj robisz? Myślałam, że jestem jedyną osobą poniżej pięćdziesiątki, która wie o tym przybytku.

– Byłaś jedyna. Przyszłam z Nadine.

Stacey patrzy na mnie skonsternowana.

– Zaraz – mówi. – Szlajasz się z Nadine po barach? Myślałam, że jej nie cierpisz?

Kiwam głową, sama nieco zdezorientowana obrotem sytuacji.

– I tak jest. To znaczy, było. Sama nie wiem.

Czerwienię się na myśl, jak by jej to wyjaśnić.

– Okazało się, że to ona jest instruktorką na naszej imprezie oralnej, trochę się wstawiłam, przywiozła mnie więc tutaj.

Stacey otwiera szeroko oczy.

– Instruktorką na lodowej imprezce? Jak to przeżyłaś?

Kręcę głową.

– Nieźle. W tym właśnie rzecz. To znaczy, kiedy weszła, myślałam, że to już koniec, możesz mi wierzyć. Ale ona zachowała się tak, jakby nigdy wcześniej mnie nie widziała. Była naprawdę w porządku.

Mina Stacey mówi, że jest pod wrażeniem.

– No, nieźle. Należy się jej za to pełny szacunek.

– Wiem. Szczególnie po moich wcześniejszych wybrykach. Tak czy inaczej, ostatnie czterdzieści pięć minut spędziłam, obnażając przed nią swoją duszę. Jest tam – wskazuję na Nadine i Stacey lustruje gości przy barze.

– Ruda? To Nadine?

Potwierdzam ruchem głowy.

– Wyobrażałam ją sobie bardziej tandetnie.

– Dobrze się kamufluje – potwierdzam. – Z wyjątkiem butów.

Stacey opuszcza wzrok.

– Uuuu – wzdryga się. – Szkoda.

Znów kiwam głową.

– Siedzimy przy tamtym stoliku – tym razem wskazuję stolik. – Może do nas dołączysz?

Stacey przez moment się waha.

– Chodź. Nie musisz zawsze być taka antytowarzyska.

– OK. Ale nie chcę rozmawiać o firmie.

Podnoszę dwa palce, jak harcerz do przysięgi.

– Milczę jak grób. Zresztą i tak jestem dziś zbyt pochłonięta sobą, żeby gadać o tobie.

Stacey śmieje się.

– W takim razie doskonale się składa.

Zamawiam swoją colę, Stacey bierze drinka i podchodzimy do naszego stolika. Minutę później zjawia się Nadine. Wygląda na zdenerwowaną.

– Nadine – zwracam się do niej, wskazując na Stacey. – To moja przyjaciółka Stacey. Właśnie spotkałam ją przy barze.

Stacey i Nadine wymieniają uścisk dłoni, po czym Nadine siada. Jej twarz jest jakaś pobladła.

– Wszystko w porządku? – pytam ją.

Kręci głową.

– Rozmawiałam z Jimmym. – Spogląda na Stacey. – To właściciel lokalu – wyjaśnia. – Ma raka. Zakwalifikowano go do leczenia eksperymentalnego, które zostanie przeprowadzone w Nowym Jorku. Zaczyna się już w przyszłym tygodniu, musi więc po prostu zamknąć bar. Nawet nie ma czasu, żeby próbować go sprzedać, ani nikogo, kto mógłby go poprowadzić pod jego nieobecność. Nie ma rodziny ani nikogo, jest zupełnie sam. – Nadine ma w oczach łzy. – Biedak. Ten bar to wszystko, co ma.

Przez chwilę milczymy, a potem Stacey patrzy na mnie, na Nadine, na mnie i znów na Nadine.

– Ja go kupię – ogłasza.

Obie z Nadine spoglądamy na nią, niepewne, czy dobrze słyszymy.

– Co takiego? – pytamy unisono.

– Ja kupię od niego bar.

– Stacey, wiesz, co mówisz? To nie jest decyzja, którą podejmuje się pod wpływem impulsu.

– To nie żaden impuls. Zawsze chciałam otworzyć knajpę, restaurację albo bar, a teraz i tak nie mam nic innego do roboty.

Spogląda na Nadine i dodaje:

– Jestem prawnikiem, ale właśnie się dowiedziałam, że nie chcą mnie na wspólnika, od tygodnia więc siedzę tu i próbuję wymyślić, co dalej.

Jej wzrok wraca do mnie.

– Słuchaj, ja bardzo lubię to miejsce. Przychodzę tu od lat. Pierwszego legalnego drinka wypiłam właśnie tutaj, z moją mamą, w dwudzieste pierwsze urodziny. Dla mnie to bomba. I nie chodzi o to, że nie mam kasy. Przecież zarabiałam krocie. Wszystko leży sobie w funduszach inwestycyjnych, bo nie miałam czasu na wydawanie.

Rozgląda się wokół, już robiąc plany.

– Mogłabym to trochę odnowić, zatrudnić seksowne barmanki i kelnerki, uaktualnić muzykę, przyciągnąć nieco młodszych klientów. To może się udać. Lokalizacja jest wprost wymarzona – z entuzjazmem kiwa głową. – Chcę to zrobić.

Nadine patrzy na mnie podniecona.

– Mogłybyśmy urządzić tu mój wieczór panieński. To byłoby twoje wielkie otwarcie.

Stacey marszczy czoło.

– Wątpię, żeby udało się wszystko zorganizować tak szybko. Wiesz, muszę mieć koncesję na sprzedaż alkoholu, zatrudnić budowlańca, zdobyć pozwolenia z miasta i znaleźć pracowników. To może zająć kilka miesięcy.

Nadine macha ręką i puszcza do mnie oko.

– Skarbie, załatwisz to w dwa tygodnie. Burmistrz to mój stary znajomy, podobnie jak dyrektor wydziału gospodarczego. Seksowne dziewczyny masz od zaraz.

– Naprawdę? – niedowierza Stacey. – Jak chcesz to zrobić?

Nadine śmieje się, ale zanim może cokolwiek powiedzieć, przerywam jej. Nie mam pojęcia, co chciała odpowiedzieć, ale dla pewności wolę sama się tym zająć.

– Normalnie, ma niezłe znajomości.

Nadine potakuje, a Stacey wzrusza ramionami i uśmiecha się, jakby nie było w tym zupełnie nic dziwnego.

– W takim razie zgoda.

Nadine wyciąga rękę, a ja patrzę, jak moja najlepsza przyjaciółka, były prawnik, oraz moja przyszła macocha, była hollywoodzka burdelmama, wymieniają uścisk dłoni.

17

Kiedy ostatecznie docieram do domu, Andrew i Deloris siedzą na kanapie, oglądając *U progu sławy* i zajadając się popcornem z cukrem i solą.

– Cześć – staram się nie zdradzić, jakie uczucia wzbudza we mnie ich widok, razem na kanapie przed telewizorem.

– O, cześć – uśmiecha się Andrew.

Deloris podnosi głowę, pogryzając kukurydzę.

– Dobry wieczór, pani Laro – mówi, a potem odwraca się do Andrew i klepie go w kolano.

– Ten dziwaczny popcorn jest po prostu niesamowity! – wykrzykuje.

Andrew się rozpromienia.

– Deloris jeszcze nigdy w życiu nie próbowała popcornu z cukrem – informuje mnie Andrew. – Możesz w to uwierzyć?

Unoszę brwi.

– Cóż za niedopatrzenie.

To niewiarygodne. Deloris nigdy nie zostaje wieczorem, kiedy ja się kręcę po domu. Założę się, że pomogła mu nawet położyć Parker, i w ogóle. Po tym, jak naopowiadałam wszystkim, jaki jest cudowny, że sam chce się zajmować dzieckiem.

„Boże – myślę, wzdrygając się na wspomnienie, co jeszcze im naopowiadałam. – W przyszłym tygodniu na zajęciach będę musiała wyjaśnić kilka spraw". Ściągam buty i idę w stronę schodów, zostawiając ich w swoim towarzystwie.

– Dobranoc – wołam przez ramię. – Idę do łóżka.

Kilka minut później do sypialni wchodzi Andrew.

– Dlaczego nie zostałaś z nami?

– Ponieważ – wyjaśniam – nie chciałam psuć wam tak miłej randki.

Andrew śmieje się.

– Teraz więc uważasz, że umawiam się również z Deloris?

Już, już mam zamiar rzucić mu jakąś kąśliwą, sarkastyczną ripostę, kiedy zauważam, że ma na ustach coś jasnoczerwonego.

– Andrew, czyżbyś znów nałożył truskawkowy błyszczyk? – pytam oskarżycielskim tonem.

Wyciąga język i oblizuje usta, a potem mlaszcze kilka razy.

– Mm... – rozkoszuje się smakiem.

– Musisz z tym skończyć. Powtarzam ci to setny raz. Wyglądasz, jakbyś miał spierzchnięte usta. Błagam, zacznij po prostu używać czegoś bezbarwnego.

Robi smutną minę.

– Ale ja lubię ten truskawkowy. Jest pyszny.

Wiecie co? Nadine miała rację. To dzieciak. Przewracam oczami i wchodzę do łazienki.

– No więc, jak było?

– W porządku – kłamię. – A u ciebie? Jak Parker?

Skrapiam twarz wodą, sięgając po tonik.

– Jest taka słodka – zachwyca się. – Chciałbym móc spędzać z nią więcej czasu.

Właśnie mam mu powiedzieć, że przecież mógłby, gdyby olał agility, ale przypominam sobie, że Courtney nie ma już przecież dla mnie żadnego znaczenia. W każdym razie, muszę zachować pozory.

– Powinieneś po prostu wygospodarować ten czas – mówię, zaczynając czyścić twarz. – Ale jeśli to ci pomoże, inni mężowie też nie spędzają czasu z dziećmi. I wcale im tego nie brakuje.

Przemywam i osuszam twarz, a Andrew wzdycha.

– W każdym razie, aż trudno mi uwierzyć, że tak bardzo ją kocham.

– To dlatego, że nie jesteś z nią codziennie – oświecam go, wyciskając na szczoteczkę pastę wybielającą Crest.

Kręci głową.

– Nieprawda. Przysięgam, mógłbym z nią spędzać każdą sekundę życia. Gdybym mógł teraz przejść na emeryturę i po prostu z nią być, to właśnie bym zrobił.

Chwilę mu się przyglądam.

– Andrew, czy ty w ogóle byłeś z nią choć chwilę sam? Bo to nie to samo, co krzątanie się razem z Deloris.

Andrew czuje się urażony tą insynuacją.

– Wszystko zrobiłem sam – deklaruje. – Deloris była tu ze mną, bo kiedy Parker zasnęła, zapukałem do niej i zapytałem, czy ma ochotę zobaczyć ze mną film.

– W takim razie nie rozumiem tu czegoś. Nie denerwuje cię, kiedy ona płacze? I nie nudzi cię to wieczne siedzenie? Przecież ona nic nie robi.

Kręci głową.

– Nie. Płacz w ogóle mi nie przeszkadza. I nie bardzo wiem, o co chodzi z tą nudą. Przecież ona uczy się świata. Kiedy coś jej pokazujesz, to jest jej pierwszy raz. Właściwie uczysz ją świata od samego początku. Nie uważasz, że to jest po prostu wspaniałe?

Chce mi się płakać. Już przy mamunistkach czuję się wystarczająco niekompetentna, a teraz jeszcze Andrew okazuje się lepszą matką ode mnie. To jego powinnam wysłać na tę oralną imprezę, sama zaś udać się na pokerka z tatusiami. Wszystko wtedy byłoby o wiele bardziej na swoim miejscu.

Andrew przerywa, patrząc na mnie z niepokojem.

– Zauważyłaś, że robi coś dziwnego z lewym ramieniem?

– Niby co? – pytam sceptycznie. Nie mam pojęcia, o co mu chodzi.

– Ciągle je podnosi i opuszcza, prawie cały czas. – Marszczy czoło, jakby go to bardzo martwiło. – Myślisz, że może być opóźniona?

Zaczęło się. Wiedziałam, że kiedyś do tego dojdzie. Że w którymś momencie Andrew znów się do tego przyczepi. Mówię „znów", bo raz już to zrobił. Wtedy sprawa dotyczyła psa.

Kiedy Zoey była szczeniakiem, Andrew próbował z nią metody klikerowej – polega to na tym, że kiedy pies wykona twoją komendę, najpierw musi usłyszeć dźwięk klikera (takie specjalne, brzęczące metalowe coś), a dopiero potem dostaje nagrodę. Zoey dobrze radziła sobie z „siadem", ale kiedy Andrew chciał zaszpanować i nauczyć ja właściwie reagować na „leżeć", „daj głos" i „daj łapę", biedaczka zupełnie się pogubiła. Już na sam widok klikera wyciągała łapę, szczekała i kładła się jednocześnie, oczywiście zanim Andrew zdołał wypowiedzieć jakąkolwiek komendę. I wtedy uznał, że jest opóźniona. Co wieczór przez pół godziny lamentował, wymieniając trudności, które czekają w tym okrutnym świecie opóźnionego w rozwoju wheaten teriera. W swojej obsesji doszedł aż do punktu, w którym umówił się na wizytę do psiego psychologa. Wtedy to wkroczyłam na scenę ja, kładąc kres tym machinacjom, ponieważ nie miałam najmniejszego zamiaru przyglądać się bezczynnie, jak mój mąż płaci dwieście pięćdziesiąt dolarów za przeprowadzenie testu Werschlera z trzymiesięcznym szczeniakiem.

– Parker nie jest opóźniona, Andrew – mówię przez pianę pasty do zębów. Pluję do umywalki. – Choć inne dzieci mogą ją nieco wyprzedzać.

– Co takiego? – głowa Andrew odwraca się z taką prędkością, że mam obawy, że odleci. Wyobrażam sobie, jak turla się po podłodze, oskarżając mnie, że nie karmię już Parker piersią. – O czym ty mówisz?

– Sama już nie wiem. Byłam dziś u jednej z mam, chodzimy razem na zajęcia do Susan. Mieli poprzyczepiane do przedmiotów etykiety z podpisami, bo to podobno wspomaga wczesne rozpoznawanie słów.

Andrew wygląda, jakby zaraz miał dostać konwulsji.

– W takim razie my też musimy tak zrobić. Parker nie może wlec się w ogonie. To niedopuszczalne.

Cholera. Nie powinnam była tego mówić. Będzie teraz jak Rick Moranis w *Spokojnie, tatuśku* – ojciec, który bez przerwy przepytuje swoją trzyletnią pociechę ze słówek w czterech językach i pałęta się po domu z plikiem kart z przygotowanymi wcześniej pytaniami. Wychodzę z łazienki i kładę się.

– Osobiście uważam, że podpisywanie przedmiotów na tym etapie to przesada. Ale nie jestem pewna, czy Deloris dostarcza jej odpowiedniej ilości bodźców, kiedy mnie nie ma.

Właśnie, obwińmy Deloris. Andrew nie musi wiedzieć, że specjalnie nie mówiłam jej o wskazywaniu lampy.

Ale Andrew tego nie kupuje.

– Och, Deloris dostarcza jej całego mnóstwa bodźców – mówi, wchodząc za mną do sypialni. – Ale to ty jesteś jej matką. Na tobie spoczywa odpowiedzialność nauczenia jej świata.

Rany. Mam już dość tej bzdury „to ty jesteś matką". Od kiedy to matki muszą robić wszystko?

– Dlaczego niby na mnie spoczywa odpowiedzialność? Dlaczego nie, na przykład, na tobie?

– Nie ma sprawy. Od tej chwili tatuś odpowiada za edukację Parker.

Odwraca się na pięcie i zaczyna wychodzić z pokoju.

– Dokąd to? – wołam za nim.

– Muszę rozeznać sytuację. Przecież inni już ją wyprzedzają. Nie ma czasu do stracenia.

Boże, całą noc przesiedzi przed komputerem, wiem to. A jutro rano znajdę co najmniej kilka zapełnionych arkuszy kalkulacyjnych, czekających na mnie cierpliwie w różnych miejscach domu.

Po chwili wraca i całuje mnie w czoło.

– Dobranoc – mówi jeszcze i w końcu znika za drzwiami. Odwracam się na bok, obejmuję poduszkę, zamykam oczy.

Cóż. I tak nie miałam ochoty robić loda.

* * *

Budzę się następnego dnia i czuję, że zaraz rozerwie mi głowę, a w ustach mam taki smak, jakbym całą noc przeżuwała bawełnę. Boże, już nawet nie pamiętam, kiedy ostatnio miałam kaca. To rzeczywiście nic przyjemnego. Przewracam się na drugi bok, sprawdzając godzinę: dziesiąta zero dwie. Serce zaczyna mi walić. Dziesiąta dwie? Spałam do dziesiątej? Patrzę na monitor Parker, ale jest wyłączony. „Co jest grane? Gdzie Andrew? Kto zajął się Parker?" Wyskakuję z łóżka i zakładam szlafrok.

– Andrew – krzyczę na cały dom. – Andrew!

– Tak? – odkrzykuje do mnie Andrew.

Zbiegam po schodach za jego głosem, jest chyba w salonie. Rzeczywiście, siedzi na kilku kratkach maty z literami alfabetu, a reszta liter została rozsypana na podłodze. Trzyma Parker na kolanach.

– Dzień dobry – wita mnie z uśmiechem.

– Co się stało? – pytam, przykładając dłoń do czoła, żeby powstrzymać głowę przed samospaleniem.

– Nie dawałaś znaków życia. Parker zaczęła płakać, a ty nawet nie drgnęłaś, wyłączyłem więc monitor. Pomyślałem, że damy ci się wyspać.

– Dzięki. Bardzo to miłe z twojej strony. A gdzie Deloris?

– Nie wiem. Chyba sprząta pokój Parker.

Coś takiego. Kręcę głową z niedowierzaniem. Ciekawe, że nigdy nie sprząta, kiedy to ja chcę się pobawić z dzieckiem.

– I co porabiacie? – pytam podejrzliwie, spoglądając na szczątki czegoś, co kiedyś było matą z literami alfabetu.

– Właśnie – Andrew ożywia się. – Postanowiłem nauczyć Parker alfabetu.

– Co postanowiłeś?

– Nauczyć ją alfabetu. W nocy znalazłem świetny materiał o wczesnej fazie rozwoju dziecka. Szczególnie jeden artykuł. Super. Twierdzili w nim, że dziecko potrafi w tym wieku rozpoznawać różne rodzaje zwierząt oraz przedmioty domowego użytku, chyba więc nie ma powodu, żeby nie mogło rozpoznać liter alfabetu.

– To najgłupsza rzecz, jaką słyszałam. Dzieci rozpoznają zwierzęta, bo je lubią, a przedmioty, bo ich codziennie używają. A litery to po prostu zbiór linii na kartce papieru. Na pewno nie będzie ich rozpoznawać, mając niecałe cztery miesiące.

– Nie doceniasz jej. Mózg dziecka ma o wiele większe możliwości, niż chcemy to przyznać.

Przysięgam, nie ma nic gorszego niż Andrew z odrobiną informacji za pazuchą. Jest jak w amoku. Kiedy urządzaliśmy dom, studiował wszystkie rodzaje granitów i wapieni, a potem jeśli u kogoś w domu napotkał wapień lub granit, badał go jak archeolog specjalizujący się w kuchennych blatach. „Jerusalem Gold czy Madura Gold? Hm. Ta frezowana krawędź daje ładny efekt".

– A zresztą, sama zobacz – mówi do mnie Andrew.

Podnosi gumowy kwadrat z literą „A" i trzyma go na wysokości twarzy Parker. Zaczyna mówić głębokim, monotonnym głosem, jak lektorzy na tych firmach przyrodniczych, które kazali nam oglądać w szkole.

– Parker, teraz tatuś ci coś opowie. To, co tutaj trzymam, to literka „A" – ględzi, wskazując na literę.

– Aaaaa. „A" jest samogłoską. Na literę „A" zaczynają się takie słowa, jak aligator i apeks.

– Czy ty mówisz serio?

Podnosi wzrok.

– Co? – pyta z prawdziwym zaskoczeniem w głosie. – Pisali, żeby mówić do dziecka jak do dorosłego i używać jak największej liczby słów – wskazuje mnie palcem. – Cytowali badania potwierdzające związek istniejący między wynikami egzaminów maturalnych a liczbą słów, które człowiek słyszy jako niemowlę.

Parker wychyla się do przodu po literkę, ale Andrew trzyma ją poza jej zasięgiem, zaczyna więc płakać.

– Ale ty wcale nie zwracasz się do niej jak do dorosłego. Mówisz, jakby była androidem.

– Lepsze to niż dziecinna paplanina.

– Niekoniecznie – zaczynam, ale za bardzo boli mnie głowa, żeby się z nim kłócić. Odwracam się do drzwi.

– Dokąd idziesz?

– Muszę się ubrać. A potem iść do apteki. Kończą się pieluchy i potrzebuję aleve.

Teraz Parker wrzeszczy.

– Andrew, daj jej tę literkę. Ma ochotę jej skosztować.

Andrew podaje Parker kwadrat z literą, a ona momentalnie przestaje płakać i zaczynać przeżuwać „A". Patrzę na niego wymownie.

– Mam nadzieję, że zdajesz sobie sprawę, jakie to absurdalne – mówię na koniec.

Spogląda na Parker, po czym znów przybiera ten sam ton.

– Parker, twoja mama mówi, że zachowuję się absurdalnie, które to słowo również zaczyna się od literki „A". Absurdalny oznacza tyle co niedorzeczny. Ale ja się z nią nie zgadzam. Chcę po prostu rozwijać twoją inteligencję. In-te-li-gen-cję. To znaczy, chcę, żebyś była mądra.

Dyskusja z nim po prostu nie ma sensu. Jeśli sądzi, że nauczy alfabetu czteromiesięczne dziecko, należy pozwolić mu spróbować.

– Dobrze, to na razie.

– Poczekaj, nie idź teraz – prosi Andrew.

– Bo?

Robi błagalną minę i odpowiada takim samym tonem.

– Za godzinę mam agility. Zostań z nami. Tak rzadko spędzamy czas wszyscy razem.

Przygryzam wewnętrzną stronę policzka. Nie powiem tego. To nie byłoby zbyt konstruktywne, gdybym wyskoczyła z propozycją, że moglibyśmy spędzać razem więcej czasu, gdyby zrezygnował z agility i nie trwonił połowy każdej soboty z psem i inną kobietą. Wzdycham.

– Dobra. Ale pod warunkiem, że obiecasz więcej tak do niej nie mówić.

Andrew dąsa się.

– Obiecaj – ostrzegam.

– Niech ci będzie – ustępuje. – Będę do niej mówił jak do dziecka i zahamuję jej rozwój umysłowy. Zadowolona?

– Zadowolona – zapewniam go, siadając na podłodze. – Nawet bardzo zadowolona.

Andrew kładzie teraz Parker na macie i po raz pierwszy mogę zobaczyć, w co się ubrał. Biały podkoszulek Hanesa i jasnoniebieskie dżinsy z dziurą na kolanie.

– W coś ty się ubrał? – nie mogę oderwać wzroku od dziury.

– No co? Myślałem, że podarte dżinsy znów są w modzie.

– W modzie są wytarte dżinsy – uświadamiam go. – A ty wyglądasz jak Bruce Springsteen na okładce *Born to Run*. Brakuje ci tylko czerwonej bandany.

Andrew jest skonsternowany.

– Przecież lubisz Springsteena – mówi.

– Owszem, podobnie jak Snoop Dogga, co nie znaczy, że paraduję poobwieszana złotymi łańcuchami.

Patrzy na mnie chwilę.

– Dobra, dobra – zgadza się. – Przebiorę się.

– I bardzo dobrze. No to pokaż w końcu, co takiego zabawnego robiliście z Parker.

Twarz Andrew rozjaśnia się.

– OK. Wiedziałaś, że ona uwielbia *Old MacDonald*?

– Tak – odpowiadam. – Wiedziałam.

Kiwa głową.

– Uśmiecha się, kiedy to robię. Patrz.

Kładzie Parker na plecach, łapie ją za kostki i porusza nóżkami w przód i w tył w takt piosenki.

– *Old MacDonald had a farm, i-a-i-a-ou.*

Przerywam mu.

– Jakie „i-a-i-a-ou?" To i-aj-i-aj-ou, Andrew. I-a-i-a, przecież nie jesteś pacjentem w zakładzie zamkniętym.

Piorunuje mnie wzrokiem, ale śpiewa dalej.

– *And on the farm he had a duck, i-aj-i-aj-ou.*

– Dużo lepiej – oceniam, potakując.

– *With a quack here, a quack there, a quack everywhe…*

Niewiarygodne.

– Andrew, jak możesz nie znać słów *Old MacDonald*? Nie chodziłeś do przedszkola? Powinno być dwa razy „quack". „*A quack quack here, a quack quack there*".

Jeszcze jedno spojrzenie na mnie, a potem uśmiecha się do Parker, która piszczy z radości…

– *A quack quack everywhere* – śpiewa.

Przyglądam mu się z rezygnacją.

– To nie takie trudne, Andrew. Kwacze tu, tam, tu i tam… „*Here a quack, there a quack, everywhere a quack, quack*".

Andrew zostawia nóżki Parker w spokoju, poczym spogląda na mnie ze złością.

– Zawsze zepsujesz każdą zabawę – mówi. Głos mu drży, wygląda, jakby się miał rozpłakać. – Chcesz wiedzieć, dlaczego tak naprawdę lubię bawić się z Parker?

Zakładam, że pyta retorycznie, patrzę więc na niego bez słowa.

– Ponieważ dla niej to bez znaczenia, że mylą mi się słowa. Bez znaczenia, że źle coś wymawiam, bez znaczenia, że mam na sobie podarte dżinsy i truskawkowy błyszczyk, a także to, że dobrze rozumiem się z nianią. Kocha mnie za to, kim jestem. Czego nie mogę powiedzieć o tobie.

Wstaje i wynosi się z pokoju, zostawiając mnie na podłodze. Słyszę, jak tupie na schodach, a potem trzaska drzwiami sypialni. Spoglądam na Parker, która zaczęła marudzić.

– Hej, cukiereczku – mówię do niej, jednocześnie biorąc ją na ręce. Serce znów mi wali. Andrew nigdy wcześniej tak na mnie nie napadł. Przytulam Parker i kołyszę ją w ramionach, a ona łapie garść moich włosów, wkładając je sobie do ust.

– Wszystko w porządku – szepczę, starając się przekonać bardziej siebie niż ją. – Jest OK.

Ale nie jest OK. W oczach już mam łzy. Zawsze wiedziałam, że ten dzień kiedyś nadejdzie. Dzień, w którym Andrew zrozumie wreszcie, że ożenił się z wredną jędzą i że nie ma zamiaru zostać z nią ani chwili dłużej.

Całuję Parker w główkę i zamykam oczy, chowając nos w jej włoskach.

Cóż. Wygląda na to, że mój ojciec nie jest jedyną osobą, która nie potrafi budować związku.

18

Okazuje się, że w piątkowym pijackim zwidzie zaprosiłam dziś na kolację ojca i Nadine. Przypominam to sobie, chociaż nieco mgliście. Wracałyśmy do mojego samochodu i Nadine powiedziała coś takiego, mniej więcej:

– Wiesz, bardzo chciałabym poznać Andrew.

Na co ja odparłam, jedynie grzecznościowo:

– Powinniście przyjść kiedyś do nas na kolację.

A wtedy Nadine bez namysłu dodała:

– Super. To może w niedzielę?

Zupełnie zapomniałabym o tym incydencie, gdyby nie jej poranny telefon. Pytała, co mogłaby przynieść.

Rozmawiałam akurat z Julie na drugiej linii (a przynajmniej z kimś, kto przypominał Julie, chociaż nie ma co do tego żadnej pewności, gdyż trudno ją było rozpoznać w napadzie histerii pod tytułem „Nie-dostaliśmy-się-na-rozmowę-kwalifikacyjną-o-mój-Boże-co ja teraz zrobię"), i osoba ta – może Julie, a może nie – znajdowała się gdzieś między nisko-płatną-pracą-która-niechybnie-prowadzi-do-ciężkich-chorób-płuc a ciągiem-rozwodów-z-facetami-którzy-biją-żony w swojej wizji przyszłego rozwoju wydarzeń w życiu Lily, który nastąpi jako bezpośredni skutek jej nieuczęszczania do Instytutu w wieku lat dwóch, kiedy przełączyłam się na drugą linię.

Nie muszę chyba wspominać, że Nadine zupełnie mnie zaskoczyła. Byłam tak wytrącona z równowagi, zarówno tragicznym losem Lily (która, *notabene*, skończy, umierając samotnie w przyczepie kempingowej gdzieś w rejonie Pacoima), jak i nagłym, irytującym przypomnieniem sobie, że rzeczywiście wystosowałam to idiotyczne zaproszenie, że za Chiny nie potrafiłam wymyślić przyzwoitej wymówki, jak się z tego wycofać. A żeby było śmieszniej, miałam świetny powód, żeby odwołać imprezę, ale przecież nie mogłam jej powiedzieć, że wczoraj Andrew niemal ode mnie nie odszedł, a po wyjściu na agility nie wracał przez sześć godzin, kiedy to ja odchodziłam od zmysłów, wyobrażając sobie Courtney w różnych wcieleniach „dobrej znajomej", oraz że nie połknęłam całej fiolki aleve tylko dlatego, że nie chciałam, aby Parker dorastała, wysłuchując historii, jaką to niedobrą i okropną jędzą była jej matka. Rozumiecie przecież, że nie mogłam jej następnie wyjaśnić, że po jego powrocie, kiedy okazało się, że w ogóle nie poszedł na agility – wziął Zoey do swojej mamy, gdzie spędzili całe popołudnie, który to fakt osobiście potwierdziła, kiedy do niej zadzwoniłam – przez dwie godziny musiałam się przed nim kajać i płaszczyć, żeby mi w końcu uwierzył, że naprawdę nie podejrzewam go o romans z Courtney i że już nigdy, przenigdy nie będę się z niego naśmiewać. Nie mogę jej też powiedzieć, że przez ostatnie osiemnaście godzin obchodzę się z nim jak z jajkiem, starając się z całych sił być dla niego ekstra-super-hipermiła, odgadując każde jego życzenie. W związku z czym dzisiejszy wieczór nie wydaje mi się wymarzony na przedstawienie mu ojca wraz z jego przyszłą żoną.

Nie, nie. Jedyna wymówka, jaką udało mi się wymyślić, to biegunka Parker, która rzekomo trwała od wczorajszego popołudnia i cały dom było czuć zużytymi pieluchami. Na co Nadine stwierdziła:

– Nic nie szkodzi, skarbie, przecież możemy zjeść w ogrodzie.

Tak więc za niecałe trzy godziny Andrew pozna mojego ojca oraz jego narzeczoną, Nadine, a ja jestem strzępkiem nerwów. Nie mogę przestać myśleć, że znalazłam się na planie *Poznajcie moich rodziców*, ale w wersji dla ubogich: zamiast terapeutki seksuologa i tatusia w roli kury domowej mamy alfonsa i nieroba.

Ponieważ przychodzą na kolację, konieczna będzie wizyta w supermarkecie. Wymyśliłam, że najlepszym wyjściem będzie grill, z dwóch powodów. Po pierwsze, ojcu można powierzyć rolę strażnika ognia. W ten sposób będzie zajęty, a co za tym idzie, niezdolny do zagadywania Andrew i opowiadania o mnie Bóg wie czego. Po drugie, ja przecież nie gotuję, a zamawianie na tę okazję chińszczyzny wydało mi się niewłaściwe. Co do Nadine – to najłatwiejsza część – będziemy omawiać wieczór panieński, Andrew zaś zajmie się Parker. Deloris nie została zaproszona. Nie chcę, żeby mi się kręciła pod nogami, zresztą i tak nie chciałaby pewnie z nami zjeść, widząc, że nie ma wołowiny Kobe i tym podobnych.

* * *

Biorę torbę z pieluchami, zapinam Parker w foteliku samochodowym – jedzie ze mną, gdyż Susan powiedziała, że nic nie wpływa na niemowlaki tak stymulująco jak supermarket – i taszczę ją przez salon, gdzie Andrew, rozłożony na kanapie, ogląda mecz golfa, wcinając ciasteczka w kształcie rybek.

– Kochanie, idę do sklepu – zwracam się do niego najbardziej pocukrowanym z moich tonów. – Chcesz, żeby ci coś kupić?

Rzuca mi wciąż zranione spojrzenie.

– Chcę, żebyś mnie przeprosiła.

– Ale przecież przeprosiłam cię już sto razy – jęczę.

Znów obrzuca mnie tym spojrzeniem i wtedy przypominam sobie, że jestem przecież super-hipermiła, ustępuję więc.

– Bardzo, bardzo, bardzo cię przepraszam – składam ręce pod brodą.

Wydaje z siebie długie, dramatyczne westchnienie.

– OK, wybaczam ci.

I wtedy, jakby dopiero co się zorientował, że zajada rybki, szybko zamyka pudełko krakersów i spogląda po sobie, wykrzywiając twarz.

– Zjadłem całe pudełko – mówi zdumiony. – Jestem odrażający. Jestem G-R-U-B-Y.

Wstaje, strzepuje okruszki.

– Muszę zacząć się ruszać. Idę na Ś-Ł-O-W-N-I-Ę.

Przygryzam wargę. Przysięgam, z całych sił próbuję się nie roześmiać, nawet nie uśmiechnąć, ale po prostu nie mogę. Andrew to widzi.

– Co? – pyta. – Co znowu?

– Nic.

Robi minę, która wskazuje, że mi nie wierzy, a ja zagryzam wargę jeszcze mocniej, chyba poleci krew.

– Nic, przysięgam.

– Masz mi powiedzieć, i to zaraz – żąda z cała mocą. – Słyszysz?

Nie mogę mu powiedzieć. Bardzo chcę – każda komórka w moim ciele aż rwie się, żeby go poinformować, że źle przeliterował słowo „siłownia" – ale nie mogę. Stąpam po cienkim lodzie, a jeśli pisnę choć słówko, to będzie koniec. Co do tego nie ma wątpliwości.

– Muszę iść do sklepu – opanowuję się. – Nie mam czasu na pogaduszki.

Odwracam się i idę w stronę drzwi, kiedy Andrew woła za mną.

– Lara!

Przystaję i jeszcze raz się odwracam, żeby na niego spojrzeć.

– Tak?

– Nie ma już masła orzechowego.

Posyłam mu promienny uśmiech, jak te mamy z programów telewizyjnych z lat pięćdziesiątych. Ktoś czegoś od nich chciał, a one były uszczęśliwione, że mogą mu służyć, bo przecież zaspokajanie potrzeb innych to główny cel ich życia.

– OK. Wolisz Skippy czy Jif? – nie wiem, po co go pytam, i tak kupuję Skippy. Patrząc na moje dzisiejsze zachowanie, spokojnie mogłabym być Annette Funicello.

– Wszystko jedno – wzrusza ramionami. – Sześć jednego i tuzin drugiego.

Kolejny obrót, żeby nie zauważył uśmiechu. Oczywiście chciał powiedzieć „pół tuzina"

– OK. Pa, kochanie – mówię na odchodne.

– Pa, skarbie.

Powinnam wyjść z tego sklepu dwadzieścia minut temu, ale Deloris jest taka upierdliwa z tymi swoimi zakupami – muszę wpatrywać się w każdą półkę po dziesięć minut, zanim znajdę żądany produkt. Zresztą, spójrzcie tylko na listę, którą mi dała. Zawiera komentarze, na litość boską. O, proszę.

§ *Sok pomarańczowy (NIE z koncentratu).*

§ *Hot-dogi z indyka – koniecznie bez azotanów, mam po nich rozstrój żołądka.*

§ *Tofu (najbardziej miękkie) – ostatnio kupiła Pani średnio miękkie. Miękkie tofu ma na opakowaniu słomkę.*

§ *Bulgur pszeniczny (tylko z upraw ekologicznych).*

§ *Angielskie mufinki z razowej mąki – Thomas, nie te podróbki co ostatnio.*

§ *Grzyby enoki, trzy pęczki.*

I tak dalej, i tak dalej.

Jestem w połowie alejki z ryżem, poszukując kaszy bulgur, kiedy dochodzi do mnie ostry zapach. Marszczę nos, rozglądając w się wkoło.

A to co? Spoglądam na innych i widzę, że ich nosy także są zmarszczone. O, nie.

Mój wzrok wędruje do Parker siedzącej w swoim samochodowym foteliku, umocowanym z przodu sklepowego wózka. Schylam się i wącham jej pupę.

Fuuuuuujjjjj.

OK. Natychmiast muszę jej zmienić pieluchę. Zwracam się do mężczyzny poprawiającego ułożone opakowania makaronu, z pytaniem, gdzie znajduje się toaleta, a on kieruje mnie na koniec sklepu, dokąd bez zwłoki się udaję. Kiedy dochodzę do drzwi, orientuję się, że wózek się w nich nie zmieści, rozpinam więc pasy i wyjmuję Parker z fotelika, obejmując ją prawą ręką, a lewą wkładając pod pupę, która jest bardzo, bardzo mięciutka i wilgotna.

Wchodzę do toalety – super, mają tu stół do zmieniania pieluch, taki rozkładany, mocowany na ścianie – i pociągam za rączkę. Stół opada, rozkładam na nim podkładkę do zmieniania pieluch marki Burberry. Uśmiecham się do siebie, okazuje się bowiem, że w tym zakresie zaczynam czuć się jak profesjonalistka. Kładę Parker i sięgam po torbę, kiedy zauważam, że mam ubrudzony rękaw. Przyglądam się temu z bliska, po czym odwracam rękę, żeby zobaczyć spodnią część.

Nie.

Cały rękaw w gównie. Jak to się stało? Podnoszę Parker i odwracam ją. W piersi czuję już miarowy łomot. Boże. Calutkie plecy ma w kupie. Musiała przeciekną́ć górną stroną pieluchy. Koszulka i część spodenek są brązowe i śmierdzą.

Biorę ją pod pachy, trzymając z dala od siebie, i wybiegamy z toalety, żeby sprawdzić fotelik: niestety. Stoję tak przez chwilę, oniemiała.

Nie mam bladego pojęcia, co robić.

OK. Spokojnie. Zastanówmy się.

Wracam do toalety, kładę Parker na podkładce i próbuję zebrać myśli.

Tak. Nasączane chusteczki. Potrzebuję chusteczek.

Sięgam do torby i wyciągam pudełko z chusteczkami, natychmiast je otwierając. W środku znajdują się dosłownie dwie sztuki, z których jedna jest całkowicie wyschnięta.

Zapomniałam uzupełnić chusteczki.

Wyciągam tę ostatnią i staram się wytrzeć nią rękaw, ale kupka nie schodzi. Olać to. Zwijam rękaw, jak bardzo się da, mając nadzieję, że w ten sposób zapach nie przeniknie na zewnątrz, a następnie rozbieram Parker. Oczywiście nie mam niczego na zmianę. Wiem, powinnam zawsze mieć przy sobie zapasową bluzeczkę oraz spodenki, na wypadek gdyby przeciekła pieluszka lub gdyby mała zwymiotowała – albo gdyby na środku supermarketu zaskoczył nas potężny atak biegunki – ale ja po prostu nie jestem taka. Wszystkie mamunistki z moich zajęć noszą chusteczki, trzymają smoczki w specjalnych pojemniczkach, żeby się nie pobrudziły, w specjalnych przegródkach noszą maść wysuszającą, dziecięce nożyczki do paznokci, płyn do przemywania, dodatkowe pieluchy, body na zmianę i lekarstwa, których wystarczyłoby na wypadek niewielkiej epidemii trądu. Ale ja zwyczajnie nie jestem kobietą z odpowiednio wyposażoną dziecięcą torbą na pieluchy. W mojej torbie znajdziesz raczej butelki z wyhodowaną pleśnią, ponieważ zapomniałam je wyciągnąć i wymyć. I dlatego wpadam teraz w panikę.

Grzebię gorączkowo w torbie, szukając pieluch.

„Boże, błagam, niech tu będzie jakaś pielucha. Proszę, pielucha, musi tu być". Znajduję w końcu jedną, starą i pogniecioną, leżącą na dnie torby.

„Dzięki ci, Boże".

Rozbieram Parker i wkładam ubranie do umywalki, a potem zaczynam obmywać ją brązowymi, papierowymi ręcznikami, które znajdują się w pudle na ścianie. Warto wspomnieć, że nie mam pojęcia, co z nią zrobię, jak skończę. Nie mam nawet kocyka, ponieważ nie posłuchałam rady Susan, żeby zawsze mieć przy sobie kocyk, i nie noszę go nigdzie z wyjątkiem zajęć z Susan. Ale tym zajmę się, kiedy nadejdzie czas. Teraz muszę umyć córce plecy.

Po zużyciu około dwudziestu pięciu papierowych ręczniczków na Parker nie zostaje ani ślad kupy. Zakładam jej pieluchę, brudne ubranie owijając kolejnymi brązowymi ręcznikami i upychając je na dnie torby.

No tak, to dlatego mamunistki zawsze mają przy sobie pusty worek. Jeszcze jedna zagadka rozwiązana.

Podnoszę Parker, która ma na sobie jedynie pieluchę, łapię jeszcze garść ręczników i wychodzę z toalety, wracając do naszego cuchnącego fotelika.

– Parker, Parker – szepczę do niej. – Nie mogłaś z tym poczekać, aż wrócimy do domu?

Patrzy na mnie i piszczy.

Lewą ręką trzymam ją w pasie, a prawą wycieram fotelik w nadziei, że kupa wsiąknie w ręczniki. Ale to bez sensu – kupa była bardzo płynna, fotelik jest więc nią przesiąknięty. Próbuję pchać wózek jedną ręką, w drugiej zaś trzymać dziecko, ale po trzech krokach widzę wyraźnie, że nic z tego, bo Parker wierci się, ciągnie mnie za korale i w ogóle nie potrafię jej utrzymać.

Olać to.

Wykładam fotelik ręcznikami, a potem kładę w nim Parker, goluteńką, w samej tylko pogniecionej pieluszce. Okrywam jej tułów kilkoma ręcznikami, żeby nie zmarzła, i zapinam pasy, aby utrzymały ręczniki na miejscu. Mówiłam przecież, że to wersja dla ubogich.

Biorę głęboki oddech i postanawiam pominąć kilka nieistotnych artykułów z mojej listy. Kupię tylko to, co konieczne na dzisiejszy wieczór, i zmywam się stąd. Spoglądam na listę – butelka wina, sos do grilla, coś na deser. Nie jest źle. Kieruję się w stronę alkoholi, ale nim stawiam trzeci krok, Parker cała się marszczy, a z jej pupy wydobywa się głośny dźwięk.

Tylko nie to.

Zaciskam powieki, a kiedy je otwieram, moja córka uśmiecha się do mnie wesoło. Przechodzący obok nas klienci gapią się na moje gołe, okryte jednorazowymi ręcznikami, śmierdzące kupką dziecko.

– Cieszę się, że to cię bawi – szepczę. – Ale mamusia nie ma już pieluszki.

Znów się śmieje, za to ja chyba się rozpłaczę. Jeśli to nie przyniesie mi tytułu Najgorszej Matki Roku, to w takim razie co?

Możliwie najszybciej biorę z półek potrzebne produkty i idę do kasy. Przeliczam artykuły – dwanaście.

„Sorry, Deloris".

Wyciągam z koszyka pszenicę bulgur oraz indycze hot dogi, odkładając je na najbliższą półkę, tuż obok paczek z M&M. Kiedy podchodzę do kasy, Parker jak na zawołanie, zaczyna wrzeszczeć, wszyscy więc, którzy jeszcze nie zwrócili na mnie uwagi i nie zdążyli skarcić wzrokiem, teraz rozglądają się, o co ten rwetes. Uśmiecham się przepraszająco, desperacko szukając w torbie smoczka. Wiem, że tam jest... sama go wrzuciłam przed wyjściem. Gdzie on jest? Zaczynam przekopywać torbę, zupełnie zapominając, że znajdują się w niej również unurzane w kupie ubranka, ale kiedy moja dłoń napotyka wilgotną, papkowatą substancję, wiem już wszystko.

Fuj.

Jest i smoczek, dokładnie przyklejony do poplamionej biegunką nogawki spodenek. Super.

Wyciągam rękę z torby, smoczek zostaje. Zauważam, że do kciuka przyczepił się kawałeczek kupy Parker.

– Cii – mówię do Parker – Cichutko, no już.

Muszę to zetrzeć z palca. Za chwilę moja kolej i nie mogę wykładać artykułów spożywczych z gównem na ręce. Sprawdzam, czy ktoś z otoczenia mi się przygląda: owszem, przygląda się. Dokładnie wszyscy się na mnie gapią. A niektórzy zatykają nosy palcami. Kilkoro, schylonych, chyba próbuje powstrzymać odruch wymiotny.

Teraz mogłabym umrzeć. Naprawdę bardzo chciałabym umrzeć w tej chwili.

Niestety, nie widzę w pobliżu potencjalnych uzbrojonych bandytów, którzy zlitowaliby się nade mną. Nie można się również spodziewać, że sklep nawiedzi niespotykany kataklizm w formie lawiny puszek z groszkiem. Biorę więc głęboki wdech i, czując na sobie wzrok wszystkich obecnych w pobliżu, wyjmuję spod pasów fotelika jeden z papierowych ręczników okrywających Parker, wycieram swój kciuk, po czym zbijam ręcznik w kulkę i wkładam go do torby. Kobieta za mną cofa się z obrzydzeniem, a kilka osób wydaje niekontrolowane, stłumione okrzyki. Starszy facet przede mną płaci gotówką i wychodzi, a ja z westchnieniem ulgi podchodzę do kasjerki.

Pochylam się nad koszykiem, sięgając po jajka, ale kobieta zatrzymuje mnie.

– Ee..., może ja to zrobię? – proponuje.

Na pewno uważa, że moje dziecko i tak ma przechlapane, nie powinnam dodatkowo zarażać jej nie wiadomo czym, wystarczy, że ją biję, z pewnością regularnie.

Kiwam głową, zdobywając się na słaby uśmiech. Kasjerka wydobywa więc zakupy z mojego koszyka i wbija kolejne ceny, podczas gdy ja próbuję uspokoić Parker, pchając lekko wózek przed siebie i z powrotem, powtarzając „cii". A wtedy, jakby tego było mało, jakbym już nie znajdowała się w swoim własnym piekle, kobieta za mną klepie mnie po ramieniu. Szybko się odwracam.

– Może powinna ją pani wziąć na ręce? – mówi do mnie z wyższością.

Stokrotne dzięki za radę. Jakbym sama na to nie wpadła. OK, może i mój instynkt macierzyński nie należy do najsilniejszych, ale nie jestem też kompletną idiotką. Przez kilka sekund patrzę jej w oczy. Starsza, może po pięćdziesiątce, i albo nie ma dzieci, albo miała je tak dawno, że już nie pamięta, jak to jest. Chyba będę jej musiała przypomnieć. Uważając, żeby nie dotknąć niczego zabrudzonym fekaliami kciukiem, ramieniem odsuwam z twarzy kosmyk włosów.

– Skoro to panią interesuje – zwracam się do niej rzeczowo – całe plecy mojej córki są zabrudzone biegunką, a ja nie mam więcej pieluch. I, jak pani widzi, skonstruowałam, wykazując się przy tym niezwykłą inwencją, jeśli mogę tak o sobie powiedzieć, papierową przegrodę między dzieckiem a fotelikiem, który, dla pani informacji, również został pokryty kupą. Tak więc z pewnością nie wezmę jej w tej chwili na ręce, ale jeśli pani ma na to ochotę, nie widzę przeszkód. Ogólnie rzecz biorąc, gdyby chciała ją pani adoptować, bardzo by mnie to ucieszyło.

Posyłam jej szeroki uśmiech pod tytułem „spadaj", odwracam się, odbieram od kasjerki moją kartę i z podniesioną głową, trzymając feralny kciuk z dala od koszyka, wiozę do wyjścia moje owinięte w papierowe ręczniki, nieutulone w płaczu dziecko z kupą w pieluszce.

Kiedy już odreagowałam, dochodząc do siebie z pomocą kieliszka wina, zdałam sprawozdanie Andrew („Laro, przecież tam sprzedają pieluchy. Dlaczego po prostu nie kupiłaś paczki?" – trafne spostrzeżenie, a jednak nigdy w życiu bym na to nie wpadła), oraz doprowadziłam do porządku dom, przybywa Nadine z ojcem.

Otwieram drzwi i od razu mam ochotę zapaść się pod ziemię. Mój ojciec nie tylko włożył na siebie jeden z tych abstrakcyjnych swetrów z lat osiemdziesiątych, z grubymi, jaskrawymi zawijasami, założył również tupecik. Okropny. Odcień włosów tupeciku jest o trzy tony ciemniejszy od jego własnych, przód z lekka pedziowaty, miejscami loczki. Całość spryskano chyba lakierem. Szczerze mówiąc, wygląda to tak, jakby jakieś zwierzątko uwiło sobie na jego głowie gniazdko, a potem ułożyło się w nim wygodnie i postanowiło odejść z tego świata. Biorąc pod uwagę, że to mój ojciec, widok ten mnie nie zaskakuje, natomiast jestem w szoku, że Nadine pozwala mu w czymś takim wychodzić z domu. Byłam przekonana, że ma lepszy gust.

Prowadzę ich przez salon do drzwi, które wychodzą na ogród, gdzie Andrew walczy z grillem, próbując go podpalić trzymetrową, gazową zapalarką butanową.

– Pozwól – ojciec natychmiast do niego podchodzi – wyręczę cię w tym, jeśli pozwolisz.

Andrew bez słowa oddaje zapalarkę ojcu, który z wprawą wyczarowuje fantastyczny żar, aby następnie odłożyć urządzenie i wyciągnąć rękę do Andrew.

– Jestem Ronny.

Andrew chwyta tę dłoń, mocno nią potrząsając.

– Cieszę się, że mogę cię poznać. Andrew.

Andrew spogląda na głowę mojego ojca, po czym rzuca mi zdezorientowane spojrzenie. Kiwam do niego głową, żeby potwierdzić, że owszem, zauważyłam, oraz że nie, nie sądzę, żeby to był kawał. Potem wyciągam dłoń, wskazując Nadine.

– A to Nadine – oświadczam. Nadine macha delikatnie ręką.

– Witaj. Wiele o tobie słyszałam.

„O, nie, nie, nie, nie tym razem".

– Cóż – szybko zmieniam temat. – To może zaczniemy kolację? Tato, ciebie mianowałam głównym grillowym.

Teraz nie jestem pewna, czy to był taki dobry pomysł, bo jego tupecik wygląda na łatwopalny, ale jest już za późno.

– Brzmi nieźle – mówi ojciec. Wkłada ten śmieszny fartuch, który Andrew kupił w zeszłym roku, z napisem „Licencja na grillowanie", ja zaś staram się odciągnąć od niego Andrew. Ale nie zdążamy nawet wejść do domu, a już ojciec za nami woła.

– Andrew, a może zostaniesz chwilę ze mną. Pogadamy sobie, poznamy się bliżej.

Boże. Właśnie tego chcę uniknąć. Krzywię się.

– Wiesz, tato, Andrew musi się zająć Parker.

Ojciec marszczy brwi.

– A gdzie niania? Przecież to jej robota.

Przewracam oczami.

– Owszem, ale chciałam, żebyśmy dziś byli sami. Tylko rodzina. Przecież jest nas aż czworo. Damy sobie radę bez Deloris.

Na te słowa pojawia się sama zainteresowana, z Parker na rękach.

– To idiotyczne – wykrzykuje do mnie ojciec, po czym macha do Deloris.

– Dzień dobry – zwraca się do niej. – Jestem ojcem Lary. Może zostanie pani z nami i z Parker, zjemy razem kolację?

Wzdrygam się, gdy to mówi. Z całą pewnością nie takie miałam plany na ten wieczór.

– Co będzie na kolację? – pyta ostrożnie Deloris.

Proszę, nasza panna o wybrednym podniebieniu.

Ojciec spogląda na przygotowany przeze mnie półmisek.

– Warzywa z grilla, pierś z kurczaka i – spogląda na mnie – co to, Laro? Filet?

Niechętnie kiwam głową.

– I filet Mignon – kończy.

Deloris uśmiecha się.

– Poczęstuję się filetem – oznajmia.

„Ho, ho, ho. Po prostu szok".

– Wspaniale – uśmiecha się ojciec. – W takim razie, Andrew, możesz zostać ze mną. Widzisz, jakie to proste?

Andrew spogląda na mnie niepewnie i truchtem wraca do grilla. O nie, nie ma mowy, żebym ich zostawiła samych, w dodatku z Deloris. Muszę kontrolować sytuację. Zwracam się do Nadine.

– Może też zostaniemy tutaj? – proponuję. – Usiądziemy i porozmawiamy o przyjęciu – wskazuję wiklinową kanapę stojącą trzy metry od grilla.

– Nie ma sprawy – uśmiecha się w odpowiedzi Nadine.

Sadowimy się więc na wiklinie, notes i długopis, które nosiłam cały czas ze sobą, kładę na stoliku.

– OK – zaczynam. – Po pierwsze, powinnyśmy ustalić listę gości. Ile osób zamierzasz zaprosić?

Nadine zastanawia się, potem wzrusza ramionami.

– Osiem do dziesięciu.

– W porządku.

Zaczynam notować, ale wtedy kątem oka dostrzegam, że ojciec wyciera rękawem czoło.

– Kurczę – zauważa, wachlując się ręką. – Strasznie gorąco przy tych węglach. Cała głowa mi się poci.

Sięga po chusteczkę, wyciera pot, osuszając czoło z kropli, które ściekają spod tupeciku. Obrzydliwe. Wracam do Nadine.

– Zastanawiałaś się nad jedzeniem? Chcemy wspólną kolację, czy spotkamy się dopiero przy barze?

I wtedy rozlega się pisk. To Deloris. Obie odwracamy się w jej kierunku. Deloris zakrywa ręką usta i patrzy szeroko otwartymi oczami w stronę grilla, jakby zobaczyła coś tak okropnego, że trudno opisać to słowami. „Boże, wiedziałam, cholerny tupecik w płomieniach". Błyskawicznie się odwracam, ale ogień nie trawi jego głowy. Co więcej, jego głowa jest łysa, a on wyciera ją serwetką, w lewej dłoni trzymając martwe tupecikowe zwierzątko.

– Aaa – oznajmia z uśmiechem. – Cóż za ulga.

Pocieram czoło i zamykam oczy. Jestem przerażona.

– Tato, co ty właściwie wyprawiasz?

– O co ci chodzi? – mówi zaskoczony. Jakby zdejmowanie tupeciku z głowy w miejscu publicznym było czymś zupełnie normalnym. – Było mi za gorąco, więc to zdjąłem.

Potrząsam głową.

– A po co w ogóle to założyłeś?

Wzrusza ramionami.

– Lubię czasami mieć włosy. Noszę je tylko na specjalne okazje.

Ha. Już widzę zdjęcia ślubne.

– Ale, tato, to coś jest wprost tragiczne i w ogóle nie wygląda jak włosy.

Ojciec robi urażoną minę.

– Owszem, wygląda. Robił to najlepszy perukarz w Vegas. Na zamówienie.

Najlepszy perukarz z Vegas. Brzmi jak druga część filmu *Najlepszy burdelik w Teksasie.*

Zwracam się do Nadine, która na razie nie odezwała się słowem.

– A tobie się podoba?

Nadine zaciska usta, a ja odnoszę wrażenie, że nie podoba się jej ta rozmowa.

– W peruce twój ojciec lepiej się czuje ze sobą, Laro, i to mi się podoba.

O rany. Poczucie Własnej Wartości przede wszystkim.

Włącza się Andrew.

– Nie przejmuj się – mówi do ojca. – Ona tak zawsze, ja ciągle coś robię nie tak.

Posyłam mu spojrzenie „dziękuję za wsparcie", po czym słyszę za sobą cmokanie jęzora Deloris. Dobra. Wystarczy. Niech sobie odchodzi, ja mam tej kobiety po dziurki w nosie. Odwracam się do niej.

– Chciałaś coś powiedzieć, Deloris?

Oczy Deloris rozszerzają się, jakby mówiła: „Kto, ja?". Kręci głową.

– Ależ skąd, pani Laro. Deloris nie ma w tej dyskusji nic do powiedzenia.

Bierze Parker, która wyrywa właśnie pełne garście trawy, próbując włożyć je sobie do buzi, i idzie z nią do domu.

– Chodź, dziecinko, nakryjemy do stołu.

Znikają w środku, odwracam więc wzrok i napotykam spojrzenia wszystkich obecnych.

– Co znowu? – wykrzykuję.

Nadine kładzie swoją dłoń na moim udzie.

– Laro, skarbie, muszę przypudrować nosek. Czy mogłabyś mi pokazać, dokąd powinnam się udać?

Wskazuję na drzwi obok tylnej sypialni.

– Łazienka jest tam.

Nadine posyła mi uśmiech i bierze za rękę.

– Tak, ale bardzo bym chciała, żebyś to ty mnie tam zaprowadziła.

O, kapuję. Chce pogadać. OK. Wstajemy, a kiedy ja idę w stronę łazienki, ona podchodzi do ojca i całuje go w usta. Z języczkiem. Fuj. Nie cierpię przebywać na orbicie par, które wciąż przeżywają miesiąc miodowy. Zobaczymy, czy będzie go tak całowała po dziesięciu latach. Czy po dziesięciu latach będzie się do niego w ogóle odzywać.

– Za chwilkę wracamy, chłopaki – mówi do nich, idąc za mną. – Nie zróbcie sobie krzywdy.

Wchodzimy do domu i Nadine prowadzi mnie do kuchni, gdzie Deloris wyjmuje na stół talerze i sztućce. Nadine uśmiecha się do niej promiennie.

– Czy moglibyśmy cię na moment przeprosić, Deloris?

Deloris kiwa głową.

– Właśnie wychodziłam – zwraca się do Nadine, mnie obrzucając krzywym spojrzeniem. Bierze stos talerzy w jedną dłoń, drugą trzymając Parker. Jak ona to robi? Mnie nie udało się pchać wózka, kiedy trzymałam na ręku dziecko.

– Skarbie – mówi Nadine, starając się skupić moją uwagę.

– Tak – koncentruję się znów na niej. – Słuchaj, przepraszam, OK? Nie chciałam być nieuprzejma, ale w końcu to mój ojciec. Mogę mówić mu rzeczy, których nie wypada mówić innym.

Nadine zaciska usta.

– Tak samo, jak pewne rzeczy, których nie wypada mówić innym, możesz mówić Andrew, ponieważ jest twoim mężem?

– Dokładnie. To znaczy, on uważa, że robię to złośliwie, ale jeśli ja mu nie powiem, że wygląda śmiesznie albo wygaduje głupoty, to kto? Kto to zrobi? – kręcę głową. – Właśnie wczoraj o to się pokłóciliśmy. I to poważnie. Nie znał słów do *Old MacDonald*, to go poprawiłam. Włożył też jakieś piętnastoletnie dżinsy i wpadł w szał, kiedy kazałam mu je zmienić.

Nadine kiwa głową.

– I o to właśnie chodzi, skarbie. Nie zmienisz ludzi. Są tacy, jacy są, na dobre i na złe.

– Nie – kręcę głową, próbując jej wytłumaczyć. – Nie powiedziałam mu, że ma zmienić siebie. Powiedziałam, żeby zmienił spodnie.

– Ale, skarbie, nie rozumiesz, że dla niego to jedno i to samo?

Nadine bierze moją dłoń w swoje ręce.

– Pamiętasz, jak powiedziałam ci, że wszyscy mężczyźni to dzieci?

– Jak przez mgłę.

– Tak jest, uwierz mi. A teraz zastanów się nad taką sytuacją: gdyby Parker włożyła coś, co tobie się nie podoba, albo powiedziała coś takiego, czy odezwałabyś się do niej tak jak do Andrew albo do ojca?

– Nie. Nigdy nie byłabym z nią taka ostra. Ale oni są dorośli. Powinni umieć przyjąć konstruktywną krytykę.

Nadine wciąga powietrze, jakby właśnie zdała sobie sprawę, że zajmie to więcej czasu, niż przypuszczała.

– Powinni – mówi. – A jednak czasami nie potrafią. Szczególnie od osób, które kochają – wydech. – Posłuchaj mnie, skarbie, poznałam w swoim życiu wielu mężczyzn i nauczyłam się pewnej rzeczy: wszyscy oni potrzebują kogoś, kto by im kibicował i mówił, jak wspaniale sobie radzą. Proste, prawda?

Przerywa na moment, patrząc mi w oczy.

– A większość mężczyzn, których znam, znam dlatego, że nie dostają tego od swoich żon.

Przyswajam tę informację przez sekundę lub dwie. Czy ona chce mi powiedzieć, że Andrew pójdzie na dziwki, bo się z niego naśmiewam? Nie. Andrew nigdy by... Ooo, nie, wszystko znów do mnie wraca. Opowiedziałam jej wtedy o Courtney. Chce mi dać do zrozumienia, że Andrew spędza czas z Courtney, ponieważ ja nie daję mu tego, czego potrzebuje.

– Masz na myśli Courtney, prawda?
– Nie wiem. Czy to ta suka od pudla? – pyta.
Kiwam głową.
– W takim razie, tak. O niej właśnie mówię. Być może teraz są tylko znajomymi, ale przecież nie chcesz ryzykować, prawda? Masz wspaniałego męża, skarbie. Nie pozwól go sobie ukraść.
Pochyla się i zniża głos.
– A o co chodzi z Deloris? Co się między wami dzieje?
– Nie układa się nam zbyt dobrze – szepczę w odpowiedzi. – Ona mnie nienawidzi, bo uważa, że nie spędzam wystarczająco dużo czasu z Parker, i prawdopodobnie uważa także, że nie zasługuję na Andrew. Praktykuje wudu.
Przewracam oczami.
– Znalazłam u niej lalkę wudu, którą zrobiła dla mnie. Uwierzysz?
Nadine przygryza dolną wargę i przez chwilę się zastanawia. Potem prostuje plecy, siadając z założonymi rękami.
– Posłuchaj, skarbie. Chcę ci zadać pytanie. Jak by ci się podobało, gdybyśmy pozbyły się Courtney na zawsze, zmieniły stosunki z Deloris i wprowadziły twoje małżeństwo na dawne tory?
– O nie – odpowiadam. – Tego bym nie chciała. To byłoby straszne. W takiej sytuacji nie miałabym już na co narzekać i musiałabym być szczęśliwa.
Nadine śmieje się.
– Zacznij więc ćwiczyć szczęśliwy uśmiech, skarbie, bo mam pewien plan.

19

– Dobrze, wystarczy!

Susan klaszcze trzy razy, chcąc zwrócić naszą uwagę, ale zbyt jesteśmy zaabsorbowane omawianiem wspólnej imprezy oralnej, żeby w ogóle to zauważyć. Ogólnie wszystkim się podobało, niektóre od razu wykorzystały nowo nabyte techniki, i wszystkie pamiętały, że Parker ma spłaszczoną głowę oraz że Andrew w każdej chwili może mnie zdradzić z dwudziestopięciolatką.

Susan stoi teraz na swoim rozkładanym krześle i żółtą plastikową pałeczką wali w ksylofon firmy Fisher-Price. Pałeczka i ksylofon połączone są ze sobą sznurkiem.

– Moje drogie! Halo! Czas ucieka. Zaczynamy zajęcia!

W końcu wszystkie się uspokajamy i razem z dziećmi siadamy w kręgu, a Lisa (mama Cartera) informuje mnie, że jej mąż bronił kiedyś neurologa pediatrę, kiedy ten dopasował pięciomiesięcznemu chłopcu zbyt ciasny hełm i przez cztery miesiące stopniowo miażdżył mu czaszkę.

– OK, zaczynamy – oznajmia dysząca Susan. – Dzisiejszy temat to powrót do pracy. Chciałabym, żeby każda z was po kolei powiedziała nam, co robiła przed urodzeniem dziecka, i jakie macie plany zawodowe na teraz i najbliższą przyszłość, dobrze?

Mamunistki od razu tracą zainteresowanie, gdyż, jak powszechnie wiadomo, żadna z nich nie pracuje. Połowa nie pracowała również wcześniej, i tak więc nie mają do czego wracać. Oprócz mnie, rzecz jasna. Dlaczego czuję, że ilekroć wchodzę na te zajęcia, ktoś powinien śpiewać tę piosenkę z *Ulicy Sezamkowej*? Wiecie: „Jedna z tych rzeczy jest inna niż reszta, jedna z tych rzeczy tu nie pasuje”.

A przy okazji, uwielbiam *Ulicę Sezamkową*. Przez kilka ostatnich dni Parker budzi się dosyć wcześnie, co rano więc, zanim Deloris stawi się do pracy, razem oglądamy kolejne odcinki. Właściwie to ja oglądam, a ona leży w łóżku obok mnie, próbując zjeść pilota. Ale Ciasteczkowy Potwór jest rzeczywiście cholernie zabawny. Dzisiaj ubrali go w bonżurkę i krawatnik. Wykonywał numer nazwany Potworne Przedstawienie. Recenzował *Lot nad kukułczym gniazdem*, o historycznej podróży cyferki numer jeden, kiedy to przelatywała nad gniazdem kukułek. Genialne. O niebo lepsze od tych głupawych The Wiggles.

Zaczyna mamunistka siedząca z lewej strony Susan.

– Przed urodzeniem Coopera zaczęłam psychologię, ale teraz nie wyobrażam sobie powrotu na studia. W każdym razie, jeszcze przez jakiś czas.

Spogląda na Coopera, któremu po brodzie ścieka strużka śliny, i uśmiecha się.

– Po prostu nie potrafiłabym go teraz zostawić.

Susan uśmiecha się do niej i daje znak głową następnej osobie, którą jest mama z grzywką godną gwiazdy rocka, i która, swoją drogą, jest najszczuplejszą mamą czteromiesięcznego dziecka, jaką widziałam. Wredny babsztyl.

– Zdecydowanie nie wracam do pracy. Raczej umrę niż na cały dzień zostawię Emmę z kimś obcym. Poza tym, wciąż karmię piersią, dlatego nie wiem, czy by się udało.

Ale ja wiem. Wiem doskonale. Montują taki specjalny parawan w biurze. Kiedy byłam w ciąży, kierownik administracyjny nagabywał mnie przez dwa miesiące o to, czy będzie mi potrzebny w gabinecie po powrocie z urlopu macierzyńskiego, bo jeśli tak, musi wszystko zorganizować jeszcze przed swoim urlopem, na który wyjeżdża w sierpniu, czy mogłabym więc potraktować sprawę jako pilną i dać mu znać? A ponieważ nie mogłam dać mu odpowiedzi przed wakacjami, gdyż wtedy jeszcze byłam rozkosznie nieświadoma tego, że pięć minut karmienia to więcej, niż będę w stanie znieść, co tu dopiero mówić o pięciu miesiącach, przysłał mi jeszcze do domu około sześciu wiadomości elektronicznych, aż wreszcie odpisałam mu kilka dni temu, informując, że nie, nie karmię i w związku z powyższym parawan nie będzie mi potrzebny. Na co dostałam odpowiedź: „W porządku, rozumiem. Ale mam nadzieję, że karmiła Pani przynajmniej przez trzy miesiące?".

Kolejne mamy po kolei zabierają głos i historia się powtarza.

– Mój mąż powiedział, że w ogóle nie muszę pracować, jeśli nie chcę, a ja zdecydowanie nie chcę.

– Wcześniej nie pracowałam, bo wiedziałam, że będę miała dzieci. Żadna z moich przyjaciółek i znajomych nie pracuje, towarzystwo do zabawy mały ma więc zapewnione. Może za jakieś dziesięć lat, kiedy dzieci podrosną i pójdą na dobre do szkoły. Nie wiem jeszcze.

– Lubiłam swoją pracę, ale wrócić mogę zawsze. A przecież moje słoneczko tylko raz będzie takie maleńkie, prawda? Chcę przy tym być.

Kiedy nadchodzi moja kolej, jestem bliska łez. Nie mogę przestać myśleć, że chyba jednak jest ze mną coś nie tak, skoro jestem jedyną osobą w tej sali, która naprawdę chce spędzać osiem godzin dziennie z dala od własnego dziecka.

– Laro – uśmiecha się w moją stronę Susan. – A ty?

Połykając łzy, biorę głęboki wdech i zdobywam się na odważny uśmiech.

– A ja wracam do pracy.

Na to rozlega się grupowy okrzyk zdumienia, odczuwam więc potrzebę złożenia wyjaśnień.

– Trudno mi będzie zostawić Parker – płyną słowa z moich ust – ale ja naprawdę kocham swoją pracę.

Wszystkie patrzą na mnie, jakby to było coś, co przechodzi ich zdolności pojmowania.

– Pracuję z nastolatkami – dodaję.

Wciąż gapią się w milczeniu.

– Daje mi to mnóstwo satysfakcji.

Nawet nie mrugną. Dobra. Muszę im to wyjaśnić w ich własnym języku.

– Na razie to niepełny etat. Trzy dni w tygodniu, od ósmej do czwartej.

Wreszcie uśmiechy. I wyraz ulgi na twarzy. „Uff, a już myślałam..."

A zaraz się zaczyna. Udawany podziw.

– To cudowne, że robisz coś dla siebie.

– Podziwiam cię, że potrafisz wrócić do pracy. Musisz być bardzo silna.

I moja faworytka:

– Brawo! Będziesz wspaniałym wzorem do naśladowania dla Parker.

Bla, bla, bla. Wiem, co myślą. Myślą sobie: Biedna Lara. Jej mąż nie radzi sobie zbyt dobrze i każe jej zostawić dziecko, żeby pracowała na pół etatu.

Pod koniec zajęć Melissa i kilka innych mamusiek planują wypad do pobliskiej pizzerii, decyduję się więc do nich przyłączyć, chociażby po to, żeby nie musiały wymyślać, kiedy Andrew i ja będziemy musieli poprosić o kartki żywnościowe.

Wchodzę do restauracji i zastaję tam kompletny chaos. Siedem mam, siedem maluchów, siedem wózków – całkowicie opanowałyśmy to miejsce – wreszcie więc w pełni rozumiem, o co chodzi z tym lunchem o jedenastej. To nie mogłoby się udać, gdyby nie fakt, że o tej porze pizzeria jest pusta. Podjeżdżam do wolnego miejsca przy stoliku, biorę krzesło, a Melissa od razu się na mnie rzuca.

– Laro, nie miałam pojęcia, że wracasz do pracy. To niewiarygodne. Będziesz – w powietrzu rysuje cudzysłów – „pracującą mamą".

Kiwam głową i uśmiecham się zmieszana, niepewna, co jej odpowiedzieć, kiedy wtrąca się Lisa.

– Będziesz mogła kontynuować nasze zajęcia?

– Tak. Pracuję w poniedziałki, wtorki i czwartki, w środy więc będziemy chodziły do Susan, a później może na jakieś zajęcia muzyczne albo jeszcze coś innego.

– O – Melissa na to, jakby dopiero teraz zrozumiała, o co chodzi. – Więc te trzy dni pozostają na stałe? Bo wcześniej wydawało mi się, że to tylko na rok.

Kręcę głową.

– Tylko w tym roku szkolnym. Po wakacjach wracam w pełnym wymiarze. W końcu jestem dyrektorem sekcji doradztwa akademickiego. To zobowiązuje.

Amy (mama Coopera), która siedzi po mojej lewej, wygląda na zaniepokojoną.

– A co z przedszkolem?

– A co ma być? – strzelam, wzruszając ramionami. – Zacznie jesienią, kiedy skończy dwa lata.

Amy uśmiecha się niepewnie, jakby nie chciała być posłańcem przynoszącym złą wiadomość.

– Ale jak chcesz załatwić okres przejściowy?

– Jaki znów okres przejściowy?

Lisa marszczy brwi, jakby się obawiała, że to właśnie powiem, po czym pochyla się do mnie i wyjaśnia.

– Na początku musisz być w przedszkolu z dzieckiem, dopóki się nie przyzwyczai i nie będzie chciało zostawać samo. Czasami to trwa nawet pół roku.

Gapię się na nią. W życiu o tym nie słyszałam.

– Hm – zastanawiam się – a co robią ci, którzy pracują?

Melissa i Lisa spuszczają wzrok, a Amy znów uśmiecha się przepraszająco.

– Wiesz, niektórzy chyba wysyłają nianie, ale są przedszkola, które nie dopuszczają opcji z nianią. Uważają, że dzieci czują się bezpieczniej i pewniej, kiedy są z nimi rodzice.

Patrzę na nią, jakby zaraz miało się okazać, że żartuje.

– Chcesz mi powiedzieć, że nie ma w tym mieście żadnych pracujących matek? – mój głos jest zupełnie bez wyrazu.

Wzrusza ramionami.

– Nie, jestem pewna, że jest ich tu mnóstwo. Po prostu posyłają dzieci do przedszkola dopiero, kiedy skończą trzy lata.

Opada mi szczęka.

Wyjaśnijmy coś sobie. Moje dziecko ma stracić cały jeden rok przedszkola, bo ja pracuję? Parker ma zostać ukarana za to, że ja chodzę do pracy?

Coś mi tu nie gra.

– Nie rozumiem, jak to możliwe. Przecież to zupełnie bez sensu.

Teraz już bardzo muszę się starać, żeby zachować spokój. „Opanuj się. Weź pod uwagę, kto to mówi – powtarzam sobie w głowie. – To nie najświatlejsze umysły twojego pokolenia". Amy upiera się jednak przy swoim.

– Mówię ci – słyszę jej drażniąco pewny siebie głos. – Jeśli masz zamiar posłać ją do przedszkola, kiedy skończy dwa lata, musi przejść aklimatyzację. Ale przecież masz nianię, prawda? Po prostu wybierzesz przedszkole, które dopuszcza opcję z nianią, i załatwione.

Dobra, dobra. Po pierwsze, niedoczekanie, żeby Deloris poszła z Parker do przedszkola. A po drugie, „opcja z nianią", Boże, jakie to pretensjonalne. I ciekawe, jakim symbolem przekazują swoje przesłanie społeczeństwu. Latynoska kobieta z wózkiem przekreślona grubą, czerwoną krechą? Typowe. Typowe Los Angeles.

Melissa kładzie mi rękę na ramieniu.

– Laro, czy ty musisz być tą pracującą mamą? – pyta delikatnie. Wiem, że z całą pewnością nie chce okazać mi swojej wyższości, a jednak mam ochotę dać jej w twarz.

– Nie – próbuję opanować głos. – Nie muszę. Wiesz, mam całkiem niezłą pensję, ale poradzilibyśmy sobie bez niej, gdybyśmy musieli – robię krótką pauzę. – Wiem, że trudno ci to zrozumieć, ale ja nie pracuję dla kasy. Ja po prostu lubię pracę. I brakuje mi jej.

Amy rozkłada ręce, a potem składa je na powrót, jakby zamykała sprawę.

– W takim razie, to po prostu twój wybór, i już.

Przy stole zapada niezręczna cisza, a jej słowa pozostają w powietrzu, dźwięcząc w mojej głowie.

Twój wybór. Twój wybór. Twój wybór.

Po drugiej stronie stolika Sabrina (mama Ashtona) uderza ręką w blat, próbując zmienić temat.

– Słuchajcie wszystkie – woła. – Mam świetną historię.

Wszystkie odwracają się w jej stronę, a ona zaczyna terkotać jak nakręcona.

– Byłam wczoraj w Gelson i kasjerka opowiadała mi o pewnej mamie, która odwiedziła ich w weekend, z dzieckiem, a dziecko miało biegunkę, a mama nie miała dodatkowej pieluchy ani ubrań, ani w ogóle nic, zostawiła więc dziecko w brudnej pieluszce, rozebrała je i przykryła papierowymi ręcznikami. Kasjerka powiedziała, że fetor było czuć w sklepie jeszcze przez trzy godziny po jej wyjściu. I co wy na to?

Wszyscy się śmieją, a ja błagam Boga, żeby nie zauważyły moich czerwonych policzków.

– O Boże – zaczyna Melissa. – To rzeczywiście śmieszne. Dlaczego po prostu nie kupiła pieluchy?

– Albo po prostu nie wyszła? – zastanawia się Lisa i odwraca do mnie. – Kto zostaje na zakupach w takiej sytuacji?

– Właśnie – przewracam oczami. – Jakaś totalna idiotka.

Po lunchu nie mam jeszcze ochoty wracać do domu, postanawiam więc zajrzeć do Stacey w jej nowym barze. Właśnie, Nadine wcale nie żartowała. Umówiła Jimmy'ego i Stacey na sobotni poranek, a do poniedziałkowego popołudnia Stacey miała wszystkie potrzebne zezwolenia i koncesje. Nawet nie potrafię sobie wyobrazić, jakie kwity ma Nadine na tych ludzi. Ale Stacey jest zachwycona. Perspektywa wykonania dziewięciu tysięcy rzeczy w dwa tygodnie jest dokładnie w jej stylu, i chociaż brzmi to nieprawdopodobnie, pracuje teraz dłużej niż w kancelarii. Nie mam pojęcia, co zrobi, kiedy już otworzy ten bar, i największym jej zmartwieniem stanie się doglądanie, czy nie grozi im aby brak Jacka Danielsa. Pewnie zacznie pozywać ludzi, tak żeby się nie zanudzić na śmierć.

Wchodzę, próbując manewrować moim wózkiem wśród kawałków sklejki oraz skrzynek pełnych szkła. Znajduję Stacey pod stołem, gdzie na kolanach zdziera nożem czerwony winyl z jednej z kanap.

– Cześć – witam ja, a ona wzdryga się zaskoczona. – Widzę, że w pełni wykorzystujesz swoje wykształcenie.

Niemal uderza się w głowę, podnosząc na mnie wzrok, ale w porę zauważa niebezpieczeństwo, a potem jej oczy spoczywają na Parker, śpiącą w swoim Snap-N-Go.

– Oczywiście, proszę profesor – zwraca się do mnie tak, jak moi uczniowie. – Co tutaj właściwie robisz?

– Tak wpadłam, zobaczyć, co słychać. Jeszcze nie dojrzałam do dzisiejszego spotkania z Deloris.

Stacey wyczołguje się spod stołu, wstaje i doprowadza się do porządku. Wyciąga prawą rękę i wskazując nią swoje królestwo, jak hostessa w programie *Idź na całość*.

– I co myślisz?

Rozglądam się wokół. Baru chwilowo brak, wszystkie kanapy pozbawiono tapicerki, świecą więc bebechami. Zerwano wykładzinę dywanową, z desek sterczą teraz gwoździe. No i gdzie nie spojrzeć – śmieci. Podnoszę wargę tylko z jednej strony.

– Przypomina Bejrut. Jesteś pewna, że zdążysz w półtora tygodnia?

Stacey wygląda na urażoną.

– Po pierwsze, w trzy dni załatwiłyśmy to, co zwykle zabiera trzy miesiące. Po drugie, bary nigdy nie wyglądają dobrze za dnia. Powinnaś to wiedzieć. A po trzecie, oczywiście, że zdążę. W krótszym czasie załatwiałam pełne wyposażenie całkiem sporych studiów filmowych. To betka.

– Mam nadzieję. Bo wczoraj Nadine rozesłała elektroniczne zaproszenia, tak czy inaczej spodziewaj się więc kilkunastu kobiet nastawionych na dobrą zabawę. Stało się.

– Dobra, dobra – Stacey spogląda na zegarek. – Hej, dochodzi pierwsza. Zjedz ze mną lunch, umieram z głodu.

– Właściwie to już jadłam, sorry, ale posiedzę z tobą. Parker powinna pospać jeszcze przynajmniej pół godziny.

Stacey wzrusza ramionami.

– To chodźmy. Tu obok jest niezły bar, można coś przekąsić.

Wychodzimy, osłaniam Parker od słońca, a potem idę za Stacey. Mijamy kilka sklepów, po czym Stacey zatrzymuje się i otwiera drzwi. Wchodzi do środka, a następnie puszcza drzwi, które omal nie uderzają w wózek.

– Dzięki – wołam do niej. – Naprawdę myślisz o wszystkich.

Ogląda się i obserwuje moją walkę z drzwiami, by w końcu podejść i przytrzymać je dla mnie.

– Boże – narzeka – ale ty jesteś upierdliwa.

Zajmuję stolik, Stacey zamawia lunch przy barze, a potem przysiada się do mnie, czekając na swoje zamówienie.

– No więc – pytam zaciekawiona. – Jak ci idzie? Jesteś zadowolona?

Stacey zastanawia się chwilę, przechyla głowę w jedną stronę i w drugą.

– Na dziś tak. Nie muszę za dużo myśleć i jestem ciągle zajęta, poza tym jestem przekonana, że wyjdzie z tego całkiem niezła knajpa. Ale nie wiem, czy mogłabym to robić na stałe. Mam wrażenie, że szybko by mi się to znudziło.

– To samo pomyślałam – wyznaję jej. – Trochę mi to przypomina mój urlop macierzyński. Fajne na kilka miesięcy, ale w żadnym wypadku na dłużej. Chociaż... Nieważne. Nie chcę cię zanudzać macierzyńskimi problemami.

Stacey śmieje się przez nos.

– Hej, ja mam teraz na głowie wyłącznie prace remontowe, jeśli więc nie zaczniesz opowiadać, będziesz zmuszona wysłuchać, jak trudno usuwa się winyl ze spodniej części dwuosobowych kanap przytwierdzonych do podłogi.

– Chyba spasuję.

– No więc, zaczynaj, słonko – Stacey wyciąga przed siebie ręce i przebiera palcami, jakby chciała wywabić z kryjówki psa.

– Hm – waham się. – No dobra. Jestem trochę rozdarta w kwestii powrotu do pracy. To znaczy, chcę, nawet bardzo, ale zaczynam się zastanawiać, czy to na pewno najlepsze dla Parker.

Stacey patrzy na mnie, jakbym jej właśnie oznajmiła, że zastanawiam się nad skokiem z samolotu bez spadochronu.

– Poważnie? Naprawdę zostałabyś w domu?

Wzdycham.

– Nie o to chodzi, że chcę, bo nie chcę.

– Czemu więc tak bluźnisz?

Myśli chwilę i dodaje.

– Coś się stało?

Kręcę głową.

– Nie, nic się nie stało. No, może nie nic. Byłam dziś na lunchu z mamunistkami i dowiedziałam się, że kiedy dzieci idą do przedszkola w wieku lat dwóch, muszą przechodzić jakąś aklimatyzację razem z rodzicami, a jeśli nie możesz, bo pracujesz, musisz poczekać z rozpoczęciem przedszkola kolejny rok. I nie wiem, co o tym myśleć. Nie chcę, żeby Parker musiała czekać rok dłużej, na pewno dużo by straciła.

Stacey przygląda mi się teraz przez zmrużone powieki i odnoszę wrażenie, że w tej osobie, która siedzi teraz przed nią, próbuje znaleźć tę dawną, znaną sobie Larę.

– Wiedziałam – mówi w końcu, kręcąc głową.

Wtedy przychodzi kelner z lunchem: cheeseburger z bekonem, frytki z serem, do tego sos farmerski oraz czekoladowy shake mleczny. Wygląda to jak atak serca na plastikowej tacy.

– Ale co? Co wiedziałaś?

Wkłada do ust kilka frytek, a potem odpowiada z pełnymi ustami.

– Wiedziałam, że będą cię chciały przekabacić. Ostrzegałam cię.

Przewracam oczami, podziwiając jednocześnie minimalny rozmiar jej ud, wyglądają po prostu jak dwie gałązki spoczywające na krześle.

– Wcale nie próbowały mnie przekabacać, Stacey. Normalnie uświadomiły mi pewne fakty. A fakty są takie, że jeśli pójdę do pracy, Parker zacznie przedszkole rok później.

Stacey w odpowiedzi też wywraca oczami i zatapia zęby w kanapce.

– Po pierwsze, nie mają pojęcia, o czym mówią. Parker może uporać się z aklimatyzacją w dwa dni, i po sprawie.

Jasne, jasne.

– Przepraszam cię, Stacey, ale wydaje mi się, że im bardziej mogę ufać w tych sprawach. Wątpię, żeby mogło to trwać dwa dni.

Posyła mi cheesburgerowy uśmiech.

– Fakty są takie, że większość dzieci robi to błyskawicznie. Miałam kiedyś klientkę z dzieckiem (pisała dla telewizji); mały chodził do przedszkola w Universalu i zaaklimatyzował się w pierwszym tygodniu. Mówiła, że połowa grupy miała to za sobą w dwa tygodnie, a tylko dwoje czy troje męczyło się ponad miesiąc.

– Universal ma swoje przedszkole?

Kiwa głową.

– Wszystkie studia mają. Na miejscu.

Niesamowite. Ponieważ praca w filmie i telewizji nie wiąże się z wystarczającą ilością przywilejów, mają więc też własne przedszkola.

– No dobrze. A jeśli Parker okaże się tym dzieckiem, które potrzebuje ponad miesiąc? Nie mogę ryzykować.

Stacey zasysa płyn przez słomkę.

– Niemożliwe. Wiesz, którym dzieciom było najtrudniej?

Kręcę głową w oczekiwaniu na odpowiedź.

– Tym z niepracującymi matkami. Te drugie były przyzwyczajone do przebywania z nianią albo w żłobku, nie było więc problemu. Ale te, które cały boży dzień spędzały z matką, po prostu wpadały w panikę. Jeden taki nie opuszczał swojej na krok. Nie mogła nawet siedzieć w drugim końcu sali. Jedną ręką kolorował obrazek, a drugą trzymał matkę, przez cztery miesiące – Stacey kręci głową. – To przecież chore. Osobiście wolałabym spędzać z dzieckiem mniej czasu, jeżeli to oznaczałoby lepsze przystosowanie do życia i umiejętność znalezienia się w sytuacji.

Przyglądam się jej przez chwilę.

– I to wszystko opowiedziała ci klientka? – pytam z niedowierzaniem.

Stacey kiwa głową i marszczy nos.

– Była dość gadatliwa.

Odchylam się na krześle, krzyżuję ręce i próbuję przetrawić, co powiedziała.

– Nic już nie wiem.

Stacey palcem zbiera z talerza resztę sosu, po czym wkłada go do ust.

– W jakiej kwestii? – pyta.

– W kwestii, kogo słuchać. Gdzie się nie odwrócę, każdy mówi co innego. Myślałam, że mogę ufać swojemu pediatrze, ale on okazał się do niczego. Zwraca mi uwagę na różne rzeczy o dwa miesiące za późno i ciągle obwinia mnie za przedwczesne przerwanie karmienia. Myślałam, że Deloris nauczy mnie, jak dobrze opiekować się Parker, myślałam, że będzie jak Mary Poppins, ale nie mogę jej zaufać, bo ona chce, żebym wszystko popsuła. Jest jak anty-Mary Poppins. Potem myślałam, że mogę liczyć na Susan, a dowiaduję się, że praktykuje medycynę bez zezwolenia. I sądziłam, że mamumistki będą przynajmniej wiedziały, o czym mówią, a ty mi oznajmiasz, że to wszystko bzdury.

Rozkładam bezradnie ręce.

– Komu mam więc zaufać? Kto mi powie, jak postępować z tym dzieckiem?

Stacey siorbie głośno resztki shake'a, potem wyciąga słomkę i oblizuje ją. Czasami zachowuje się obrzydliwie. Jakbym jadła lunch z dziesięcioletnim chłopcem. Kiedy już nie ma nawet kropli shake'a w kubku, na słomce i na plastikowym wieczku, podnosi wzrok i robi minę. Minę, która zupełnie wyraźnie daje mi do zrozumienia, że jestem całkowitą kretynką.

– Nikt, Laro. Nikt ci tego nie powie – odpowiada rzeczowo. – W tej sprawie możesz ufać tylko i wyłącznie sobie. To dlatego tak trudno wychowywać dzieci. Wszystko na ten temat.

Opieram się o krzesło i analizuję to, co usłyszałam.

Nikt.

Nie mogę w to uwierzyć, ale ona ma rację. Gdybyście mnie zapytali, kto będzie tą osobą, która udzieli mi najlepszej rady, jak wychowywać dziecko, prędzej otworzyłabym książkę telefoniczną, zaczynając wyczytywać nazwiska losowo, nim wymieniłabym Stacey. Ale ona ma absolutną rację. To właśnie Szanowna Pani Nie-Cierpię-Dzieci dała mi odpowiedź, na którą czekałam.

Wstaję, podchodzę do niej i całuję ją w policzek.

– Kocham cię.

Wyciągam z portmonetki dwadzieścia dolarów i kładę na stole.

– Ja płacę.

Po czym prędko łapię moją torbę na pieluchy, wyjeżdżam z Parker na zewnątrz i macham do Stacey, która, nawiasem mówiąc, wciąż patrzy na mnie jak na kretynkę.

20

Uznałam, że sytuacja z Deloris wymaga unormowania. Przecież za kilka tygodni wracam do pracy i nie mogę pozwolić sobie, żeby podkopywała moją pozycję, udając, że jedynie wykonuje swoją pracę. Czasami naprawdę wydaje mi się, że znajdujemy się z Deloris w stanie zimnej wojny, mniej więcej z czasów kryzysu kubańskiego. Analogia jest bardzo trafna, jak się przez chwilę zastanowić: Kennedy to ja (oczywiście), a ona jest Chruszczowem podkładającym pociski za moimi plecami. Przecież wiecie, co ona mi robi. Jest zła. I nic się nie zmienia, chyba że na gorsze. Posłuchajcie, co się ostatnio dzieje z drzemkami Parker.

Wszystko zaczęło się tego dnia, kiedy zauważyłam, że Parker jest najbardziej uśmiechnięta i zadowolona tuż po przebudzeniu. Powiedziałam wtedy do Deloris, że kiedy zabiera się ją z łóżeczka, zachowuje się, jakby co najmniej uratowano ją z Alcatraz. Cudowne, naprawdę. Patrzy między szczebelkami, czekając na kogoś, a kiedy spostrzega otwierające się drzwi, na jej twarzy pojawia się śliczny uśmiech – rysuje się w nim radość i ulga – kiedy zaś już ją podnosisz, prawie trzęsie się z podniecenia i wesoło gaworzy, jakby dawała ci do zrozumienia, że jest szczęśliwa. To bezcenna chwila, mówię wam.

W każdym razie, zdecydowałam, że chcę regularnie brać w tym udział, ponieważ a) to wspaniałe przeżycie oraz b) jeśli lubi być wyciągana z łóżeczkowego więzienia, zajmę wyższe miejsce w hierarchii, kiedy to ja będę przybywać z ratunkiem. Dlatego już przez tydzień zostaję w domu na czas drzemek Parker i staram się być przy niej tuż po przebudzeniu, żeby wyciągnąć ją z łóżeczka. Mówię, że się staram, gdyż

Deloris zamieniła tę czynność w jakąś cholerną dyscyplinę olimpijską. Nazywam ją sprint do Parker, bo ta kobieta dosłownie ściga się ze mną za każdym razem, kiedy Parker się budzi. To po prostu śmieszne. Jeśli chcę ją pokonać, muszę siedzieć w sypialni i wpatrywać się w monitor, a kiedy tylko Parker się poruszy, pędem wybiegać na korytarz. Ale, jeśli spojrzycie na rysunek zamieszczony poniżej, zrozumiecie, że gdy dobiegam do głównego korytarza, sprawy się komplikują.

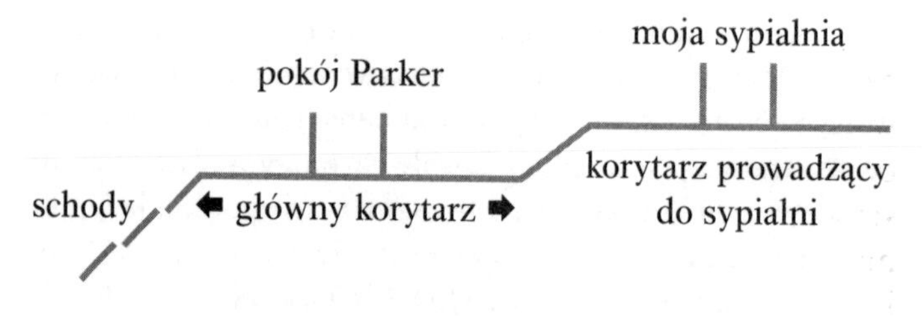

Rysunek

Deloris biegnie zazwyczaj schodami z dołu i znajduje się po drugiej stronie korytarza, kiedy ja dobiegam od strony sypialni. W chwili nawiązania kontaktu wzrokowego zaczyna się właściwy wyścig. Najpierw obie zwalniamy do szybkiego marszu, tak żeby ta druga nie myślała, że to rzeczywiście wyścig. Zarówno ja, jak i ona zmierzamy jak najszybciej do pokoju Parker i zwykle dochodzimy do drzwi w tym samym momencie. I tu zaczyna się decydująca faza całego pojedynku, bo wygrywa ta, która pierwsza przejdzie przez drzwi (chyba że, oczywiście, ktoś postanowi oszukiwać i podstawi tej drugiej nogę, o którą tamta się potknie, w efekcie czego przegra; tej strategii dotychczas nie wykorzystałam, ale zdecydowanie nie jest poniżej mojej godności). Tak więc z wielkimi fałszywymi uśmiechami, które mówią „wcale nie chcę cię pokonać, czyżbyś się ze mną ścigała?", przyklejonymi do twarzy,

Deloris i ja puszczamy łokcie w ruch i przepychamy się tak długo, aż w końcu jedna z nas zwycięsko wyłania się w pokoju, a druga pozostaje pokonana na progu, odsuwając z twarzy splątane włosy i pocierając posiniaczone ramię.

Jak dotąd, wygrałam dwa razy na sześć plus jeden remis, co brzmi okropnie, ale nie jest wcale takim złym wynikiem, kiedy weźmie się pod uwagę, że Deloris ma nade mną przewagę piętnastu centymetrów i prawie pięćdziesięciu kilogramów. Ale pracuję nad tym. Zapisałam się właśnie na tai-chi.

Te wyścigi to jedynie niewielka część problemu. To znaczy, jeśli lalka wudu o włosach w kolorze blond zadekowana w jej szufladzie wam nie wystarcza, doszło też do innych incydentów. Na przykład nie dalej jak wczoraj Deloris bawiła się z Parker w pokoju, podczas gdy ja się ubierałam. Przez monitor usłyszałam, że uczy ją, jak mówić „dada", „Delo" i „Zoey", ale ani piśnie „mama". Chyba nie muszę dodawać, że byłam wściekła i po całym dniu walki ze sobą postanowiłam, że niezależnie od tego, jak głupi jest według mnie plan Nadine, dam mu szansę, bo mam już dość.

„Boże, mam nadzieję, że Nadine wie, co robi".

Kiedy tylko Parker udaje się na przedpołudniową drzemkę, wchodzę do łazienki i staję przed lustrem. Najmocniej jak potrafię, pocieram oczy zwiniętymi w pięść dłońmi. Chcę, żeby były jak najczerwieńsze. Potem ścieram podkład pod oczami, aby w pełni uwidocznić ciemne kręgi. Sprawdzam w lustrze – powinno wystarczyć – i schodzę do kuchni, gdzie Deloris obiera czosnek. Normalnie kiedy wchodzę do kuchni, a Deloris się tam krząta, zwyczajnie ignorujemy się i każda załatwia swoje sprawy. Ale ponieważ dziś mamy Dzień Zwycięstwa nad Deloris, siadam przy stole, głośno wzdycham i co kilka sekund pociągam nosem, przeglądając jednocześnie pocztę. Kątem oka dostrzegam, że Deloris odwraca głowę, by na mnie spojrzeć.

„OK – myślę – przedstawienie czas zacząć".
Odzywam się, pamiętając o drżącym głosie.
– Deloris? – zwracam się do niej.
Deloris odwraca się i patrzy wprost na mnie.
– Słucham, pani Laro?
Znów wzdycham i udaję wahanie, ale ostatecznie decyduję się na wyznanie.
– Deloris, przepraszam, że zajmuję cię tak prywatnymi sprawami, ale nie wiem już, do kogo się zwrócić o pomoc... – milknę i zachowuję się tak, jakbym próbowała opanować emocje.
Deloris odkłada czosnek i przygląda mi się.
– O co chodzi, pani Laro? Czy to coś z dzieckiem?
Kręcę głową.
– Nie, nie. Nie chodzi o Parker. Czy... czy zauważyłaś, że ostatnio Andrew zachowuje się jakby inaczej?
Oczy Deloris zamieniają się w szparki, a ja widzę wyraźnie, że nie ma pojęcia, do czego zmierzam.
– Ale jak inaczej?
Pociągam nosem i żeby wyczarować kilka łez, wyobrażam sobie szczeniaczki, które ktoś zabija w bestialski sposób.
– Nie wiem.
Robię drżący, łzawy wdech i wydech.
– Ale wydaje mi się, że... – znów pauza, Deloris patrzy.
Aby wzmocnić dramatyzm, zniżam głos niemal do szeptu.
– Myślę, że Andrew grozi uwiedzenie.
Kiedy tylko wymawiam słowo „uwiedzenie", szybko zakrywam dłonią usta, jakby to było ponad moje siły.
Deloris sprawia wrażenie obrażonej. Prostuje się i kręci głową.
– Nie sądzę. Pan Andrew nie zrobiłby czegoś takiego rodzinie.
Ocieram kąciki oczu palcami wskazującymi.
– Ja też nie sądzę, ale jestem prawie pewna, że jedna kobieta chce go usidlić.

Deloris krzyżuje ramiona.

– Ale dlaczego tak pani myśli?

Teraz ostrożnie. Nie chcę, żeby Deloris rozzłościła się na Andrew, bo z mojego planu nici. Chcę, żeby widziała w Andrew ofiarę.

– Hm – zaczynam, głośno przełykając ślinę. – Jest taka kobieta, która chodzi na te same zajęcia, na które Andrew zabiera Zoey. Jest naprawdę śliczna, i jakby się do niego przykleiła. Zawsze ma jakąś wymówkę, żeby się z nim zobaczyć, spotkać, porozmawiać, i wydaje mi się, że to nie jest normalne.

Deloris pozostaje sceptyczna. Nie cierpię tego, ale chyba będę zmuszona uciec się do białego kłamstewka. Z tyłu trzymam kciuki, żeby się udało.

– W zeszłym tygodniu upiekła mu czekoladowe babeczki, bo powiedział, że to jego ulubione, a jeszcze wcześniej przez przypadek podniosłam słuchawkę, kiedy rozmawiali, i usłyszałam, że zrobi dla niego wszystko, wystarczy tylko, że powie słowo.

Dobra. Dwa małe, niewinne kłamstewka. Ale w słusznej sprawie. Cel uświęca środki.

Rzucam jej ukradkowe spojrzenie: Deloris cała aż kipi.

– Myśli pani, że pan Andrew mógłby się dać na to nabrać?

– Nie wiem, Deloris. Po prostu nie wiem. Czasami bywa taki naiwny. Powiedziałam mu, że nie podoba mi się ta jej ciągła obecność, ale on się upiera, że to zwykła znajomość. Współczuje jej, bo dopiero co się przeniosła do LA i nie zna tu nikogo. Ale ja jestem kobietą. I wiem, co ona knuje.

Nagle Deloris patrzy w górę, jakby doznała olśnienia.

– Czy ona jest blondynką? – pyta. – I ma bardzo ciemną skórę?

– Ty ją znasz? – pytam, udając złość.

Deloris kiwa głową, a jej dłonie zaciskają się w pięści. „Doskonale, aż nie mogę uwierzyć".

– Ale skąd?

„Właśnie, skąd?"

Może moje kłamstewka wcale nie są tak znów dalekie od prawdy?

– Była tu raz wieczorem – Deloris prawie krzyczy. – Pod domem. Pani była na górze z dzieckiem, a ja usłyszałam, że ktoś jest na zewnątrz, wyjrzałam więc przez okno i zobaczyłam ją. Stała przed drzwiami chyba z pięć minut. Myślałam, że może coś dla pani przyniosła. A ona pewnie chciała się z nim zobaczyć, a potem zmieniła zdanie, kiedy zorientowała się, że pani jest w domu.

Zastanawia się nad kolejnym scenariuszem.

– A może czatowała na niego. Czekała, aż wróci, żeby z nim porozmawiać, ale czekanie ją zmęczyło. A może zobaczyła mnie.

Wskazuje we mnie palcem.

– Coś takiego wydarzyło się kiedyś w tym serialu *Wszystkie moje dzieci*. Prawie dokładnie.

Teraz Deloris powoli kiwa głową, składając całą układankę, a ja uświadamiam sobie, że mówi o tym dniu, kiedy Courtney przyszła po smycz Zaka. Deloris widocznie nie widziała, że to Andrew ją przyprowadził i że z nią rozmawiałam. Musiała spostrzec ją przed domem, kiedy już wyszła po moim trzaśnięciu drzwiami.

Udaję przerażenie, słysząc tę informację, opieram łokcie na stole i chowam twarz w dłoniach. Obserwuję Deloris przez palce i widzę wyraźnie, jak zaciska usta i kręci głową.

– Co ma pani zamiar z tym zrobić? – pyta mnie.

– Nie wiem – mówię, nie zmieniając pozycji. – Po prostu nie wiem.

Deloris waha się, ale potem podchodzi do stołu, z przeciwnej strony niż ta, przy której siedzę, pochyla się i mówi delikatnie:

– Proszę powiedzieć mi prawdę, pani Laro. Myśli pani, że są kochankami?

Wzruszam ramionami i opuszczam ręce, żeby na nią spojrzeć.

– Nie – kręcę głową. – Nie wiem, dlaczego, ale myślę, że sprawy nie zaszły jeszcze tak daleko.

Deloris oddycha z ulgą i kiwa głową.

– Powinna pani zaufać swojemu instynktowi – znów celuje we mnie palcem. – Kobieta wie takie rzeczy.

Znów wzruszam ramionami.

– To, że jeszcze do tego nie doszło, nie oznacza, że już nie dojdzie – dodaję szybko, żeby nie stracić jej zainteresowania. – Jeśli naprawdę chce go uwieść, kto wie, co się wydarzy za kilka tygodni.

Robię pauzę, Deloris znów mnie słucha.

– Ale jeśli jej się uda... – uciekam wzrokiem daleko za horyzont, udając, że wyobrażam sobie najgorsze. – Jeśli to zrobi, chyba nigdy mu nie wybaczę. Kocham go, ale nie mogłabym dalej być jego żoną.

Deloris wygląda, jakby się miała rozpłakać. Milczy dobre trzydzieści sekund.

– Pani Laro – w końcu się decyduje. – Czy ufa pani Deloris?

„Jakże by inaczej" – myślę. Ufam jej tak bardzo, jak daleko potrafię nią rzucić. Ale kiwam głową.

– Oczywiście – kłamię. – Przecież, mimo że nie zawsze się zgadzamy, zajmujesz się moim dzieckiem. Komu mogłabym bardziej ufać?

Proszę, proszę, jeśli spojrzeć na to z tej strony, to wcale nie takie znów kłamstwo.

Deloris kiwa głową i przybiera poważny wyraz twarzy.

– W takim razie – oznajmia – Deloris pani pomoże. Powstrzyma to, zanim zajdzie za daleko.

Patrzy w stronę pokoju Parker.

– Moja dziewczynka nie może się wychowywać w rozbitej rodzinie. To nie jest dobre dla dziecka.

Albo Nadine ma jakieś zdolności pozazmysłowe, albo jest geniuszem. Dokładnie przewidziała, że Deloris tak właśnie zareaguje.

Deloris tymczasem wyciąga rękę i kładzie ją na moim ramieniu.

– Proszę się nie martwić. Deloris da sobie z tym radę.

Spoglądam na nią.

– Co chcesz zrobić?

W odpowiedzi uśmiecha się i ręką daje mi znak, żebym wstała.

– Chodźmy. Deloris chce pani coś pokazać.

Idę więc za nią aż do jej pokoju. Każe mi usiąść na łóżku, podczas gdy ona otwiera górną szufladę. Sięga do tyłu i kilka sekund później odwraca się, trzymając w dłoni blondynkę wudu.

– Wie pani, co to takiego?

Patrzę na nią przez chwilę.

„Pewnie, że wiem. To cholerna lalka wudu, która przedstawia mnie".

Ale udaję ciemną, jak tabaka w rogu.

– Wygląda jak… to znaczy, czy to lalka wudu?

Deloris potakuje.

– Dokładnie – potwierdza. – To lalka ochraniająca, która trzyma z dala wszystkie złe moce.

Mhm. Takie jak ja.

Przygląda się lalce, a potem odwraca ją w dłoni.

– Ale jeśli trochę ją zmienię, może działać jako lalka niszczycielska i zrobić to, na co wskazuje nazwa.

OK, czas minął. Podnoszę ręce.

– Zaraz, Deloris, nie chcę, żebyś ją zabijała ani nic takiego.

Deloris chichocze.

– To mit, że lalki wudu mogą fizycznie ranić ludzi. Lalka nie zniszczy kobiety, tylko jej moc, którą nad nim ma. A dodatkowo możemy wykorzystać zaklęcie, które spowoduje, że stanie się dla niego niewidzialna.

– Naprawdę? – pytam, unosząc jedną brew.

Deloris kiwa głową.

– Nazywa się „Odejdź, kobieto". To jedno z najsilniejszych zaklęć przeciw miłości.

„Wiedziałam! Wiedziałam, że ciągle rzuca te zaklęcia, żeby Parker mnie nie kochała. A Julie twierdziła, że to ja zwariowałam. Poczekajcie tylko, aż jej powiem".

Wzruszam ramionami.

– OK. W takim razie, dobrze. Co mam zrobić?

Następną godzinę Deloris poświęca na kręcenie się w kółko i posypywanie lalki różnokolorowymi proszkami i innymi miksturami, aż w końcu dokonuje się jej pełna metamorfoza ze mnie w Courtney. No, może metamorfoza to zbyt mocne słowo. Lalka wygląda właściwie tak samo, ale teraz ma na sobie białą bluzkę, a dodatkowo przekonałam Deloris, żeby przyprószyła jej twarz moim pudrem, żeby wyglądała na opaloną. Ale według Deloris mamy teraz przed sobą lalkę niszczyciela wykonaną przez haitańską kapłankę i lalka ta wykorzysta swoje moce w celu usunięcia Courtney z życia i z serca Andrew w ciągu kilku dni.

Mówię wam, ta kobieta ma nie po kolei w głowie.

Po kolei czy nie po kolei, ale w ciągu ostatnich dziewięćdziesięciu minut jej stosunek do mnie zmienił się diametralnie. Na przykład Parker obudziła się dwadzieścia minut temu, a Deloris zapytała mnie, czy chcę po nią pójść. A kiedy powiedziałam, że tak, uśmiechnęła się. Naprawdę. Potem, kiedy już przyniosłam Parker do pokoju Deloris i trzymałam ją na rękach podczas przygotowań lalki wudu, Deloris mówiła o mnie do Parker same miłe rzeczy. Jeśli nie zawodzi mnie pamięć, powiedziała chyba: „No proszę, Parker, jesteś chyba szczęśliwa, że możesz pobyć na rękach u swojej ślicznej mamy, prawda?". To był szok, naprawdę. Po prostu szok. Boże, gdybym wcześniej wiedziała, że wystarczyło jedynie nieco pobłażania dla tych głupot z wudu, już trzy miesiące temu zapytałabym ją, czy nie zna jakichś zaklęć, które pomagają zrzucić wagę. Hm. Właśnie, może teraz powinnam o to poprosić. No co? Na pewno nie zaszkodzi.

– Pani Laro – instruuje Deloris, trzymając lalkę. – Teraz pani zadanie. Proszę sformułować życzenie.

„Życzenie? Muszę mieć życzenie?". Przekładam Parker na lewe ramię, które ona zaczyna natychmiast gryźć.

– OK. A możesz mi dać jakiś przykład? Nie chcę tego zepsuć.

Deloris robi poważną minę i kręci głową.

– Życzenie musi być pani własne i może to być cokolwiek, byleby nie naruszało uniwersalnej zasady wszechświata.

Pewnie, wszystko jasne. Bo przecież każdy zna uniwersalną zasadę.

– Dobrze, Deloris – staram się nie mówić tonem zbyt sarkastycznym. – Co to za zasada?

Deloris podnosi palec wskazujący i grozi mi nim.

– Zasada mówi, że nie możesz życzyć tej kobiecie większego zła, niż ona wyrządziła tobie. Jeśli zostanie złamana, sama będzie pani musiała uporać się z karmą, którą pani na siebie ściągnie. Deloris już pani nie pomoże.

Żeby powstrzymać się od przewrócenia oczami, muszę na chwilę opuścić powieki.

– OK, rozumiem.

Deloris kiwa głową, podając mi lalkę, którą biorę do prawej dłoni.

– Dobrze. Proszę teraz dać mi Parker, żeby mogła to pani zrobić właściwie.

Podaję jej dziecko, oczekując na dalsze instrukcje. Deloris podchodzi do białej wiklinowej półki w rogu pokoju i wyciąga małą tackę, która wygląda, jakby została pomalowana przez czterolatka. Podaje mi ją.

– Proszę ją położyć na łóżku, a potem ułożyć na niej lalkę.

Co natychmiast czynię. Deloris wskazuje na podłogę.

– Teraz proszę klęknąć na podłodze przed łóżkiem, położyć prawy palec wskazujący na sercu lalki i kiedy będzie pani gotowa, sformułować życzenie.

O Boże. Jeśli oglądanie telewizji powoduje ADHD, to ciekawe, co może powodować oglądanie własnej matki klęczącej przed słomianą lalką w blond peruce. Założę się, że tego pytania Susan jeszcze nie słyszała.

– Muszę wypowiedzieć je głośno? – upewniam się, klękając.

Deloris kręci głową.

– Nie. Wystarczy, że pani pomyśli, lalka i tak usłyszy.

Rany. Sama nie wierzę, że to robię. Z ociąganiem klękam i kładę palec na jej sercu, potem patrzę na Deloris, żeby przekonać się, czy wszystko w porządku. Kiwa, że tak, i wzrokiem daje sygnał, żeby iść dalej. Życzenie, życzenie. Jakie jest moje życzenie?

Zobaczmy... „Chciałabym mieć normalną nianię. Chciałabym mieć taką kolekcję butów jak Sarah Jessica Parker. Chciałabym mieć bielsze zęby. Chciałabym..."

– Lalka może spełnić tylko życzenie, które dotyczy tej kobiety – ostrzega Deloris. Zaskoczona, odwracam głowę i przyglądam się jej podejrzliwie, a jej spojrzenie mówi mi „ale cię przyłapałam".

Niemożliwe. Nie może wiedzieć, o czym myślałam. Pewnie każdy myśli najpierw o czymś innym.

– Zastanawiam się. Chcę to zrobić dobrze.

Deloris wysuwa jedną stopę do przodu i zaczyna nią niecierpliwie postukiwać o podłogę.

– Dobrze, już dobrze. Jestem gotowa. Jezu.

Biorę głęboki wdech i zamykam oczy.

„Boże, jakie to głupie".

– Życzenie! – domaga się Deloris.

Kładę palec na usta.

– Ciii – mówię z zamkniętymi oczami.

Zaraz wypowiem idiotyczne życzenie, żeby się wreszcie odczepiła. Zmieniam ton głosu, który rozbrzmiewa w mojej głowie na taki fałszywy głos skruchy, taki mniej więcej, jaki ma Bart Simpson kiedy przeprasza, że pluł w klasie kulkami z plasteliny, i myślę życzenie.

Mimo że Andrew mnie nie zdradza, chciałabym, żeby przestał się przyjaźnić z Courtney i żeby Courtney przestała chodzić na zajęcia agility.

No. Gotowe. Otwieram oczy, zabieram dłoń z lalki i wstaję.

– Bardzo dobrze – mówi Deloris, biorąc lalkę. – I zobaczy pani. Życzenie na pewno się spełni. Lalki Deloris zawsze się sprawdzają.

– Mam nadzieję – wyciągam ręce po Parker i ku mojemu zaskoczeniu, Deloris natychmiast mi ją podaje. To dopiero czary. Dobrze, zobaczę, co jeszcze da się zrobić.

– Zabiorę ją do salonu i pobawimy się – mówię ostrożnie.

– OK, a ja mam trochę prania, proszę więc mnie szukać w pralni.

Stoję tam przez sekundę, oszołomiona, niezdolna wypowiedzieć słowa.

– Super – wykrztuszam w końcu. – To na razie.

Idziemy z Parker do salonu, gdzie bawimy się, niekontrolowane przez przyzwoitkę, tylko we dwie, przez całe czterdzieści pięć minut.

Mam oficjalny komunikat. Zimna wojna dobiegła końca.

21

– Julie, idziesz ze mną na ten wieczór panieński. Bez dyskusji. Nie ma innej opcji.

– Ale ja nikogo tam nie znam – jęczy. – I wcale nie mam ochoty przyglądać się, jak obcy ludzie się upijają. Dlaczego muszę iść?

– Bo jesteś moją przyjaciółką. A przyjaciółki nie pozwalają na to, by ich przyjaciółki chodziły same na przypadkowe wieczory panieńskie.

Julie wydaje z siebie westchnienie protestu.

– Ale przecież nie będziesz sama. Będzie tam Stacey.

– Stacey jest właścicielką baru – informuję ją. – Będzie w pracy, nie na imprezie. Słuchaj, chcesz, żebym cię błagała? To będę.

Po drugiej stronie słuchawki cisza.

– Dobrze. Błaaaaagaaaam cię, Julie, błaaaagaaam, błaagaaaam, pójdź ze mną na tę imprezę. Naprawdę jesteś mi tam potrzebna. Proszę.

Kolejne westchnienie, tym razem westchnienie rezygnacji. Uśmiecham się.

– OK – ustępuje Julie. – Pójdę z tobą. W czym idziesz?

– Nie mam pojęcia. W czymś, w co się zmieszczę.

– Ile jeszcze musisz zrzucić? – pyta, a w jej głosie słyszę zdziwienie. – Wyglądasz tak szczupło.

– Dwa kilogramy, i całe dwa z brzucha. Przysięgam, mam fałdę na piętnaście centymetrów. O, właśnie. Mogłabyś zapytać siostrę, czy nad blizną zwisa jej płat skóry? Bo mój jest okropny i chyba zapytam lekarza, czy następnym razem da się coś z tym zrobić.

– Następnym razem? – niedowierza Julie. – Masz zamiar mieć jeszcze jedno dziecko?

– Wiesz, nie tak od razu, ale kiedyś tak.

– Naprawdę? Bo tak nie cierpiałaś ciąży, no i po urodzeniu Parker taka byłaś nieszczęśliwa. Nie mogę uwierzyć, że chcesz przez to przejść jeszcze raz.

– Nie powiedziałam, że już się na to cieszę, ale chcę mieć drugie dziecko. Muszę. Andrew chyba by umarł, gdyby nie miał syna.

– A jeśli będzie druga córka? Zdecydujesz się na trzecie?

– Nie przesadzajmy. Wtedy niech Andrew umiera. A może spróbujemy sortowania spermy. Słyszałam, że w wypadku chłopca szanse powodzenia wynoszą osiemdziesiąt pięć procent. Ale teraz to bez znaczenia. Daleka droga. Pozwól mi zrzucić resztę nadwagi po jednej ciąży, zanim znowu zostanę zapłodniona.

– W porządku – prawie słyszę przez telefon ten jej głupi uśmieszek. – Ale jestem z ciebie taka dumna. Gdybym trzy miesiące temu powiedziała, że o czymś takim wspomnisz, chyba pogoniłabyś mnie z pistoletem.

– Cóż, dzięki, mamo. To dużo dla mnie znaczy. A co słychać w sprawie Instytutu? Jakieś wieści?

Tym razem słyszę westchnienie frustracji.

– Nic. Trzy razy do nich dzwoniłam, czy może nie zmienili zdania i zapiszą nas na tę rozmowę, ale nic z tego. Powtarzają tylko, że rozmowa nie jest warunkiem przyjęcia, ale skoro to nic takiego, to po co je przeprowadzają?

– Nie wiem. Może po prostu sprawdzają niepewne przypadki. Pomyślałaś o tym? Może was od razu zakwalifikowali i żadna rozmowa nie jest im potrzebna.

Wręcz słyszę, jak przechodzi na tryb pozytywnego myślenia, rozważając taką ewentualność.

– Naprawdę myślisz, że to możliwe?

– Możliwe jest wszystko. Czy kiedykolwiek przyjęli tam kogoś bez zaproszenia na rozmowę? Może o to powinnaś zapytać.

– Świetny pomysł. Zaraz do nich dzwonię.

– Zrób to. I posłuchaj, przyjadę po ciebie w sobotę o wpół do dziewiątej, OK?

– OK – zgadza się niechętnie, ale teraz, kiedy rozjaśniłam jej dzień, niechęci jest już mniej niż poprzednio.

– I żadnych nawalanek – ostrzegam.

– Nie nawalę – zapewnia Julie.

– Jesteś najlepsza. Na razie.

Jakieś pół godziny później do drzwi dzwoni mój ojciec. Rozmawialiśmy rano przez telefon i zapytał wtedy, czy może wpaść po południu odwiedzić Parker, a ja postanowiłam być wspaniałomyślna i zgodziłam się. Oczywiście zaraz potem przyszło mi do głowy, że złamałam już trzy z pięciu zasad, które ustaliłam dla siebie w związku z nim. Przypominam:

1. Nie spotkam się z jego narzeczoną. (No dobra, trudno.)
2. Nie chcę mieć nic wspólnego ze ślubem. (Zastanówmy się: starościna, przygotowanie przyjęcia przedślubnego oraz wieczoru panieńskiego w barze najlepszej przyjaciółki; barze, którego sprzedaż zorganizowała rzeczona narzeczona, której nie miałam zamiaru poznawać.)
3. Nie pozna Andrew i nie będzie spędzał czasu z Parker. (Andrew: patrz incydent z tupecikiem przy grillu. Parker: patrz wyżej.)

Wciąż jednak mocno się trzymam zasad czwartej i piątej, a to właśnie one są najważniejsze:

4. Nie będę w stosunku do niego ciepłą i kochającą córką.
5. Chociaż to mało prawdopodobne, możliwe, że kiedyś wybaczę mu to, co zrobił, ale nigdy, przenigdy mu tego nie zapomnę.

Jeśli zastanawiacie się, dlaczego złamałam jednak zasadę numer trzy, rozumiem was. To znaczy – na waszym miejscu też bym się zastanawiała. Na pewno sądzicie, że ma to coś wspólnego z tymi czterema milionami, ale tak nie jest, przysięgam. Pewnie, że byłoby wspaniale, gdyby ustanowił dla Parker fundusz powierniczy, ale nie wstrzymuję oddechu. Ronny Levitt nie jest człowiekiem, który łatwo rozstaje się z gotówką, i nie oczekuję, że rozstanie się z nią dla mojego dziecka chętniej, niż rozstałby się z nią dla mnie. Chociaż po sobotniej kolacji dał Deloris napiwek. To było naprawdę dziwne. Podszedł do niej i wręczył jej pięćdziesiąt dolarów, a potem podziękował za posprzątanie talerzy i opiekę nad Parker w czasie, gdy jedliśmy. Ja oczywiście wyskoczyłam ze swoim:

– Tato, nie musisz dawać napiwków naszej niani.

Ale on obstawał przy swoim. Że tak się należy. Andrew pomyślał, że może na starość staje się mniej skąpy, albo będąc milionerem, zdał sobie sprawę, że już nie musi na wszystkim oszczędzać, ale ja mam na ten temat swoje zdanie. I uważam po prostu, że zbyt wiele czasu spędził w Vegas. Przecież hazardziści znani są z wysokich napiwków. To nieodłączna część ich stylu życia.

W każdym razie, pozwalam mu zobaczyć się z Parker, ponieważ zaczynam podejrzewać, że ocena Nadine może okazać się trafna. Postanowiłam wziąć pod uwagę możliwość, że chce dobrze, ale gdzieś po drodze się pogubił. To spory krok, wiem, ale im więcej czasu z nim spędzam, tym bardziej Nadine mnie przekonuje. Na przykład odnoszę wrażenie, że ojciec rzeczywiści chce się ustatkować i naprawdę mieć znów rodzinę. Często dzwoni i chce spędzać z nami czas. Zaoferował nawet, że może popilnować Parker, kiedy Deloris ma wolne. Nie, no jasne, że nie mam zamiaru się zgodzić, ale chodzi o gest.

Nie, nie, wciąż jeszcze nie wierzę mu w stu procentach – nawet nie wiem, czy kiedykolwiek będę w stanie to zrobić – ale uznałam, że mogę dać mu szansę. Ostatecznie zawsze istnieje możliwość, że pewnego dnia schrzanię sprawy z Parker, a gdyby tak się stało, mam nadzieję, że ona również zrobi dla mnie chociaż tyle. Wiecie, chodzi o karmę, złą karmę, i teorię, że co dajesz, to dostajesz. Nie wierzę w nią, ale trochę się boję tak zupełnie i otwarcie w nią nie wierzyć, na wypadek gdyby jednak okazała się prawdą. To zabawne, ale ojciec wybrał chyba najlepszy czas, żeby znów pojawić się w moim życiu. Nie sądzę, że byłabym taka wspaniałomyślna, gdybym dopiero co nie urodziła dziecka. Nawet nie mogę z pełnym przekonaniem stwierdzić, że wpuściłabym go tego dnia do domu. Kiedy człowiek zostaje matką, zupełnie inaczej patrzy na pewne sprawy.

Otwieram drzwi, ojciec wchodzi. Chce mnie uściskać na powitanie, ale odsuwam się. Powiedziałam tylko, że daję mu szansę, a nie, że złamię kolejną zasadę.

– Cześć, niunieczka – mówi, wycofując się.

– Cześć, tato.

Prowadzę go do salonu, gdzie zostawiłam Parker. Leży sobie na macie z alfabetem. (Nawiasem mówiąc, Andrew ze swoim planem „Jedna litera tygodniowo" utknął na „A". Po trzech dniach Parker zaczynała płakać, kiedy tylko rozpoczynał kolejny wywód tym swoim Ascetycznym, Asympatycznym głosem.) Ojciec podchodzi do Parker, siada obok niej i bierze ją na kolana.

– Oho – komentuje jej ciężar. – Co ty jej wlewasz do butelki, czekoladowe shaki?

Opieram ręce na biodrach.

– To nie jest śmieszne. Dzieci rozumieją, kiedy mówi się o nich złe rzeczy. Parker może nie wie dokładnie, co to znaczy, ale wie, że coś ci się nie podoba. Zrób mi więc przysługę i przystopuj z tymi komentarzami, że jest G-R-U-B-A, OK?

– OK, OK. Nie wiedziałem, że nagle stałaś się taka politycznie poprawna.

Przewracam oczami.

– Nagle to może dla ciebie. Bo jestem taka już od jakiegoś czasu.

Ściska udo Parker i patrzy na mnie.

– Miałaś takie same nóżki. Pulchniutkie.

Gromię go wzrokiem „co ja przed chwilą powiedziałam?", a on kiwa głową na znak, że zrozumiał.

– Przepraszam. Żadnych G-R-U-B-Y-C-H uwag, obiecuję.

Odwraca Parker przodem, a ona obdarza go szerokim uśmiechem.

– Sam powiedz, czy nie jest najsłodszym stworzeniem, jakie widziałeś? – pytam ojca, siadając obok niego na podłodze.

Kiwa głową i wzdycha.

– Wprost nie mogę uwierzyć, że jesteś matką. Mam takie żywe wspomnienia z twojego dzieciństwa. Wciąż widzę cię jako małą dziewczynkę. A teraz jesteś taka inna. Dorosła. Mam wrażenie, że cię w ogóle nie znam.

– Tato – bardzo się staram nie mówić wrogo. – Nie chcę cię urazić, ale tak przecież jest. Nie znasz mnie. Nie było cię przecież całe moje dorosłe życie.

– Tak, wiem – mówi smuto. – Ale chyba myślałem, że aż tak się nie zmienisz. Myślałem, że wrócę, a wszystko będzie po staremu. Że ciągle będziesz taka jak w liceum: kapitan cheerleaderek, zestresowana kolejną klasówką. Nie spodziewałem się takiej zmiany.

– Och, aż tak to się nie zmieniłam.

Ale on kiwa głową.

– Owszem, zmieniłaś się – powtarza. – Jesteś twardsza niż kiedyś i nie tak ufna. I mówisz to, co myślisz. Jako dziecko nigdy tego nie robiłaś. Jeśli się z kimś nie zgadzałaś, zawsze siedziałaś cicho, żeby nikogo nie zdenerwować. Bardzo mnie to martwiło. Powtarzałem twojej matce, że cię zadepczą, gdy tylko wyjdziesz w prawdziwy świat.

„Widzicie, mówiłam wam, że jestem do niczego. Zawsze tak było".

– Tobie mówię, co myślę – tłumaczę mu – ale innym ludziom niekoniecznie.

„Zapytaj choćby nianię".

– Tak czy siak, słuchając cię, można pomyśleć, że straszna ze mnie wiedźma. Aż tak źle mnie odbierasz?

– Nie – kręci głową. – Ja cię nie krytykuję. Uważam, że to wspaniałe. Jestem dumny, że tak się zmieniłaś – wzrusza ramionami. – Może jednak moja nieobecność wyszła ci na dobre.

– A może z tobą w pobliżu byłabym jeszcze lepsza.

Przypatruje mi się przez chwilę, a potem spuszcza wzrok.

– Kiedyś mnie wielbiłaś – mówi ze spojrzeniem wbitym w podłogę. – Nieważne, co zrobiłem, zawsze mi wybaczałaś. Nie szkodziło, że opuściłem występ taneczny albo nie zdążyłem na przyjęcie urodzinowe. Twoja miłość była bezwarunkowa.

Podnosi Parker delikatnie i całuje ją w czubek głowy.

– I to w dzieciach jest najlepsze, Laro. Że kochają cię niezależnie od wszystkiego – przerywa. – A potem dorośleją i mądrzeją.

Podnosi wzrok, a ja spostrzegam łzy w jego oczach.

– Tego się chyba nie spodziewałem. Uznałem, że będziesz mnie nadal kochać, tak jak przedtem, nawet po tym, co zrobiłem, bo zawsze wcześniej tak właśnie było.

Parker zaczyna się wiercić, zabieram więc ją od niego. Opieram ją o swoje ramię, a ona natychmiast się uspokaja. Wzdycham. Nie spodziewałam się po tej wizycie sesji terapeutycznej. Myślałam, że uda nam się posiedzieć razem z Parker, udając, że w pokoju nie ma ogromniastego słonia i wszystko jest w porządku, tak jak to robią WASP-y. Chyba jednak się nie uda. Cholera, dlaczego Żydzi zawsze muszą tyle gadać? Kołyszę Parker przez chwilę, próbując zebrać myśli.

– Wiesz, tato, kiedy zniknąłeś, określiłam cię symbolem, którego nie da się wymówić, a nazywałam „miernotą znanym uprzednio jako mój ojciec".

Wykrzywia się na te słowa.

– OK – mówi. – Miałaś prawo.

Potakuję.

– Ale wiesz, ostatnio sporo o tym myślałam i doszłam do wniosku, że jest w tym przezwisku sporo prawdy.

Wygląda, jakby zaraz miał się zdenerwować, ale daję mu znak ręką, żeby poczekał.

– Nie chodzi o to, że jesteś miernotą. Nie w tym rzecz. Ale o tę drugą część, „uprzednio znany jako mój ojciec", tak właśnie się czuję. To znaczy, ciągle cię kocham, ale kocham tamtego ciebie – tłumaczę, walcząc ze łzami. – Kocham faceta, który był moim ojcem, kiedy ja byłam dzieckiem. A w każdym razie faceta, którym myślałam, że jesteś, kiedy byłam dzieckiem. Ale ty nie jesteś tym facetem. I może nigdy nie byłeś, sama już nie wiem. – Wzruszam ramionami i kontynuuję:

– Tak jak ty czujesz, że ja jestem już inną osobą, moje odczucia w stosunku do ciebie są bardzo podobne. Chcę przez to powiedzieć, że zanim zacznę cię znowu kochać, najpierw muszę cię poznać. I może ty też musisz mnie najpierw poznać, żeby znów mnie pokochać.

Przypominam sobie, co Stacey powiedziała mi wtedy w górach o Parker, i uśmiecham się.

– Wiesz, nie możesz kochać kogoś, kogo nie znasz, najpierw musisz zbudować ten związek, popracować nad nim.

Sprawia wrażenie zasmuconego, jakby moje słowa przełamały mu serce na pół.

– Masz rację. Po prostu zaskoczyło mnie to, i już.

Spogląda na zegarek, a potem, jakby nie zdawał sobie sprawy, że zrobiło się tak późno, czym prędzej wstaje.

– Muszę lecieć – mówi zaniepokojony. – Już się spóźniłem na przymiarkę smokingu.

Przypomina mi Kopciuszka na balu, kiedy zegar wybija północ, i zastanawiam się, czy jego wielki mercedes zamieni się zaraz w dynię. Kładę Parker na macie, a sama wstaję z podłogi. Ojciec stoi przede mną, jakby nieswój.

– Laro – mówi – czy mógłbym cię przytulić?

Brzmi to prawie jak błaganie i jest takie żałosne, że znów mam w oczach łzy. Nie mogłabym mu teraz odmówić. Nawet ja nie jestem aż taka nieczuła.

Wzdycham.

– Oczywiście, że możesz – odpowiadam, wyciągając do niego ramiona. Podchodzi bliżej, obejmuje mnie i zostajemy tak przez jakiś czas.

To tyle na temat zasady numer cztery.

– Kocham cię bardziej niż kogokolwiek i cokolwiek na świecie, Laro – jego głos jest niski, mówi prawie szeptem. Odsuwa się, w oczach ma łzy i uśmiecha się niepewnie. – Kiedy człowiek jest rodzicem, nigdy nie przestaje kochać, niezależnie od tego, ile minęło czasu albo jak bardzo się zmieniłaś.

Przesuwam wzrok na Parker i, żeby się jakoś opanować, gryzę własny policzek.

– Wiem, tato, wiem.

Andrew wraca i zastaje nas z Deloris i Parker w salonie. Parker próbuje usilnie przekręcić się na brzuszek.

– Jest już tak blisko – mówi Deloris.

– Wiem – odpowiadam. – Mam nadzieję, że niedługo się jej uda. Na zajęciach z Susan połowa dzieci już się przewraca. Naprawdę nie chcę, żeby była ostatnia.

– Uda się jej. Zrobi to w swoim czasie.

Andrew chrząka i kładzie klucze na stoliku przy kanapie.

– Dobry wieczór – mówi, zaskoczony naszym widokiem.

– Dobry wieczór – odpowiadamy razem.

Andrew uśmiecha się, chociaż to oczywiste, że nie bardzo wie, co się tutaj dzieje.

– Jesteś dziś wcześnie – zauważam, podchodząc do niego i całując go szybko w usta – Co się stało?

– Nic. Chciałem po prostu spędzić trochę czasu z tobą i Parker, a ponieważ nie miałem nic szczególnie pilnego, wyszedłem wcześniej.

– To wspaniale – mówi z entuzjazmem Deloris. Cała promienieje, przyglądam się jej więc przez chwilę, próbując odgadnąć, dlaczego się tak dziwacznie zachowuje. Deloris nieznacznie unosi brwi, posyłając mi znaczące spojrzenie „a nie mówiłam?" Boże. Ona wierzy, że to zaklęcie. Muszę uważać, żeby się nie roześmiać.

– Dobrze, w takim razie Deloris zje kolację, jeśli nie macie nic przeciwko temu. Pozwólmy rodzinie nacieszyć się sobą.

– OK, dzięki, Deloris – mówię do niej.

Odwraca się w moją stronę i ponownie się uśmiecha.

– Ależ proszę bardzo – po czym wychodzi do kuchni.

Andrew jest wyraźnie zdezorientowany. Biedaczek. Pewnie czuje się, jakby go ktoś niespodziewanie przeniósł do równoległego wszechświata, czy coś takiego.

– O co tu właściwie chodzi?

– O nic – informuję go. – Deloris i ja pogadałyśmy sobie dzisiaj. Chyba zaczynamy się zaprzyjaźniać, mniej więcej.

– Serio? – Andrew jest teraz podekscytowany tą perspektywą. – A co się zmieniło?

– Nic się nie zmieniło. Po prostu powiedziałam jej o swoich odczuciach dotyczących pewnych rzeczy, a ona zareagowała pozytywnie. Już dawno powinnam to zrobić.

Parker uśmiecha się do ojca, wymachując rączkami.

– A, widzisz tatusia, tak? Kochasz tatusia, Parker?

– Dlaczego więc tego nie zrobiłaś? – chce wiedzieć Andrew.

Podnoszę Parker i podaję mu ją.

– Dlaczego nie zrobiłam czego?

Bierze ją ode mnie, a potem ściska jej nóżkę.

– Dlaczego nie powiedziałaś jej wcześniej o swoich odczuciach dotyczących pewnych spraw?

– Och, bo wcześniej o tym nie pomyślałam. To pomysł Nadine. Stwierdziła, że do osoby pokroju Deloris nie można podchodzić jak oskarżyciel. Pamiętasz, na grillu, kiedy trochę na nią krzyknęłam, a ona po prostu sobie poszła?

Andrew pokazuje, że pamięta.

– No więc, Nadine uznała, że to nie był właściwy sposób postępowania w wypadku Deloris. Powiedziała, że jeśli chcę się z nią dogadać, muszę jej okazać swoją słabość. I to właśnie zrobiłam. I wiesz co? Rzeczywiście. Deloris zmieniła swoje nastawienie do mnie o sto osiemdziesiąt stopni.

Andrew kiwa głową na lewo i prawo, przyglądając mi się podejrzliwie.

– Dziwnie się zachowujesz. Słuchasz rad Nadine i jesteś miła dla Deloris. Czy dzieje się tutaj coś, o czym nie wiem?

Patrzę na niego i śmieję się sardonicznie.

– Andrew, tutaj zawsze dzieje się coś, o czym nie wiesz. Jeszcze się nie zorientowałeś?

Wzrusza ramionami i kręci głową.

– I chyba nie chcę wiedzieć, prawda?

Posyłam mu jeszcze jeden uśmiech.

– Prawda. Tego akurat nie chcesz.

22

Stoję w swojej garderobie, przyglądając się ulubionym, czarnym, obcisłym spodniom. Przechodziłam wcześniej okres codziennego ich przymierzania – pamiętacie?– potem robiłam to co tydzień, a kiedy stało się to zbyt przygnębiające, zaprzestałam rytuału. Mija już chyba miesiąc od czasu, kiedy ostatnio o nich myślałam. Ale dziś, po pierwsze, jest wieczór panieński, a po drugie, Parker kończy dokładnie cztery i pół miesiąca, czuję więc, że to dobry dzień. Ściągam spodnie z wieszaka i wychodzę z dresu, który noszę od rana.

„Jeśli nie pasują, to trudno, ale błagam, błagam, błagam, niech mi pasują".

Powoli wkładam w nogawkę prawą nogę, potem lewą, a później podciągam spodnie. Do samej góry, i wcale nie sprawiają wrażenia legginsów. Dobra, dobra, nie ciesz się zbyt wcześnie. Już to przerabiałam. Chodzi o to, czy dadzą się zapiąć. To biodrówki, czyli muszą objąć moje ostatnie dwa kilogramy tłuszczu, które usadowiły się właśnie w brzuchu, łatwiej więc powiedzieć niż zrobić. Ale dam sobie szansę. Wciągając brzuch, ile się tylko da, prostuję się i próbuję przełożyć guzik przez dziurkę.

Boże. Udało się. Udało się! Moje czarne spodnie pasują! Pasują! Szkoda, że nie mieszkam w drapaczu w samym środku Nowego Jorku. Wyszłabym na dach, żeby obwieścić tę radosną nowinę bliźnim. „Hej, ludzie. Dopięłam swoje spodnie!". Oczywiście opryskliwi sąsiedzi zareagowaliby natychmiast, wykrzykując: „Cicho tam, zamknąć się, ludzie chcą spać", ale ani trochę by mnie to nie obeszło. Rozłożyłabym ramiona i zaczęłabym śpiewać:

Nie zgasicie mnie, nie uciszę się,
Chcę dziś śpiewać, chcę dziś krzyczeć, cały świat niech wie,
Że dopięłam właśnie [uderzenie perkusji] *spodnie meeeee!*

Właśnie. Mam pomysł na musical. *Spodnie me.* Jeśli ktoś zna Tima Rice'a, czy moglibyście mnie z nim skontaktować? Dzięki.

Obracam się wokół własnej osi przed wielkim lustrem i podziwiam odbicie swojego tyłka z różnych stron. Wygląda tak... dobrze. Naprawdę, każdy powinien mieć takie spodnie. Bardzo podnoszą samoocenę. Nie wspominając o podniesieniu pośladków. Świetnie. Przymierzam kilka bluzek i ostatecznie wybieram dłuższą, bladoróżową, bez rękawów, z wycięciem w kształcie litery „V". Do tego srebrne szpilki od Christiana Louboutina i mała srebrna kopertówka zapinana na zatrzask.

Hm, doskonale. Teraz naprawdę się cieszę na ten wieczór poza domem.

O ósmej trzydzieści podjeżdżam pod dom Julie, ale oczywiście jeszcze nie jest gotowa, zanim więc ona skończy suszyć włosy, muszę wejść do środka i pogadać z Jonem.

– Hej, Jon – całuję go w policzek.

– Cześć, Lar, nawet nie pamiętam, kiedy cię ostatnio widziałem. Dobrze wyglądasz.

– Dzięki – dotykam ręką włosów. – A co u ciebie?

– Nieźle. Niezmiennie ciężka praca.

Kiwam głową. Nie mamy z Jonem wielu wspólnych tematów. Właśnie dlatego na wspólne spotkania zabieram ze sobą bufor w postaci Andrew.

– Hm, czyj więc właściwie jest ten wieczór panieński?

– O, narzeczonej mojego ojca. Ma czterdzieści dziewięć lat, ale zachowuje się, jakby miała dwadzieścia jeden.

Jon unosi brwi.

– Powinno być ciekawie – przewiduję.

Po czym zapada niezręczna cisza. Oboje myślimy, co by tu powiedzieć. Pierwszy wpada na pomysł Jon.

– Zastanawialiście się już nad przedszkolem dla dwulatków?

Rany, on i Julie są tak bardzo dla siebie stworzeni, że aż mi się robi niedobrze.

Kręcę głową.

– Nie bardzo. Wiesz, jak skończy trzy lata, i tak pójdzie do Bel Air Prep, nie martwię się więc tym specjalnie.

Jon potakuje.

– Świetnie. Pewnie Julie opowiadała ci o Instytucie?

– Tak. Ale to tylko rozmowa. Sam ten fakt nie oznacza jeszcze, że was nie przyjmą.

Jon wzrusza ramionami.

– Może – mówi, zniżając głos. – Ale, szczerze mówiąc, sądzę, że to z powodu tych wypracowań.

„No tak, mogłabym coś o tym powiedzieć. Zaraz, ale przecież już to powiedziałam. Idiotka".

Właśnie mam zamiar zacząć wykład o tym, jak to mówiłam jej, że są do bani, ale ona nie chciała słuchać, kiedy Jon zaczyna mówić dalej.

– Wiesz, uważam, że odwaliła kawał dobrej roboty, całe to lanie wody i tak dalej, ale napisała „zaangażowanie" przez rz, i to dwa razy. Kto w dzisiejszych czasach nie sprawdza pisowni w Wordzie? Uch. Byłem na nią wściekły.

Czy on sobie ze mnie żartuje? Myśli, że nie zaprosili go na rozmowę kwalifikacyjną z powodu błędów ortograficznych? A może raczej całe wypracowanie to jeden wielki błąd? Jezu. Naprawdę mam nadzieję, że Lily nie dostanie się do Bel Air Prep, bo nie chciałabym za siedemnaście lat mieć do czynienia z Julie i Jonem, kiedy Lily będzie wybierać college. Rodzice z najkoszmarniejszego koszmaru.

Jest wreszcie Julie. Zbiega ze schodów. W białych rybaczkach, turkusowej bluzce bez rękawów, płaskich srebrnych sandałach z turkusowymi kamyczkami. Na plecy narzuciła rozpinany sweterek do kompletu z bluzką, rękawy związując z przodu. Jak zwykle, wygląda, jakby się wybierała na żagle.

– Sorry – usprawiedliwia się. – Lily późno poszła spać, dopiero za piętnaście siódma weszłam pod prysznic.

Bierze wielką torbę Louis Vuitton, zakładając ją na ramię.

– Cześć, kochanie – całuje męża w policzek. Potem patrzy na mnie. – Kiedy będziemy w domu? Koło dwunastej?

Chyba zwariowała. Nie ma mowy, żebyśmy wróciły przed drugą.

– Jasne – odpowiadam.

Jon macha nam na pożegnanie.

– Bawcie się dobrze.

– Dzięki! Będziemy! – wykrzykuję, łapię ramię Julie i prowadzę ją do drzwi.

Wchodzimy do baru – Stacey zmieniła nazwę na Kalifornia – pół godziny przed ustaloną godziną rozpoczęcia imprezy. Jestem olśniona. Czyżbyśmy pomyliły knajpy? Kanapy oraz barowe stołki są obite kobaltowo-niebieskim zamszem, na obrzeżach ozdobionym srebrnymi ćwiekami. Stoliki i bar zabejcowano na kolor ciemnej czekolady, a na podłodze zamiast wykładziny znalazły się deski. Nowe oświetlenie, kabina dla didżeja, po obu stronach baru wielkie podesty, jakby dwie sceny czy parkiety, których krawędzie ozdobnie wykończono. Rzeczywiście super. Jestem zdumiona. Nie tylko nie mogę uwierzyć, że zdążyła z tym wszystkim na czas, nie mogę też dać wiary, że Stacey ma taki dobry gust. Przecież ta kobieta już przez siedem lat mieszka w niemal pustym mieszkaniu. Nie miałam pojęcia, że stać ją na coś więcej niż IKEA i składane skrzynki do przechowywania rzeczy.

Kiedy oglądamy wnętrze, nagle obok nas pojawia się Stacey, w czarnych skórzanych spodniach i jasnoniebieskiej bluzce wiązanej z boku, ledwie mieszczącej jej biust.

– I jak? – wzdrygamy się na dźwięk jej głosu.
– Fantastycznie – mówię od razu. – Stoję tu z rozdziawioną gębą. Wynajęłaś dekoratora wnętrz?
Kręci głową.
– Nie. Sama to wymyśliłam. Miałam wizję.
Julie otwiera szeroko oczy.
– Naprawdę ekstra. Wiesz, mogłabyś zająć się tym na poważnie. Ja bym cię wynajęła.
Przygryzam wargę i staram się nie roześmiać. Stacey na posadzie dekoratora wnętrz u Julie. Ha.
– Tak – mówi Stacey, posyłając mi pogardliwe spojrzenie. – Dzięki, ale nie.
Gdybyście nie wiedzieli: Stacey nie znosi Julie. Ta ostatnia jest zbyt radosna jak na jej gust. Oczywiście Julie nie ma o tym pojęcia, ponieważ jest zbyt miła, by przyszło jej do głowy, że ktoś może jej nie lubić za to, że jest miła, ale chyba zdaje sobie sprawę, że irytuje Stacey, co powoduje, że stara się być dla niej jeszcze bardziej miła, a wtedy Stacey ma ochotę przyłożyć jej pięść do nosa. Lubię je obserwować, jest niezła zabawa.
– Kawał dobrej roboty – kontynuuję pochwały. – Jestem pod wrażeniem. A teraz, jeśli nie masz nic przeciwko, mogłabyś mi pomóc z przygotowaniem imprezy?
Stacey kręci głową.
– Halo? Mamy tu dziś dzień otwarcia. Czeka na mnie kilka ważniejszych rzeczy niż twoja impreza.
Wskazuje na seksownego przystojniaka w czarnych skórzanych spodniach i obcisłym czarnym T-shircie, który stoi w rogu, rozmawiając z kelnerką, również w czarnych skórzanych spodniach i czarnym T-shircie.
– To mój kierownik. Ma na imię Tom. Tom Collins – śmieje się. – Idealne nazwisko dla kierownika restauracji, nie uważasz?
Kiwam głową.

– W każdym razie, jeśli czegoś potrzebujesz, zwróć się do niego. Ja mam jeszcze kilka spraw na głowie. Na razie.

Oddala się, kieruję więc swoje kroki w stronę Toma Collinsa, który stoi teraz przy wejściu ze słuchawką w uchu. Chrząkam i ślę mu zalotny uśmiech: „Cześć, jestem fajną dziewczyną, wpuść mnie więc do środka". Stosowałam ten środek z bramkarzami dawno temu, ale muszę wam powiedzieć, że teraz nie czuję się z tym dobrze. Jakbym kłamała, jakbym udawała, że jestem młoda i beztroska, i często bywam w barach, podczas gdy naprawdę jestem starą klępą, która nie oglądała klubu od środka od czasów Clintona. Ale Tom Collins wydaje się tego nie zauważać.

– Witam – uśmiecha się do mnie w odpowiedzi. – W czym mogę pomóc?

Mhm, słodki.

– Ee… właśnie. Urządzam tu dzisiaj wieczór panieński i chciałam się zorientować, czy możemy zarezerwować kilka stolików i może postawić już na nich parę butelek, zanim zejdą się goście.

Kiwa głową i znów się uśmiecha, potem zagląda mi w dekolt. Rumienię się. Boże, ile to czasu, odkąd ostatnio mi się to zdarzyło? Ciekawe, co by zrobił, gdyby dowiedział się, że mam prawie trzydzieści jeden lat, a pod bluzką skrywam dwa kilogramy tłuszczyku oraz pietnastocentymetrową bliznę po cesarskim cięciu, jak również okropny fałd zwisającej skóry. No tak. Pewnie posłałby mnie na koniec kolejki.

– Oczywiście – mówi Tom Collins z seksownym uśmiechem. – Zaraz to załatwimy. Może zawołam kelnerkę, a tymczasem napije się pani czegoś?

– Dzięki – jeszcze jeden zalotny uśmiech z mojej strony. – Wódka z tonikiem.

Normalnie poprosiłabym także o drinka dla Julie, ale w tej chwili chcę się rozkoszować jego uwagą. Jeśli zdradzę, że Julie jest ze mną, zaraz się zorientuje, ile mam lat. Wiem, że to nie wina Julie, ale ona zawsze wygląda jak najbardziej typowa mama.

– Oczywiście. Zaraz się tym zajmę.

Odwracam się i zaraz potem rzucam mu spojrzenie przez ramię. Idzie tyłem, gapiąc się na mój tyłek. Znów się rumienię, a on uśmiecha się do mnie, po czym robi zwrot w tył. Boże, niesamowite te spodnie.

Julie usadowiła się w jednym z boksów. Podchodzę i siadam obok niej.

– Właśnie ktoś mnie podrywał – oznajmiam jej. – I to przystojniaczek.

Uśmiecham się od ucha do ucha, ale Julie jest zaskoczona.

– Naprawdę? I ty też z nim flirtowałaś?

– Jasne – kiwam głową, nie przestając się uśmiechać. – Fantastyczne uczucie.

Julie parzy z niepokojem.

– Miedzy tobą a Andrew wszystko w porządku?

– W jak najlepszym porządku. Nie mam zamiaru iść z nim do łóżka. Pewnie nawet go już dziś nie zobaczę. Ale dobrze jest wiedzieć, że mam jeszcze to coś, i tyle.

– Dobra, ale ja nie mam dziś zamiaru flirtować. Będę postronnym obserwatorem.

Przewracam oczami na naszą Jane Goodall, kiedy do stolika podchodzi kelnerka, stawiając przede mną wódkę z tonikiem.

– Firma stawia – wskazuje do tyłu, w miejsce, gdzie zniknął mój przystojniaczek. – A ja przygotuję zaraz stoliki.

– Dziękuję.

Kiedy już kelnerka odchodzi, rzucam Julie znaczące spojrzenie.

– Laro, bądź ostrożna i nie zrób czegoś głupiego – ostrzega moja przyjaciółka.

– Julie, daj spokój. Wyluzuj. Czasami potrafisz zepsuć całą zabawę. Masz – podaję jej moją wódkę z tonikiem – To dla ciebie. Widzę, że bardziej go potrzebujesz. Ja mogę poczekać.

* * *

Dziesięć minut później zaczynają pojawiać się ludzie, a do czasu przyjścia Nadine lokal jest już niemal przepełniony. Nadine wystroiła się w obcisłe czarne spodnie oraz głęboko, głęboko, głęboko wyciętą czarną bluzkę wyszywaną z przodu złotymi cekinami. Ku mojemu zaskoczeniu, zwyczajowe dwunastocentymetrowe czerwone szpile zostały zastąpione chyba o połowę niższymi, i to w dodatku czarnymi. Ale, na wypadek gdyby bez nich miała nie przyciągnąć wystarczająco dużo uwagi, przybyła w otoczeniu niesamowicie pięknych, niemożliwie szczupłych kobiet w nieprawdopodobnie skąpych strojach. Ich wygląd rzeczywiście wskazuje, że mogły być striptizerkami. A nawet, że były striptizerkami, ale jednocześnie wyczuwa się, że te kobiety nie rozbierają się w zamian za drobne. Za brylanty, być może, ale na pewno nie za byle jaki banknot.

W każdym razie, przy nich czuję się jak łoś. W tym momencie moje dobre samopoczucie pryska więc jak bańka mydlana.

– No, no – mówi Nadine, rozglądając się wokoło. – Nie poznaję tego miejsca. Nawet Jimmy by go nie rozpoznał!

– Prawda? – wołam do niej. – Fantastyczne!

Nadine potakuje, a potem przedstawia mnie swojej paczce.

– Laro, oto moje przyjaciółki.

Na każdą wskazuje, wymieniając jej imię.

– Leila, Tawny, Brandi, Gemma, Eden, Marley już znasz.

Wszystkie mi machają, a ja usiłuję nie wgapiać się w ich biusty.

– Cześć. Jestem Lara. A to moja przyjaciółka Julie.

Spoglądam na Julie, ale ona jakby zamarła. Jakby nigdy w życiu nie widziała jeszcze na żywo silikonowych piersi. Szturcham ją pod stołem, na jej twarzy rozkwita więc natychmiast ten jej fałszywy uśmiech.

– Cześć. Miło was poznać.

Potem zwraca się do Nadine.

– Gratulacje, na pewno jesteś taka podekscytowana…

Nadine również się do niej uśmiecha i kiwa głową.

– Skarbie, nie masz nawet pojęcia, jak bardzo.

Macham ręką i przerywam im.

– Te trzy stoliki są nasze – wskazuję na dwa za tym, przy którym siedzimy. – Butelki w gotowości. Wystarczy, że znajdziecie kelnerkę, to je otworzy i zmiesza według życzenia.

Nadine, Marley i Gemma, tak mi się wydaje, wślizgują się na nasze kanapy, reszta postanawia najpierw zobaczyć bar. Kiedy odchodzą, Julie zwraca się do mnie.

– Muszę iść do łazienki – świergocze tak wesołym i pogodnym głosem, jakiego nigdy jeszcze u niej nie słyszałam, a w końcu to przecież Julie. – Pójdziesz ze mną? Proszę?

Tak, teraz da mi szkołę. Jest jedyną osobą, której głos staje się wyższy i bardziej uprzejmy, kiedy się zdenerwuje. Wzdycham i spełniam jej życzenie. Gdy dochodzimy do łazienki, prawie płacze.

– Kim one są? Te kobiety? Wiedziałaś, że tutaj będą?

Kręcę głową.

– Nie. To znaczy, Nadine miała przyprowadzić znajome, ale nigdy wcześniej ich nie widziałam. Owszem, spotkałam Marley, ale wtedy była w pracy, wyglądała zupełnie inaczej.

– Laro, nie mam zamiaru tu z nimi zostawać – stwierdza Julie. – To jakieś gwiazdy porno czy coś. Nigdy w życiu nie czułam się taka zażenowana.

– To nie gwiazdy porno. Chociaż myślę, że niektóre z nich mogły być kiedyś striptizerkami.

Julie blednie.

– Posłuchaj, Nadine to dobry człowiek. I nie zaprosiłaby ich tutaj, gdyby były narkomankami czy prostytutkami, i tak dalej. Zaufaj mi, OK? Wiem, że wyglądają inaczej niż my, ale na pewno są bardzo miłe.

Julie nie jest jednak przekonana.

– Nie wiem, Lar. Uważam, że powinnam się stąd zwijać.

– Julie, nie przesadzaj, może po prostu daj im szansę. Jeśli za godzinę nie zmienisz zdania, odwiozę cię do domu. Przyrzekam. Proszę. Proszę, zostań ze mną.

Marszczy czoło.

– OK – zgadza się. – Ale tylko godzinę.

Kiwam głową i obejmuję ją.

– Dzięki. Wielkie dzięki, Julie.

Wracamy do naszego stolika, przy którym Marley i Gemma czarują jakichś sześciu facetów. Przepychamy się z Julie przez obłok testosteronu i siadamy na swoich miejscach.

– Jesteśmy – oznajmiam Nadine, która z kolei próbuje trzymać się z daleka od zabawy przy stoliku.

Twarz Nadine rozjaśnia uśmiech.

– Jest fantastycznie. Ta Stacey to wulkan energii.

Kiwam głową na znak, że w pełni się z nią zgadzam, a Nadine zwraca się do Julie.

– Julie, a czym ty się zajmujesz?

Julie lekko się rumieni.

– Właściwie niczym – odpowiada, jakby czuła się nieswojo. – Wychowuję córeczkę.

– Julie ma dziesięciomiesięczną Lily – informuję Nadine. – To ona nauczyła mnie wszystkiego o dzieciach. – Nadine robi minę „ho, ho", a ja mówię dalej, chcąc w ten sposób podlizać się Julie i wpłynąć na zmianę jej zdania w kwestii powrotu do domu. – Bez Julie bym zginęła. Powiedziała mi o zajęciach „Mama i ja", poszła ze mną na pierwsze zakupy, kiedy jeszcze byłam w ciąży, teraz uczę się o przedszkolu. Julie wie wszystko.

Nadine robi wrażenie zaskoczonej.

– Już myślisz o przedszkolu? Przecież Parker jest jeszcze taka mała.

Na to wtrąca się Julie.

– Nie masz pojęcia, jaka jest konkurencja. Właściwie trzeba by o tym myśleć już w momencie poczęcia.

Kiedy Julie wyjaśnia Nadine zawiłości zapisów do przedszkola w LA, zauważam, że męski harem Marley i Gemmy zaczyna emigrować do stolika obok, odwracam się więc, by zobaczyć, cóż takiego może być bardziej powabne i kuszące niż Marley, Gemma, ja, Julie i Nadine. A, no tak, Brandi, Tawny, Eden oraz Leila wróciły z obchodu, a Brandi pokazuje właśnie Eden swój nowy tatuaż, który znajduje się na kości biodrowej. Cóż. Jak sądzę, niewiele może z tym konkurować. Odwracam się z powrotem i słyszę ostatnią część zdania Julie.

– ...chcieliśmy dostać się do Instytutu, ale nie zaprosili nas na rozmowę, wydaje mi się więc, że chyba nie mamy już szans.

Nagle Nadine macha w powietrzu ręką.

– Instytut? – woła. – Czy Dan Gregoire wciąż jest tam dyrektorem?

Julie, zupełnie zszokowana, kiwa głową, że tak, a Nadine robi minę, jakby mówiła: „To betka".

– Skarbie. Mogę ci załatwić miejsce w Instytucie. Dan to jeden z moich bardzo, bardzo starych znajomych.

Niewiarygodne. Czy w tym mieście nie ma faceta, który nie byłby „starym znajomym" Nadine? Zaczynam myśleć, że jestem o wiele bardziej naiwna, niż mi się wydaje, bo nie miałam pojęcia, że tak wielu mężczyzn regularnie korzysta z usług dam do towarzystwa.

– Mówisz poważnie? – upewnia się Julie. Wygląda, jakby za chwilę miała rzucić się Nadine do stóp.

– Ależ oczywiście. Zaraz w poniedziałek rano do niego dzwonię. We wtorek listonosz przyniesie list z informacją o przyjęciu.

– O Boże – wykrzykuje Julie. – Nie masz pojęcia, ile by to dla mnie znaczyło.

Przerywa, chyba po to, żeby się opanować, a potem ciągnie dalej, nieco wolniej.

– Nie mogę wprost uwierzyć. Co za szczęśliwy zbieg okoliczności. Jaki mały jest jednak ten świat. Wychodzisz za ojca Lary i znasz Dana Gregoire. To takie niewiarygodne, że nie mogę...

Nagle Gemma odrywa się od swojego drinka i przerywa jej.

– Dan Gregoire? – wrzeszczy pijackim głosem. – Czy to nie ten, który lubił małe dzieci? Kazał mi wkładać mundurek, a potem bił mnie linijką. Czy nie tak się nazywał?

Julie zakrywa usta dłonią, a Nadine sprawia wrażenie, jakby zaraz jej oczy miały wystrzelić płomieniem ognia.

– Przepraszam, dziewczęta – mówi do nas z uśmiechem, po czym łapie ramię Gemmy, wyszarpuje ją od stolika i ciągnie do kąta. Nie słyszę, co mówi, ale celuje palcem w jej twarz i Gemma wygląda na przerażoną. Julie, Marley i ja obserwujemy całe zdarzenie, po minucie jednak Marley nas przeprasza i również do nich podchodzi. Kładzie dłoń na ramieniu Nadine, jak sędzia, który próbuje je rozdzielić.

Julie patrzy na mnie.

– O czym ona mówiła? O co jej chodziło z tym mundurkiem?

Zamykam oczy. Cholera. Jest wiele powodów, dla których nie chciałabym, żeby Julie poznała prawdę o Nadine, a jeden z nich, wcale nie ostatni, to to, że jest straszną plotkarą, która kilkoma strategicznymi telefonami mogłaby tą wiadomością obudzić całe West Side.

– Nie mam pojęcia. Nie wiem, o czym mówiła.

Julie przygląda mi się przez sekundę.

– Właśnie, że wiesz – upiera się. – Widzę to. W ogóle nie umiesz kłamać, Laro. Masz mi natychmiast powiedzieć, co tu się dzieje. Kim są te kobiety?

– Jul – gram na zwłokę. – To nie moja rola. Jeśli chcesz wiedzieć, musisz sama je o to zapytać.

Julie krzyżuje ręce i unosi brew.

– Laro – mówi, wyciągając z torebki komórkę. – Jeśli w tej chwili mi nie powiesz, dzwonię na policję i zgłaszam, że jest tu siedem prostytutek, które należy aresztować.

Przewracam oczami.

– Po pierwsze, nie bądź śmieszna. Nawet gdyby nimi były, a nie są, ale nawet gdyby, nikogo w tej chwili nie nagabują. Nie ma nic nielegalnego w przychodzeniu do baru w bluzce z dekoltem i krótkiej spódniczce. A po drugie, nie umiesz w ogóle blefować. Jeszcze bardziej niż ja nie umiesz kłamać. Błagam, nie próbuj nigdy pokera.

Julie patrzy na mnie rozwścieczona, jej głos wznosi się na szczyty.

– Mów natychmiast – żąda. – Mów albo więcej się do ciebie nie odezwę. Nie żartuję, Laro. Przywlokłaś mnie tutaj, należy mi się wyjaśnienie.

Tym razem chyba nie kłamie. Jest rzeczywiście zła. Boże, jakie dziwne to życie. Chyba nigdy wcześniej nie widziałam, żeby Julie była zła. Nawet nie wiedziałam, że ona w ogóle potrafi się złościć.

– Jul – mówię błagalnie. – Proszę cię, zrozum, to nie moja tajemnica.

Łapie swoją torebkę i wstaje.

– Już, Laro. Mówisz albo koniec naszej przyjaźni. Na zawsze.

Waham się, a ona kręci głową.

– OK. W takim razie: cześć.

Odwraca się, jakby zamierzała odejść.

Cholera jasna. Nie mogę uwierzyć, że muszę powiedzieć Julie o Nadine. Tak długo udawało mi się nie wygadać, a teraz wszystko popsuję, wyjawiając wszystko Julie? Właśnie jej?

– Poczekaj – chwytam ją za ramię. – Siadaj. Powiem ci, w porządku?

Kiwa głową, potem siada. Siada, odwracając się przodem do mnie, wciąż z założonymi rękami.

– Mów – rozkazuje.

No, no, kto by pomyślał, Julie-dominująca samica. Staram się utrzymać poważny wyraz twarzy, wyobrażając sobie Julie idącą z pejczem do biednego Jona, który siedzi związany w tajemnej komnacie tortur, zakamuflowanej w domu za garderobą. Potrząsam głową, by pozbyć się tego obrazka.

– OK – mówię. – Ale musisz przyrzec, że nie powtórzysz nikomu tego, co teraz ci powiem. Nikomu. Ani Jonowi, ani swojej matce, ani siostrom. Nikomu.

– OK. Przyrzekam.

Nagle przypominam sobie, jak powiedziała zupełnie obcym mi osobom, że jestem w ciąży, zanim jeszcze sama to ogłosiłam, zgodnie z teorią, że skoro ich nie znam, to mogą poznać mój sekret i w takim wypadku to bez znaczenia. Na myśl o tym żołądek podchodzi mi do gardła. Uświadamiam sobie, że sprawa wymaga dalszych negocjacji.

– I nie powiesz też osobom, które mnie nie znają. To nie to samo, co powiedzenie, że ktoś, kogo nie znają, jest w ciąży. To poważna sprawa. Jeśli się wyda, może zniszczyć ludziom życie. Nadine może zostać aresztowana. Rozumiesz?

Julie kiwa głową. Wydaje się rozumieć powagę sytuacji.

– Rozumiem. Przyrzekam. Nikomu ani słowa.

– Dobrze. W tej chwili daję ci dowód mojego zaufania. Nikomu jeszcze o tym nie mówiłam. Nawet Andrew.

Julie otwiera oczy ze zdziwienia i teraz wiem, że w końcu dociera do niej, że to nie przelewki. Rozglądam się wokół, żeby upewnić się, że nikt nas nie podsłuchuje, a potem biorę głęboki oddech.

– Nadine prowadziła agencję towarzyską – zniżam głos. – Niektóre z tych dziewczyn pracowały u niej. Wszyscy do nich przychodzili, politycy, gwiazdy filmowe, dyrektorzy wytwórni... a także, jak się okazuje, prywatnych instytucji edukacyjnych. Była po prostu pierwszą hollywoodzką burdelmamą.

Julie opada szczęka i ma spory problem z umieszczeniem jej na właściwym miejscu.

– O Boże – szepcze. – I twój ojciec się z nią żeni?

Potwierdzam skinieniem.
– Wiem, wiem. Próbowałam go od tego odwieść, ale oni rzeczywiście się kochają – wzruszam ramionami. – Chociaż teraz, kiedy poznałam ją lepiej, uważam, że trafiło mu się jak ślepej kurze ziarno. Nadine jest naprawdę w porządku. I ma złote serce. Pomoże każdemu, także ludziom, których zupełnie nie zna. Popatrz, ile zrobiła dla Stacey. A teraz powiedziała, że pomoże tobie. Trudno uwierzyć w to o Danie Gregoire – chichoczę. – Założę się, że w tej sytuacji chyba już się nie martwisz, że nie zaprosił cię do siebie?
Julie patrzy na mnie oczami bez wyrazu.
– Laro, to jest Instytut. Najlepsze przedszkole w tym mieście. Oczywiście, że się martwię.
Opiera łokcie na stole i pochyla się do mnie.
– Masz pojęcie, jakich rodziców spotyka się w Instytucie?
Kręcę głową.
– Politycy. Gwiazdy filmowe. Dyrektorzy wytwórni. To pewnie od nich Dan Gregoire dostał numer Nadine – prostuje się, sprawiając wrażenie bardzo z siebie zadowolonej. – Zastanów się, to, że chodził do agencji towarzyskiej jest najlepszą rzeczą, jaka mogła mi się przydarzyć. Musi mnie przyjąć, jeśli Nadine mu to powie. Obiecaj, że w poniedziałek przypomnisz jej o telefonie do niego.
Jestem w szoku. Nawet nie wiem, co jej odpowiedzieć.
– Julie, mówisz to poważnie? Facet nie poszedł jedynie do agencji. Słyszałaś, co ona powiedziała? Że lubi małe dzieci. To ma swoją nazwę. Pedofilia, mianowicie. Naprawdę chcesz, żeby Lily pałętała się w pobliżu, wiedząc, że pewnego dnia jej widok w mundurku może go pobudzić?
Julie kręci głową.
– Przede wszystkim, zakładasz, że ona mówi prawdę. A po drugie, nawet jeśli tak jest, dopóki nie dotknie dziecka, to, co podnieca Dana Gregoire'a, jest mi zupełnie obojętne. Nie moja sprawa. Nigdy nie słyszałam, żeby ktoś się na niego skarżył. Właściwie rodzice go uwielbiają.

Patrzy mi w oczy.

– I wierz mi, Laro, nie musisz martwić się, że pisnę słówko komukolwiek. Nie mam żadnego interesu w tym, żeby psuć opinię Instytutowi. Chcę, żeby mi to załatwiła, a potem udamy, że tej rozmowy nigdy nie było. OK?

Na mojej giełdzie akcje Julie spadły gdzieś do poziomu rozgrzanej do czerwoności lawy we wnętrzu ziemi. Nie mogę w to uwierzyć. Cóż to za rodzic, że coś takiego nie ma dla niej znaczenia? Ha. A ja cały czas uważałam, że Julie to ideał matki. Żałowałam, że nie jestem bardziej do niej podobna. Boże. A więc to Stacey ma rację? Wszyscy tylko udają? Ale zanim mam szansę naprawdę się nad tym zastanowić – albo oskarżyć Julie, że zależy jej tylko na kolejnym szczebelku społecznej drabinki i jest w stanie poświęcić własne dziecko, byle tylko zostać zaproszoną na lepsze przyjęcia – przybiega Marley.

– Laro, jesteś potrzebna.

Waham się, niepewna, czy moja rozmowa z Julie dobiegła już końca, czy nie.

– To ważne – nalega Marley.

Patrzę na Julie, która daje mi znak, żebym szła.

– Pogadam z Nadine – mówi do mnie. – Nie przejmuj się mną.

Proszę, proszę. Imponujące.

– OK.

Julie odchodzi, zwracam się więc do Marley.

– No więc? Co się stało?

Jest zaniepokojona, nachyla się do mnie, bardzo blisko.

– Mamy problem.

23

Dziesięć minut później przemierzam salę w poszukiwaniu Nadine, ale rozwój wydarzeń nie czeka, niestety, aż ją znajdę. W końcu dostrzegam ją na drugim końcu baru, pogrążoną w rozmowie z Julie. Idę do nich najszybciej, jak tylko mogę, ale właśnie w momencie, kiedy jestem tuż przy nich, facet w mundurze policjanta kładzie dłoń na ramieniu Nadine. Marley, Gemma, Brandi i cała reszta gangu Scoobiego otoczyli Nadine, ale nikt się nie odzywa.

– Nadine Conlan? – zwraca się do niej oficer.

Nadine wygląda na zaskoczoną, jej twarz blednie. Julie patrzy na mnie z przerażeniem w oczach.

– Tak, to ja – spokojnie odpowiada Nadine. – O co chodzi?

– Pójdzie pani ze mną – instruuje policjant.

Nadine wstaje, a policjant wyjmuje kajdanki. Wtedy Julie zeskakuje ze swojego krzesła i chwyta mnie za ramię.

– O mój Boże – wykrzykuje. – Przysięgam, Laro, ja nic nie powiedziałam.

W jej oczach widzę łzy, ale mam powody sądzić, że nie jest jej przykro ze względu na Nadine. Zapewne zdaje sobie sprawę, że z więzienia moja macocha będzie mogła wykonać tylko jeden telefon, i wie doskonale, że nie wykręci numeru Dana Gregoire'a. Ale nie czas na kłótnie z Julie.

– Ma pani prawo pozostać... sexy... – ogłasza wszem wobec policjant, a potem nagle jednym szarpnięciem rozpina koszulę i ukazuje opaloną klatę, bez włosów, a poniżej ładnie zarysowane mięśnie brzucha. Niepokój rysujący się na twarzy Nadine rozpływa się w uśmiech, a dziewczyny zaczynają pohukiwać i wiwatować, kiedy facet nakłada swoją policyjną czapkę na głowę Nadine, by następnie poprowadzić ją na jeden z podestów z boku baru. Patrząc na nie, trudno powiedzieć, która odczuła większą ulgę, Nadine czy Julie.

– Wiedziałaś o tym? – pyta mnie Julie.

Kręcę głową.

– Nie. Dowiedziałam się, kiedy przyszła Marley. Facet był na zewnątrz i bramkarz nie chciał go wpuścić, musiałam więc odnaleźć Stacey, żeby to załatwić.

– A Stacey nie ma nic przeciwko, że to się dzieje w jej dzień otwarcia?

Na podeście natychmiast znajduje się krzesło, na którym siada Nadine. Striptizer wskazuje ręką na kogoś wśród widowni. Podążam wzrokiem za jego palcem wskazującym i natrafiam na kabinę didżeja, w której spostrzegam Stacey z czarnymi skórzanymi słuchawkami na uszach. Wyciąga w górę dwa kciuki, życząc szczęścia striptizerowi, a w kilka sekund później nie słychać już nic prócz *It's Raining Men.*

– A co jej zależy? Najwyżej ludzie zaczną gadać, zawsze to reklama.

Facet jest już w samych slipkach, stoi okrakiem nad Nadine i wywija biodrami. Pochyla się nad nią, niemal ocierając się o nią swoim ciałem, a kiedy jego twarz znajduje się na wysokości jej twarzy, Nadine szepcze mu coś na ucho. Facet kiwa głową i odwraca się. Zanim mogę się zorientować w sytuacji, schodzi po schodach i ciągnie Julie za rękę.

– Nie, nie, naprawdę – protestuje Julie, próbując wykręcić się z jego uścisku. – Nie mogę. Nie potrafię. Nie umiem robić takich rzeczy.

Na co facet wybucha śmiechem.

– Ona mówi, że potrafisz – wskazuje na Nadine. – A dziś to ona tu rządzi.

Julie energicznie kręci głową.

– Nie rozumie pan. Ja właściwie nie jestem z nią. Poznałyśmy się dopiero dzisiaj. Na pewno miała na myśli moją koleżankę.

Julie wyciąga rękę i wskazuje na mnie. Proszę, nie mogę wyjść z podziwu nad łatwością, z jaką przyszło jej wydanie mnie na pożarcie. Dobrze, że nie było jej w pobliżu w czasach McCarthy'ego. Pewnie całe miasto znalazłoby się na czarnej liście.

Ale striptizer kręci głową.

– Nie sądzę – mówi, spoglądając na mnie. – Z całą pewnością chodzi o ciebie. Powiedziała, żeby wziąć księżniczkę.

Głośno się śmieję, a facet spojrzeniem daje do zrozumienia, że koniec dyskusji. A potem, tak po prostu, jedną spoconą, świecącą się ręką obejmuje ramiona Julie, drugą spoconą, świecącą się ręką jej nogi i bierze ją na ręce.

– Tak nie można. Jestem żoną i matką! Mam dziesięciomiesięczną córkę.

„Oho – myślę – czeka nas niezły ubaw".

Na scenie ląduje kolejne krzesło, na którym striptizer sadza wciąż protestującą Julie, po czym sam staje nad nią okrakiem, żeby uniemożliwić jej ucieczkę. Zdziera policyjną czapkę z głowy Nadine i wkłada ją, przekrzywiając, na głowę Julie, a potem ściąga z niej sweterek zarzucony na ramionach i odrzuca go na podłogę. Pochyla się i długo i powoli przeciąga językiem po jej szyi. W momencie, gdy język dotyka jej skóry, Julie natychmiast przerywa swoje protesty. Całe jej ciało tężeje, a twarz wykrzywia się i marszczy, jakby to, co zaszło, było tak obrzydliwe, że wręcz trudno jej oddychać. Ale facet albo tego nie widzi, albo mu to nie przeszkadza, bo podnosi teraz prawą rękę Julie, a jego język ślizga się od dołu pachy aż do łokcia. Julie zaciska usta tak mocno, że prawie znikają, ja nie mogę powstrzymać grymasu obrzydzenia. Wiecie, facet nie jest nawet specjalnie przystojny. Wygląda trochę jak Scott Baio. Ale nie ten czternastoletni Scott Baio z *Happy Days* ani ten z gęstą czupryną z *Joanie Loves Chachi*. Wyobraźcie sobie Scotta Baio z *Charles in Charge*, ale nasmarowanego olejem i na sterydach. W każdym razie, nie jest na tyle przystojny, żeby lizać jej pachę, to na pewno. Chociaż, z drugiej strony, nawet gdyby był sobowtórem Brada Pitta, to i tak obrzydliwe. Właściwie mógłby być i samym Bradem Pittem, niewiele by to zmieniło.

Kiedy właśnie uznałam, że gorzej być nie może, facet sięga do krocza, poprawia się, a potem jednym zręcznym ruchem zrywa z siebie slipy. Widownia – która w tym momencie jest ogromna – wrzeszczy, Julie otwiera więc oczy, tylko po to, by zobaczyć, że znajdują się na poziomie jego imponującego wyposażenia okrytego jedynie jaskrawopomarańczowymi stringami. Na moment jej oczy się rozszerzają, jakby, mimo całego obrzydzenia, nie mogła uwierzyć w wielkość jego penisa. Kiedy tylko facet orientuje się, że Julie ma otwarte oczy, natychmiast wyrzuca biodra do przodu, prosto w jej nos, i całe zdumienie momentalnie znika. Teraz Julie wygląda, jakby za chwilę miała zemdleć.

Wszystkie kobiety wokół mnie pohukują głośno i rzucają na scenę dolarowe banknoty, a Nadine, która stała dotąd z boku, śmiejąc się i klaszcząc, teraz zaczyna je zbierać i upychać w różnych miejscach bluzki i spodni Julie.

„No tak – przychodzi mi do głowy. – A jednak będzie gorzej, i to dużo gorzej".

Muszę się przyznać. Zaczyna mi być jej żal. Owszem, to całkiem zabawne – Julie na scenie z obrzydliwym, prawie gołym facetem siedzącym jej na kolanach, ale pozostawanie w zasięgu zapachu jego genitaliów... hm, tak się po prostu nie robi. Okazuje się jednak, że niektórzy ludzie potrafią przekroczyć każdą granicę, żeby tylko ich dziecko dostało się do elitarnego, prywatnego przedszkola. Czy to nie niejaki Grubman dopuścił się oszustw w obrocie papierami wartościowymi, byle tylko pociągnąć za sznurki w znanym skądinąd żydowskim stowarzyszeniu? I jeśli sądzicie, że Julie siedziałaby na tej scenie, gdyby wmanewrował ją w to ktokolwiek inny niż Nadine, to poważny błąd w ocenie sytuacji. Kiedy tak o tym myślę, dochodzę do wniosku, że wcale jej żałuję.

Otwieram torebkę, wyciągam trzy banknoty jednodolarowe, i podnoszę rękę.

– Nadine! – wrzeszczę. – Nadine, tutaj!

Nadine odwraca się i wyłuskuje je z mojej dłoni. Puszcza do mnie oko.

– Dzięki, skarbie. Wymyślę dla nich jakieś specjalne miejsce.

Patrzę na Julie i wybucham śmiechem, kiedy nasze oczy się spotykają. Wie, że nie usłyszę jej stamtąd, porusza więc tylko ustami: „Zabiję cię". Posyłam jej uśmiech, a potem klaszczę w dłonie.

– Juhuuuuu! – drę się na całe gardło, nie spuszczając z niej wzroku. Kręci do mnie głową i spuszcza powieki w momencie, kiedy Nadine wsuwa dolara za pasek jej buta. Wtedy ktoś na sali stawia na scenie dwa kieliszki wódki, przy stopach Nadine, która je podnosi i jeden podaje Julie.

– Trzy, czte-ry! – wykrzykuje Nadine.

Przez ułamek sekundy Julie wygląda, jakby się miała rozpłakać, ale zaraz potem, ku mojemu zaskoczeniu, wlewa go w siebie tak, że gdybym jej nie znała, pomyślałbym, że całe życie nic innego nie robi. Zamyka oczy i robi straszną minę, a w chwilę potem wyciąga dłoń po następny. Nadine unosi brwi i wręcza jej drugi kieliszek, który Julie wypija tak samo jak poprzedni, oddając Nadine szkło. Nadine jest pod wrażeniem, i to widać. Muzyka przechodzi w *Sex Bomb*, Nadine klepie Julie po ramieniu i wraca na swoje krzesło z boku sceny

Kolejne pięć minut spędzam, przyglądając się, nieco przerażona, jak striptizer wyłuskuje banknoty z przeróżnych miejsc na ciele Julie, posługując się jedynie swoimi zębami, natomiast Julie, która ociupinkę się rozluźniła, siedzi sobie, grzecznie czekając, aż skończy. Na finał sobowtór Scotta Baio staje na głowie i owija swoje depilowane, smarowane samoopalaczem uda wokół szyi Julie, a ja mam ochotę polecieć do domu wziąć prysznic.

Nisko się kłania, wkłada na powrót swoje zapinane na rzepy spodnie oraz koszulę, zbiera ekwipunek, by następnie podać Julie rękę i sprowadzić ją ze sceny. Aplauz się wzmaga.

Składa na jej ustach ogromny pocałunek, po czym odchodzi, a Julie idzie wprost do mnie, nieco zamroczona i zdezorientowana. I to tyle, jeśli chodzi o Julie w zapowiadanej przez nią samą roli postronnego obserwatora.

Omiatam ją spojrzeniem: zaróżowione policzki, włosy w nieładzie i twarz błyszcząca od potu. Przyrzekam, nigdy w życiu nie wyglądała tak seksownie.

– Hej – zaczynam ostrożnie. Mam przeczucie, że jest na mnie nieźle wkurzona.

Ale ona uśmiecha się.

– Kurczę – mówi, zamykając oczy i wyciągając obie dłonie, jakby chciała zatrzymać pociąg. – To dopiero przeżycie.

W głosie pobrzmiewa mały rausz, jakiego nigdy u niej nie słyszałam. Pewnie, przecież nigdy nie widziałam Julie wstawionej, to chyba wyjaśnia tę kwestię.

Przekrzywiam głowę i mrużę oczy, przyglądając się jej dokładniej.

– Dobre czy złe przeżycie?

Julie waha się przez chwilę, a potem kiwa głową.

– Chyba nie najgorsze.

OK. Jest pijana. Ale zaraz potem, w jednej sekundzie, jej twarz poważnieje. Wskazuje na mnie palcem.

– Ale nie waż się komukolwiek tego powtarzać.

Chwieje się lekko, rzuca nią do tyłu, potem do przodu, ostatecznie jednak odzyskuje równowagę i robi pół obrotu.

– Muszę iść do łazienki – oznajmia.

– OK, chcesz, żebym poszła z tobą?

Julie kręci głową i podnosi prawą dłoń, prawie dając mi w nos.

– Nie. Chcę być sama.

Kiwam głową. Chociaż nie bardzo rozumiem, co takiego chce zrobić, że musi być sama. Tymczasem ona kończy obrót i chwiejnym krokiem udaje się w stronę toalety.

Stacey, widząc, że ludzie świetnie się bawią, puszcza coś do tańca, kiedy więc odwracam głowę, na scenie obok Nadine spostrzegam Brandi, Gemmę i Eden. Tańczą razem. Dirty dancing. Przez chwilę obserwuję je z podziwem. Jak one to robią, że są tak cholernie chude? A potem idę do kabiny didżeja. Stacey należą się gratulacje. Gdyby Los Angeles miało własny plotkarski serwis informacyjny, ta impreza byłaby wiadomością dnia. Ale nie robię nawet dwóch kroków, gdy Marley chwyta mnie za ramię.

– Laro, chodź – wskazuje na scenę, skąd Nadine przywołuje mnie ręką.

– O, nie – kręcę głową. – Nie ma mowy.

Energicznie potrząsam głową do Nadine, która z kolei kiwa na mnie i krzyczy ze sceny.

– To mój wieczór panieński. Masz tu zaraz przyjść. Co to, myślisz, że jednej Julie należą się niezapomniane przeżycia?

No tak, rzeczywiście tak myślałam. Ponownie kręcę głową. Nie ma możliwości, żebym tam poszła. Nie mam zamiaru być tym tłustym kociakiem, który robi z siebie pośmiewisko na tle seksownych profesjonalistek. Dziękuje, postoję. Już wolałabym być molestowana przez Scotta Baio. Ale Nadine się nie poddaje.

– Chodź, chodź – wykrzykuje dalej. Zaczyna do mnie schodzić, aż w końcu bierze moją dłoń.

– Idziemy.

Rozglądam się wokół i widzę mnóstwo oczu obserwujących całe zajście. Szukam rozpaczliwie jakiejś drogi ucieczki. Ale tuż za mną jest Marley, która popycha mnie w stronę schodków, i po chwili już jestem na scenie. Dziewczyny witają mnie brawami, a Stacey w swojej kabinie pęka ze śmiechu. Dobrze, że Los Angeles nie ma jednak tego serwisu dla plotkarzy.

Piosenka, którą grają, nagle zostaje przerwana i zaczyna się inna. Przez kilka sekund słychać tylko perkusję.

„Znam to – myślę. – Zaraz, co to jest?” A kiedy rozlega się dźwięk gitary, wybucham śmiechem. Van Halen. *Hot For Teacher*. Spoglądam w stronę didżeja i żartobliwie wywracam oczami na Stacey, która tymczasem klaszcze w dłonie, wrzeszcząc, że mam tańczyć. Dobra. Chyba zacznę. Dołączam do Brandi i Eden i bawimy się we trójkę. Brandi zamyka oczy, przebiega palcami swoje włosy, a potem robi obrót i uderza tyłkiem w mój tyłek.

– Jesteś nauczycielką?

Kiwam głową, nie zwracając uwagi na to, że zachowuje się tak, jakbym zamówiła u niej taniec erotyczny.

– Mniej więcej. Jestem doradcą akademickim.

– Nie wierzę – znów się odwraca. – Mój doradca wyglądał całkiem inaczej.

Nie wiem, co jej odpowiedzieć, uśmiecham się więc i wzruszam ramionami. Ale Brandi to nie wystarcza. Wskazuje palcem na moją głowę i woła do wszystkich:

– Ta kobieta jest doradcą akademickim. Kto chciałby mieć doradcę z takim wyglądem?

Kilku facetów zaczyna klaskać, w rogu sali zauważam Toma Collinsa. Uśmiecha się do mnie.

Czuję, że jestem czerwona jak burak, odsuwam się więc od Brandi w stronę Nadine.

– Zabiję cię – mówię, dołączając do niej.

– Dlaczego? Świetnie tańczysz. Umiesz się ruszać, skarbie. Gdybym cię nie znała, pomyślałabym, że zarabiasz tym na życie.

Śmieje się z własnego żartu, po czym unosi rękę nad głowę i obraca się w kółko.

– Rozluźnij się, Laro. Zabaw się trochę, dla odmiany. Twoja przyjaciółka tak zrobiła.

Właśnie mam jej powiedzieć, że moja przyjaciółka przeżyje załamanie nerwowe, kiedy wytrzeźwieje i usłyszy, co tu się dziś wydarzyło, gdy kątem oka dostrzegam znajomą twarz. Mrużę oczy, żeby lepiej się jej przyjrzeć, ale nie mylę się. To Courtney. Łapię rękę Nadine.

– Courtney tu jest – mówię w panice. – Wiesz, ta dziewczyna, z którą flirtuje Andrew.

– Wiem – odpowiada spokojnie Nadine. – Sama ją zaprosiłam.

Robi kolejny obrót, a ja muszę się bardzo starać, żeby nie wymierzyć jej policzka.

– Co takiego? – pytam, gdy kończy obrót. – Jak to „zaprosiłaś ją"? Przecież w ogóle jej nie znasz.

– Ojej, technicznie zaprosił ją Andrew – wyjaśnia.

Co ona wygaduje? Przechylam głowę i marszczę brwi, domagając się jakiegoś wytłumaczenia.

– Zadzwoniłam do niego w zeszłym tygodniu – informuje mnie, rytmicznie wyginając się w prawo i w lewo. – Powiedziałam, że wiem o jego znajomej z psem i znam sposób na naprawienie waszych stosunków, ale wymaga to obecności Courtney na dzisiejszej imprezie.

„Że niby co?"

– Ale Andrew nic mi nie mówił. Dlaczego nie powiedział mi, że Courtney przyjdzie?

Nadine wykonuje bardzo wolny, pełny obrót głową, uśmiechając się przy tym do siebie.

– Bo go prosiłam, żeby tego nie robił, skarbie. Poprosiłam, żeby mi zaufał, i on się zgodził. Powiedział, że jeśli potrafię sprawić, że przejrzysz na oczy i przyznasz, że nie ma się czym przejmować, to jest gotów dać mi szansę.

„Nie do wiary".

– Ale po co? Po co ją tutaj zapraszałaś?

Nadine uśmiecha się tajemniczo.

– To część mojego planu, skarbie. Andrew powiedział mi o niej wszystko, czego potrzebuję. A teraz tańcz i pokaż tej dziewczynce, jaki z ciebie seksowny kociak.

Znów spoglądam na Courtney. Ma na sobie dżinsy, biodrówki, na oko rozmiar trzydzieści cztery, a może trzydzieści dwa, do tego białą bluzkę bez rękawów, na którą włożyła krótki sweterek wiązany tuż pod biustem. Blond włosy spięte w luźny kucyk, a opalenizna tak głęboka, że bez przesady mogę powiedzieć, że widzę jedynie jej zęby. Które, to chyba jasne, są białe jak śnieg, o ile to w ogóle możliwe.

Kiedy tak się jej przyglądam, u jej boku pojawia się Tom Collins, a ja czuję niezrozumiałe ukłucie zazdrości. Obserwuję ich kątem oka: zaczynają rozmawiać, a potem Tom mówi coś zabawnego, bo Courtney błyska w uśmiechu śnieżną bielą swoich zębów. Pewnie zażartował sobie z tych żałosnych, starych bab na scenie. Odwracam się do Nadine.

– Muszę stąd zejść. Głupio się czuję, wiedząc, że ona na mnie patrzy. A po drugie, jestem już za stara na takie numery.

Nadine wykonuje tym razem małe *shimmy*.

– Skarbie, jesteś najbardziej niepewną siebie śliczną dziewczyną, jaką znam. Mam dwa razy więcej lat niż ktokolwiek inny w tej cholernej knajpie i czuję się świetnie w takich numerach. Dla twojej wiadomości, na tej scenie jesteś najmłodsza.

Przewracam oczami.

– Nawet jeśli, to one wyglądają bajecznie. A ja ciągle noszę ten tłuszcz po dziecku. Co z tego, że jestem młodsza, skoro i tak wyglądam starzej – wzruszam ramionami. – Po prostu nie mam tyle pewności siebie co ty. I nic na to nie mogę poradzić.

Nadine przerywa swój taniec, w końcu, i chwyta mnie za ramiona.

– Ależ tak, skarbie, możesz na to poradzić. Bardzo dużo. Wystarczy, że przestaniesz się skupiać na tym, czym nie jesteś i czego nie potrafisz, a zaczniesz koncentrować się na tym, czym jesteś i co potrafisz. Pamiętasz, jak mówiłam, że wszystkie siły działają przeciw tobie, a ty musisz tylko wymyślić jakiś sposób, żeby zaczęły działać na twoją korzyść?

Kiwam głową, zagryzając wargę.

– No więc teraz, Laro, te siły są po twojej stronie. Wystarczy, że nie będziesz im przeszkadzać.

– Nic z tego nie rozumiem. Nie mam pojęcia, o czym mówisz.

Nadine patrzy na mnie jak na wariatkę.

– Jesteś tu, gdzie jesteś. Masz Courtney dokładnie tam, gdzie powinna być. Zrób coś, żeby poczuła się o ciebie zazdrosna. Niech uzna, że masz w sobie tyle seksapilu, że nie może nawet marzyć o Andrew. Laro, na Boga, spójrz tylko na nią.

Obie spoglądamy. Ku mojemu zadowoleniu, Tom Collins znikł i teraz stoi sama, kiwając głową w rytm muzyki i sącząc przez słomkę drinka.

– Ona nic w sobie nie ma, skarbie. Nic. W tej dziewczynie nie ma jednej seksownej kosteczki. A za dziesięć lat będzie pomarszczonym, wysuszonym strzępem. Mówię ci, gdybym ciągle była w branży, nie dopuściłabym jej bliżej niż trzy metry do żadnego z moich klientów. Mowy nie ma.

Rzucam jej jeszcze jedno spojrzenie, starając się dostrzec to, o czym mówi Nadine. „Hm, nie wiem. Dla mnie wygląda całkiem nieźle". Wzruszam ramionami.

– Chyba masz rację – mówię bez przekonania.

Nadine przewraca oczami.

– Nie chyba, a na pewno. Zrozum to wreszcie – uśmiecha się i obraca jeszcze raz wokół własnej osi. – Piosenka zaraz się kończy, wymyśl więc jakiś mocny akcent na finał. Uwaga, zaczynamy.

Przez sekundę stoję nieruchomo i rozglądam się wokół. Patrzę na Nadine i dziewczyny tańczące na scenie. Na Toma Collinsa, który wciąż tkwi na posterunku. Na Stacey w kabinie didżeja. Na Courtney.

„Dobra. Olać to".

Podnoszę jedną rękę, po czym nadgarstkiem oraz biodrami zaczynam zataczać kręgi, wykonując jednocześnie powolny obrót o trzysta osiemdziesiąt stopni. Nauczyłam się tego na zajęciach z tańca, całe lata temu, w starej filadelfijskiej sali gimnastycznej – instruktor był pełnym entuzjazmu gejem koło czterdziestki, który znacznie wyprzedzał swoje czasy. Już wtedy uczył nas ruchów striptizerek. Nadine mnie obserwuje, kiwając z uznaniem głową. Posyłam jej wstydliwy uśmiech, wyginam plecy w łuk, opadam na kolana i odchylam się jeszcze bardziej do tyłu, zawisając nad podłogą.

Kiedy wreszcie piosenka dobiega końca, Nadine wskazuje na mnie, dając wszystkim do zrozumienia, że należą mi się brawa. Wszyscy, którzy obserwowali, co się dzieje na scenie, zaczynają klaskać i gwizdać, a ja składam autoironiczny ukłon.

Nadine woła do nich, celując palcem prosto w moją głowę.

– Czteromiesięczne dziecko. Ta dziewczyna ma czteromiesięczne dziecko.

Rozlega się jeszcze więcej gwizdów, a kilku facetów zaczyna wykrzykiwać: „Mamuśka!" Czuję się, jak matka Stillera z *American Pie*, choć nie wiem, czy to dobrze czy nie.

Kiedy publiczność cichnie, schodzę ze sceny, gdzie czeka już na mnie Stacey, która opuściła kabinę didżeja.

– Kim ty jesteś? Nie miałam pojęcia, że umiesz tak tańczyć. I to publicznie.

Pochylam się do niej i mówię szeptem:

– Courtney tu jest.

Ale zanim mam czas wyjaśnić coś więcej, podchodzi do nas sama zainteresowana, klepiąc mnie po ramieniu.

– Laro. Rany, fantastycznie tańczysz. Wspaniale.

Posyłam jej fałszywy uśmiech.

– Dzięki. To moja przyjaciółka Stacey. Jest właścicielką tego lokalu.

Courtney opada szczęka.

– Naprawdę? Super. Kurczę, Laro, masz chyba najfajniejszych znajomych na świecie.

Boże, nie zauważyłam tego wcześniej, ale ona gada jak zupełna kretynka. Właściwie to przypomina mi niektórych moich uczniów. Znów czuję na ramieniu czyjąś dłoń. Odwracam się i widzę Nadine.

– O, Stacey, fantastycznie urządziłaś to miejsce. Jimmy będzie zachwycony.

Stacey promienieje.

– Dzięki. Ale bez twojej pomocy nic nie mogłabym zrobić.

Nadine kręci głową.

– Ja jedynie pomogłam ci wystartować. Ty poskładałaś wszystko razem. To będzie najmodniejsza knajpa w mieście. Zapamiętaj moje słowa.

Stacey prycha.

– Pod warunkiem, że co weekend urządzisz tu wieczór panieński. Przysięgam, sama widziałam, jak faceci wyciągali komórki i dzwonili do kumpli, żeby ich tu ściągnąć. To niesamowite, ile może zdziałać kilka seksownych dziewcząt tańczących sobie razem.

Courtney cały czas stoi obok nas, przysłuchując się rozmowie, i widzę, że czuje się nieswojo, przerywam im więc.

– Nadine, to jest Courtney. Znajoma Andrew z zajęć agility.

Po czym zwracam się do Courtney.

– Nadine to przyszła panna młoda – wyjaśniam. – Wychodzi za mojego ojca.

Nadine posyła mi dziwne spojrzenie, odnoszę wrażenie, że jest zaskoczona – mile zaskoczona – że się do tego przyznałam.

– Gratulacje. I dziękuję za zaproszenie. Andrew powiedział, że jeśli mam ochotę, mogę tu zajrzeć, może kogoś poznam. Na razie nie mam zbyt wielu znajomych.

Nadine kiwa głową.

– Dokładnie – z każdą sekundą coraz bardziej zaciąga. – Jesteś tu bardzo mile widziana. W zasadzie znam kogoś, z kim na pewno znajdziesz wspólny język. Chodź ze mną, skarbie.

Nadine prowadzi ją w sobie znane miejsce, a Stacey patrzy na mnie.

– Co jest grane?

– Mnie nie pytaj. Ale ponieważ wszystko, co robi, działa bez zarzutu, nie mam zamiaru niczego kwestionować.

Stacey potakuje, wyrażając pełną aprobatę dla moich słów, a potem rozgląda się, skonsternowana.

– A gdzie Julie?

Cholera. Zupełnie o niej zapomniałam.

– Pojęcia nie mam. Ostatnio, kiedy ją widziałam, udawała się do łazienki, żeby ochłonąć. Albo sobie rzygnąć.

Przeszukuję knajpę wzrokiem. Nigdzie ani śladu Julie. Wzdycham.

– No nic. Poszukam jej. Na razie.

Stacey udaje się do swoich spraw, ale wołam do niej, zanim mi ucieknie.

– Hej, Stacey.

Odwraca się.

– Co jest?

– Dobra robota. Naprawdę.

Posyła mi szeroki uśmiech.

– Wiem. Jestem najlepsza.

Przewracam oczami na jej skromność, po czym wyruszam na poszukiwania zaginionej.

Po trzech rundkach w końcu ją mam. Siedzi przy stoliku w rogu, zupełnie na końcu sali, a obok niej Tawny, Brandi i Leila. Zbliżając się do stolika, słyszę salwę śmiechu i widzę uniesione w geście zwycięstwa ręce Tawny.

„Co się tutaj, do cholery, dzieje?" – zastanawiam się. Podchodzę bliżej i przystaję. Żadna z nich nie zauważa mojej obecności.

– OK, OK – mówi Brandi. – Nigdy – przerywa, jakby zastanawiała się, co powiedzieć, a potem kiwa głową, kiedy już na to wpada – nie przebierałam się za kowbojkę i nie ujeżdżałam gołego faceta!

Tawnie i Leila podnoszą ręce, a potem wybuchają śmiechem.

– Nie, dziewczyny! – bełkocze Julie.

– Piiiiij – woła Brandi do Julie.

Julie, zrezygnowana, wznosi oczy do nieba i wypija łyczek swojego drinka. OK. Czas ogłosić koniec zabawy.

– Ee..., cześć – odzywam się głośno, żeby tym razem mnie zauważyły. – Jak leci?

Julie spogląda na mnie z szerokim szczerym uśmiechem na twarzy. Trochę mnie to oszałamia, bo przyzwyczaiłam się do tego uśmieszku politowania, którym mnie nieodmiennie częstuje.

– Laro! Chodź, zagraj z nami.

Spoglądam na pozostałe uczestniczki i kręcę głową.

– Co się tu właściwie dzieje?

Leila uśmiecha się do mnie, jakbym ją przyłapała z ręką w puszce z ciasteczkami.

– Nic takiego. Gramy w „nigdy".

Wszystkie trzy chichoczą, a ja opieram ręce na biodrach.

– Tak nie gra się w „nigdy". Pijesz, jeśli to robiłaś, a nie odwrotnie.

Patrzą na mnie jak na pierwszą nudziarę, która nie zna się na zabawie.

– Ciiii – mówi znów Leila, a pozostałe nie mogą powstrzymać śmiechu. Wszystkie zdążyły się już nieźle schlać. Potrząsam głową, przyglądając się Julie, która właśnie zorientowała się, o co chodzi.

– O wy... – jęczy.

Znów salwa śmiechu, a potem Tawny ją obejmuje.

– Prze-pra-szam – mówi śpiewnym głosikiem.

Opieram się o stół i pochylam, tak że słyszy mnie tylko Julie.

– Jak się czujesz? Wszystko w porządku?

Zamyka oczy i pozostaje tak dłuższą chwilę. Potem je otwiera.

– Nie wiem. Czy ja jestem pijana?

Śmieję się.

– Owszem, jesteś bardzo pijana.

Kiwa głową, jakbym jedynie potwierdziła to, co już od jakiegoś czasu sama podejrzewała.

– Laro – szepcze z rozszerzonymi niedowierzaniem oczami. – Nie uwierzyłabyś, co te dziewczyny wyrabiały. Nawet nie wiedziałam, że ludzie w ogóle myślą o takich rzeczach.

Super. Na moment ją zostawiłam i już jest zepsuta. Muszę ją stąd wyrwać. Jon mnie chyba zabije. Chociaż, może jednak nie.

– Posłuchaj – mówię do Brandi. – Idę się pożegnać, a potem odwiozę Julie do domu.

Spoglądam surowo na Julie.

– Nigdzie się nie ruszaj – komenderuję, wskazując palcem stolik.

I znów zwracam się do Brandi.

– I nie dawajcie jej już więcej alkoholu. Boże drogi, przecież ona prawie w ogóle nie pije. Zabijecie ją.

Brandi z powagą kiwa głową.

– Zrozumiałam – podnosi do góry kciuki.

Wstaję, a wtedy Julie wydyma usta.

– Dokąd znowu idziesz. Nie zostawiaj mnie.

Kładę jej dłoń na ramieniu.

– Idę się pożegnać z Nadine...

Przerywa mi.

– Boże, ja kocham Nadine.

Kiwam głową.

– Tak, wiem. Ale zostań tu przez chwilę, wrócę za kilka minut, OK?

– OK.

Zamyka oczy i na wpół bezwładnie opiera się o krzesło. Tak. Jon mnie jednak zabije.

Nadine siedzi samotnie przy barze.

– Co tu robisz? – pytam ją, zajmując sąsiedni barowy taboret. – Przecież masz się dobrze bawić.

Odwraca się do mnie.

– Bawię się, świetnie. Chciałam tylko zebrać myśli, to wszystko.

Wypija łyczek ze swojej szklanki, a potem patrzy mi w oczy.

– Twoja przyjaciółka dobrze się spisała. Załatwię jej wymarzone przedszkole. To nic takiego.

– Będzie szczęśliwa. Zakładając, że kiedyś wytrzeźwieje.

Nadine uśmiecha się.

– Gdzie ona jest?

– Siedzi tam, w głębi – potrząsam głową. Na twarzy Nadine pojawia się niepokój.

– Nie martw się. Będzie OK. Zaraz odwiozę ją do domu. Chciałam się pożegnać. Świetnie się bawiłam.

– Och nie, to ja się świetnie bawiłam. Najlepsza impreza w moim życiu. Wielkie dzięki za pomoc.

– Cała przyjemność po mojej stronie. Naprawdę.

Nadine uśmiecha się do mnie żartobliwie.

– Przeszłyśmy kawał drogi, my dwie, prawda?

– Tak, biorąc pod uwagę, że jeszcze dwa miesiące temu próbowałam namówić ojca, żeby cię zostawił.

Nadine się śmieje.

– Och, skarbie, ze mną zwykle tak się zaczyna. Ale z biegiem czasu ludzie zmieniają zdanie.

Wyciąga ramiona, by mnie objąć, i ja też ją ściskam.

– Porozmawiamy w przyszłym tygodniu. Zostało jeszcze do załatwienia kilka spraw przed przyjęciem.

Spoglądam na sufit.

– O rany, jasne. Dobrze, zadzwoń do mnie. Albo przyjdźcie z ojcem na kolację – uśmiecham się. – Nie uwierzysz, jak Deloris się zmieniła.

Znów uśmiech na twarzy Nadine.

– Mój plan się powiódł?

– Był wprost genialny.

Chcę jej opowiedzieć szczegóły ceremonii wudu, w której brałam częściowy udział, kiedy nagle pojawia się Courtney. Jest czymś podekscytowana, właściwie aż podskakuje z podniecenia.

– Lara, Lara! O Boże.

Zwraca się do Nadine.

– Przepraszam, że wam przerywam. Ale chyba dostałam pracę. W hotelu.

Wydaje z siebie lekki pisk. „Boże, nie mogę uwierzyć, że to nią tak bardzo się denerwowałam. Nadine miała rację. To po prostu dzieciak".

– Naprawdę? – pytam. – Opowiadaj.

– Rozmawiałam z tą kobietą, która jest z wami, z Marley, i zaczęłyśmy opowiadać o pracy, powiedziałam jej więc, że studiowałam hotelarstwo, zarządzanie hotelem, ale nie mogę znaleźć pracy, a ona na to, że jest dyrektorem cateringu w Peninsula. Możecie sobie wyobrazić coś takiego? No więc, mówię jej, jak bardzo chciałabym pracować w hotelu, najlepiej organizować imprezy (to zawsze było moje marzenie), a ona na to, że właśnie szuka nowej asystentki i że świetnie bym się nadawała i powinnam przyjść do niej w poniedziałek. Niesamowite, prawda? To chyba przeznaczenie czy coś.

Ukradkiem zerkam na Nadine, która do mnie mruga. Nic z tego nie rozumiem. To, że Courtney spełnia swoje marzenia, specjalnie mnie nie zadowala. Chociaż muszę przyznać, że po pięciu minutach rozmowy z nią już się właściwie wyleczyłam. Dajcie spokój, jeśli Andrew chce spędzać czas z tą głupiutką dziewczyneczką, niech się nim cieszy.

I wtedy nagle twarz Courtney się zasmuca.

– O Boże. Właśnie sobie uświadomiłam, że przecież nie będę mogła zabierać już Zaka na agility.

„Co takiego?!"

– Dlaczego? – nie wytrzymuję, choć staram się ukryć podniecenie.

Courtney wzdycha.

– Bo przecież większość imprez odbywa się w soboty. Na pewno rano będę musiała być w pracy.

Znów zerkam na Nadine i na jej twarzy zastaję uśmiech samozadowolenia.

„O cholera".

Nie wiem, jak ona to robi, ale jest w tym dobra. Bardzo dobra. Leciuteńko, prawie niezauważalnie kręcę głową, żeby jej pokazać, że jestem pod wrażeniem, i wtedy nagle kiełkuje mi w głowie myśl, że jednak mam przy sobie swoją Mary Poppins. I to cały czas. Zmyliły mnie te czerwone szpile, ale, jak już mówiłam, nie ma powodu, żeby Mary Poppins nie wystąpiła w wersji z dwudziestego pierwszego wieku.

Nadine posyła mi znaczące uniesienie brwi i zaraz potem czuję na ramieniu jej dłoń.

– Cóż, Courtney, wspaniała nowina. Gratulacje. A teraz, drogie panie, wybaczcie mi, muszę przypudrować nos.

– OK – jeszcze raz ją ściskam. – Pogadamy w przyszłym tygodniu.

Odrywa się ode mnie i znów puszcza oko.

– Masz to, co chciałaś, skarbie.

Po czym odwraca się i znika w tłumie.

24

Kiedy w środę wchodzę do sali, gdzie odbywają się nasze zajęcia „Mama i ja", idę wprost do Melissy, siedzącej na podłodze razem z Amy. Staję przed nimi, z Parker na rękach, a kiedy przerywają pogaduszki, żeby na mnie spojrzeć, uśmiecham się.

– Cześć – mówię i biorę głęboki wdech. – Chciałam wam tylko powiedzieć, że Parker z całą pewnością nie musi nosić hełmu i że mój mąż z całą pewnością nie ma romansu. Byłabym więc wdzięczna, gdybyście mogły wyjaśnić tę sprawę wszystkim pozostałym, może przy okazji kolejnego wspólnego lunchu, gdy na przykład rozmowa zejdzie na moją osobę.

Melissa i Amy gapią się na mnie bez słowa. Zwyczajnie odebrało im mowę.

– A, impreza oralna była super, dzięki.

Ponownie się uśmiecham, po czym idę na drugą stronę sali, gdzie kładę Parker na kocyku i wręczam jej gryzak.

Serce mi wali, a ręce lekko drżą. Naprawdę nie mogę uwierzyć, że to zrobiłam. Ale musiałam. Ani chwili dłużej nie zniosłabym myśli o tym, że plotkują o mnie i moim płaskogłowym dziecku oraz rozpadzie mojego małżeństwa. Robię wydech. Parker patrzy na mnie i uśmiecha się. Ma w oczach jakiegoś chochlika, który mi mówi, że pochwala to, co zrobiłam. Też się do niej uśmiecham i pochylam się nad nią.

– Wiem – szepczę do niej, trącając nosem jej szyję. – Twoja mamusia jest niesamowita.

OK, już czuję się lepiej.

Kilka minut później Susan zasiada na swoim składanym krześle i klaszcze w dłonie, skupiając naszą uwagę na sobie.

– Witam wszystkich. Dzień dobry.

Szepty cichną, a Susan uśmiecha się szeroko.

– Dzisiaj porozmawiamy o zabawie. Jakie zabawki kupować, w jakie gry grać i jak wykorzystać czas zabawy, żeby wspomóc stymulację mózgu.

Rozglądam się wokoło i zauważam, że przy słowach „stymulacja mózgu" wszyscy nadstawiają lekko uszu.

Susan zaczyna od opisu badań, które stwierdzają, że zabawa z dziećmi podczas pierwszych sześciu miesięcy życia wspomaga działanie synaps, bla, bla, bla, po czym przechodzi do omawiania zabawek. Klocki, zabawki do wody, takie wymagające rozpoznawania kształtów, zabawki instrumenty – wszystkie rodzaje dostępne na rynku, wyjaśniając, które są dobre, które nie, oraz które zostały nagrodzone, a także które firmy polecane są przez pediatrów, i które dzieci mogą bezpiecznie wkładać do buzi, a które wycofano ze względu na zawartość toksycznego barwnika, oraz których gryzaków nie należy kupować, ponieważ zawierają żel, jaki rzekomo ma dobrze działać na dziąsła, kiedy jest zmrożony, ale chociaż podobno są bezpieczne, to przecież nigdy nie wiadomo, po co więc ryzykować. Przysięgam, pod koniec pęka mi łeb i jestem taka naładowana, że jeśli ktoś by mnie dotknął, chyba poraziłabym go prądem.

Kiedy w końcu Susan milknie, żeby wziąć oddech, Sabrina (mama Ashtona) podnosi rękę.

– A co z exersaucerem? Czy to dobra zabawka? Bo Ashton ją uwielbia.

Kiwam głową. Zawsze wkładam Parker do exersaucera. To jakby chodzik, tylko że dziecko w nim nie chodzi, a siedzi, i bawi się wszystkimi zabawkami, które ma porozwieszane dookoła. Fotelik dodatkowo się kręci, dziecko ma więc dostęp do wszystkich zabawek. Supersprawa. Ale Susan robi wdech i zamyka oczy, jakby właśnie usłyszała okropne bluźnierstwo.

– Chcę, żebyś natychmiast przestała wkładać do tego dziecko.

Sabrina wygląda na zasmuconą.
– Ale dlaczego? – w jej głosie słyszę to samo zaskoczenie, które sama odczuwam.
„Właśnie, dlaczego?"
– Siedzenie w exersaucerze nie pozwala dziecku na rozwój bardzo ważnych zdolności motorycznych, które są konieczne, aby nauczyło się chodzić. Opóźnia rozwój mięśni nóg. Badania wykazały, że dzieci, które spędzają w pseudochodziku zbyt wiele czasu, zazwyczaj zaczynają chodzić znacznie później niż powinny.
Sabrina wygląda, jakby się miała rozpłakać.
– Ale on to uwielbia.
Susan kręci głową.
– Przykro mi. Ale nie chcę, żeby moje mamy używały exersaucera.
Przez chwilę myślę, że też się rozpłaczę. Luthor skrada mi się do gardła i czuję nawet, że oczy stają się coraz bardziej wilgotne. Przez ostatni miesiąc regularnie wkładam Parker do pseudochodzika. Uwielbia gryźć małą kierownicę i zawsze bardzo się cieszy, kiedy uda się jej przekręcić niektóre z zabawek. Boże, nie mogę uwierzyć, że pozwalając jej w tym siedzieć, nieświadomie opóźniam rozwój jej zdolności motorycznych.
Kiedy tak o tym rozmyślam, zaczynam złościć się na producentów exersaucera. Jak mogą to produkować, wiedząc, że opóźnia rozwój motoryczny dziecka? Jak taka okropna zabawka może przytrafić się dobrym ludziom? I wtedy przypominam sobie, co mówiła Stacey, kiedy towarzyszyłam jej podczas lunchu.
„Nie możesz zaufać nikomu oprócz siebie samej. Dlatego tak trudno wychowywać dziecko".
Właśnie. Chyba jednak skieruję swoją złość gdzie indziej. Mam dość Susan i jej straszenia. Chyba czas najwyższy zacząć ufać własnemu instynktowi.
„Zaraz, zaraz – myślę, czując odpływ pewności siebie. – Przecież ja nie mam instynktu".

Przez sekundę jestem zdezorientowana – co robić?! – aż zdaję sobie sprawę, że jednak mam swój instynkt. Zdecydowanie. Właściwie czuję, że w tej chwili całe moje ciało aż mrowi od niego. Przełykam, głośno, i Luthor znika. Rzucam Susan wściekłe spojrzenie, podnosząc rękę.

– Tak, Laro. Śmiało.

– No więc, przepraszam, ale to, co mówisz o exersaucerze, po prostu nie ma sensu.

Głowa Sabriny w ułamku sekundy wędruje w górę, a przez salę przetacza się delikatny pomruk zaskoczenia.

– Co masz na myśli? Mogę pokazać ci wyniki badań. Wszystko zostało naukowo dowiedzione.

– Rozumiem. Ale mam wrażenie, że mówi się tam o niewłaściwym korzystaniu z chodzika. Na przykład rodzic wkłada do niego dziecko na sześć godzin dziennie, bo sam próbuje w tym czasie popracować, czy zrobić cokolwiek innego. Wtedy oczywiście mogę sobie wyobrazić, że odbija się to na rozwoju motorycznym. Ale przecież żadna z nas tego nie robi. Często wkładam Parker do exersaucera, ale nudzi ją to po dziesięciu, piętnastu minutach. I naprawdę trudno mi uwierzyć, że dziesięć czy piętnaście minut dwa razy dziennie może jej wyrządzić jakąś poważną krzywdę.

Sabrina i pozostałe mamy wpatrują się w Susan, która wpadła w osłupienie, że jedna z uczennic miała czelność podważać jej Słowo.

– Laro – mówi, mrugając powiekami i z trudnością przełykając ślinę – nie dałaś mi skończyć. Właśnie miałam dopowiedzieć, że jeśli musicie używać exersaucera, przebywanie w nim dziecka nie powinno przekroczyć dwudziestu minut dziennie. Ponieważ nie udowodniono, że taki okres powoduje jakiekolwiek negatywne skutki.

„Akurat. Dopowiedzieć".

Krzyżuję ramiona i patrzę jej w oczy.

– Z całym szacunkiem, Susan, powinnaś od tego zacząć. Ponieważ wiele osób niepotrzebnie się zdenerwowało.

Posyłam jej spojrzenie „Wstydź się, wstydź", a potem opieram plecy o ścianę, którą mam za sobą.

Susan przez minutę się nie odzywa. Po chwili Sabrina znów podnosi rękę. W oczach Susan maluje się wyraźna ulga.

– Tak, Sabrino.

– Czyli mogę sadzać Ashtona w chodziku, ale tylko na dwadzieścia minut dziennie?

Przewracam oczami na swój własny użytek. Zupełnie nic nie zrozumiała. Po tym wszystkim wciąż potrzebuje aprobaty Susan. Wiecie co? Mam dosyć tych zajęć. Mamunistki są żałosne.

Po zajęciach wychodzę bez słowa. Słyszę, że umawiają się na lunch, ale już mnie to nie interesuje. Nie jestem jedną z nich i nie chcę być jedną z nich, i nie obchodzi mnie, czy do nich pasuję, czy nie. Niech się wzajemnie zadręczają. Ja mam ważniejsze sprawy na głowie. Przecież mam swoje życie.

W drodze na parking Parker usnęła, delikatnie więc podnoszę fotelik i wkładam go do samochodu. Potem pakuję do bagażnika wózek. Wtedy słyszę za sobą kroki, a range rover zaparkowany obok mnie wydaje delikatny dźwięk. Odwracam się. Melissa.

– Hej – mówi, otwierając tylne drzwi i wkładając fotelik z Hanną do samochodu. Zamykam bagażnik najciszej, jak potrafię, po czym przechodzę na stronę, po której śpi Parker i gdzie stoi Melissa. Muszę podnieść żaluzję, żeby słońce jej nie obudziło.

– Hej – pozdrawiam ją, podnosząc jednocześnie żaluzję. Melissa tymczasem sadowi Hannę, składa wózek i układa go w bagażniku, po czym podchodzi znów do mnie i otwiera swoje drzwi.

– Wiesz, podobało mi się to, co dzisiaj zrobiłaś.

Jakby się uśmiecha, ale zauważam, że głos jej lekko drży.

– A dokładnie, która część?

Nie wiem, czy chodzi jej o to przed zajęciami, czy o rozmowę z Susan.

– Właściwie wszystko, ale mam na myśli to, co powiedziałaś Susan. Chyba nikt wcześniej nie zakwestionował jej słów. Wszystkie ślepo wierzymy we wszystko, co mówi, nawet jeśli to nie zawsze ma sens.

– Tak. Wiem. Zaczyna mnie to denerwować. W końcu nasze dzieci mają już pięć miesięcy. Wydaje mi się, że na tym etapie same potrafimy podejmować pewne decyzje.

Melissa kiwa głową, a zaraz potem jej oczy zachodzą łzami i bardzo się stara nie wybuchnąć płaczem.

– Dobrze się czujesz? Czy coś się stało?

Kręci głową, niezdolna wypowiedzieć słowa. Siada za kierownicą i opiera o nią czoło. Pozostaje tak przez kilka sekund, by w końcu unieść głowę i ponownie spojrzeć mi w oczy. Po policzkach spływają jej strumienie łez.

– Jestem w ciąży – oznajmia.

Omal nie upadam, kiedy to słyszę. Chwytam się jej ramienia, żeby się nie przewrócić, ale udaję, że był to gest pocieszenia.

„O Boże".

Naprawdę nie potrafię wyobrazić sobie nic gorszego. Nie wiem, co jej powiedzieć: powinnam pogratulować czy złożyć wyrazy współczucia. Ostatecznie nie decyduję się ani na jedno, ani na drugie i wybieram trzecią, bezpieczniejszą ścieżkę.

– Kurczę, który to tydzień?

Oddycha nierówno.

– Trzynasty, niestety. Myślałam, że to niemożliwe, skoro karmię piersią, a ponieważ nie miałam jeszcze okresu, nie zabezpieczaliśmy się.

Unosi brwi i patrzy na mnie.

– Mam nadzieję, że ty jesteś ostrożniejsza.

Cholera jasna. Andrew i ja uprawialiśmy seks jakieś pięć razy od wieczoru panieńskiego (a przy okazji – nie do wiary, ile para dobrze dopasowanych spodni oraz maleńki, niewinny flirt mogą zdziałać dla małżeństwa). Dzięki Bogu, że doktor Lowenstein przepisał mi znowu pigułki.

– Jaka będzie różnica wieku?

– Nieco ponad rok.

Milknie, a ja czuję, że znów walczy ze łzami.

– Nawet nie wiem, czemu ci to mówię. Nikt jeszcze nie wie. Chyba wydaje mi się, że może ty powiesz mi coś, przez co poczuję się lepiej.

„Ja?! Ona mówi poważnie?"

– Nie będzie tak źle – kłamię. – Spójrz na to tak: tę najtrudniejszą część załatwisz za jednym zamachem, i będzie między nimi na tyle mała różnica, że od razu zostaną przyjaciółmi. Mojego męża i jego siostrę dzielą niecałe dwa lata i jako dzieci byli sobie naprawdę bliscy.

Nie wiem, czy to brzmi wiarygodnie, czy też tak, jakbym wciskała jej najgorszy kit, co niniejszym czynię. Andrew i jego siostra nie znosili się nawzajem. Powiedziała mi kiedyś, że mama zostawiała ich samych, kiedy Andrew był wystarczająco duży, żeby jej pilnować, a on wtedy gonił ją po całym domu, szepcząc, że jak tylko mama wyjdzie, zadźga ją rzeźnickim nożem. Do dziś śni jej się to po nocach.

– Pewnie masz rację. I tak mieliśmy się zacząć starać o drugie, kiedy Hanna skończy roczek. Właściwie to tylko kilka miesięcy wcześniej.

– A co na to twój mąż?

Wzrusza ramionami.

– On się cieszy. Chce mieć trójkę albo czwórkę, im szybciej, tym lepiej.

Jasne. O ile pamiętam, to on właśnie wybrał poker zamiast wieczoru z córką sam na sam. I jestem prawie pewna, że na pierwszych lub drugich zajęciach Melissa wspomniała, jak to wybrał się na dwutygodniowy wyjazd z klubem golfowym w tym samym tygodniu, w którym urodziła się Hanna. To oczywiście nic wielkiego, że Melissa znów jest w ciąży.

Jego to przecież nie dotyczy. To nie jego problem. Bo to nie on będzie zajmował się dwoma niemowlakami naraz. Albo trzema. Czy czterema. Ale ja przecież staram się ją pocieszyć, a nie pogrążyć. Zmieniam temat.

– A ty? Jak się z tym czujesz?

– OK. Jestem trochę zmęczona, ale nie mam mdłości ani nic. Zresztą, jestem zbyt zajęta zajmowaniem się Hanną, żeby w ogóle się nad tym zastanawiać.

Nie potrafię powstrzymać grymasu. Na myśl o zajmowaniu się dzieckiem podczas pierwszego trymestru ciąży trzęsie mną.

– W każdym razie, gdybyś czegoś potrzebowała, proszę, daj mi znać.

„Jasne. Gdybyś na przykład potrzebowała pistoletu albo pętli na szyję. Albo czyjegoś delikatnego popchnięcia podczas schodzenia ze schodów".

– Dzięki.

Pociąga za pasy bezpieczeństwa, przeciąga je na drugą stronę i zapina.

– Laro... – mówi jeszcze do mnie.

Odwracam się.

– Tak?

– Nie mów nikomu, dobrze? Jeszcze nie jestem na to gotowa.

– Jasne. Ani słowa.

Wsiadam do samochodu, Melissa rusza, cofam i jadę za nią. Zatrzymujemy się przy wyjeździe z parkingu. Czekam, aż Melissa włączy się do ruchu. Kiedy droga jest wolna, macha do mnie i wyjeżdża na ulicę. Ja też do niej macham, skręcając w przeciwną stronę.

Jestem w szoku. Nie dociera do mnie, że za sześć miesięcy Melissa będzie miała kolejne dziecko. Sześć miesięcy! Całą drogę do domu wyobrażam sobie siebie w takiej sytuacji. Jak bym się czuła? Co bym zrobiła? Boże, chyba bym się zastrzeliła. Po prostu nie jestem jeszcze gotowa przechodzić przez to po raz drugi. Będę musiała poczekać przynajmniej trzy lata. Wtedy dopiero mogę się zacząć zastanawiać. Jedno na pełnym etacie w przedszkolu, wtedy może pojawić się drugie. Oto moja wizja. Uczciwie przyznaję, nawet nie potrafię wyobrazić sobie zajmowania się dwójką naraz. Przecież ledwie radzę sobie z jednym, a mam nianię, która ze mną mieszka.

Biedna Melissa. To musi być okropne: jedno po drugim. Płaczliwość, brak snu i to karmienie. Na Boga żywego, przecież ona ciągle jeszcze karmi Hannę. I cała ciąża, i wszystko, co za sobą pociąga. Przysięgam, sama myśl o nadwadze, a potem o zrzuceniu jej... Nie, robi mi się niedobrze.

Zerkam w lusterko, które zamocowałam z tyłu, tak żebym mogła widzieć twarz Parker, nawet gdy jest odwrócona do mnie tyłem. „Boże, jest taka śliczna, kiedy śpi". Wzdycham.

Z drugiej strony, może za drugim razem nie byłoby wcale tak źle. Może wtedy czułabym się inaczej. To znaczy – na pewno nie jestem tą osobą, którą byłam przed urodzeniem Parker. Przede wszystkim poziom mojej cierpliwości jest przynajmniej milion razy wyższy. I posunęłabym się nawet do stwierdzenia, że dzięki macierzyństwu stałam się w jakimś stopniu tolerancyjna w stosunku do ludzi. Przecież jeszcze w ciąży nie mogłam znieść, kiedy obcy zaczepiali mnie na ulicy, zadając tysiące pytań. A teraz bardzo lubię, kiedy mnie zaczepiają i mówią, jaka słodka jest Parker. Właściwie czuję się urażona, kiedy nie zaczepiają mnie na ulicy i nie mówią, jak jest słodka. I wiecie co? Zaczynam podejrzewać, że wcale nie jestem taką egoistką, jaką byłam. Może nawet coś takiego jak gen egoizmu wcale nie istnieje. Boże, cóż to byłaby za ulga.

Poza tym z następnym dzieckiem, to jasne, wiedziałabym już, czego się spodziewać. A co ważniejsze, widziałabym, co dostaję w zamian. Wiedziałabym, że płód, przez który jestem gruba, a potem niewyrazisty niemowlak, przez którego czuję się taka nieszczęśliwa, zamieni się w końcu w dziecko, które będę kochać bardziej niż samo życie. Ojej, wiem, że mówię, że Parker mnie nudzi i że nie chciałabym zajmować się nią sama jedna, ale naprawdę ją kocham, tak bardzo, że to aż boli. Poważnie, czasami mam wrażenie, że moje serce pęknie na pół, a pokusa zjedzenia jej jest tak silna. Z następnym będę przynajmniej od razu wiedzieć, że warto.

To powinno nieco ułatwić sprawę, prawda?

* * *

Kiedy Andrew wraca do domu, Parker już śpi, a ja z Deloris ucinamy sobie pogawędkę w kuchni. Opowiada mi o swoim synu, który właśnie skończył studia medyczne na Jamajce. Przysięgam, przez ostatnie dwa tygodnie dowiedziałam się o niej więcej niż przez cały ten czas, który z nami mieszka. Prawdę mówiąc, trochę mi wstyd. Tak byłam zajęta konkurowaniem z nią, że nawet nie przyszło mi do głowy zapytać jej o to i owo. Boże, nic dziwnego, że tak mnie nienawidziła. Na jej miejscu też bym się nie cierpiała.

Andrew wchodzi do kuchni i całuje mnie w usta. Trwa to ciut dłużej niż zwykle. W brzuchu czuję trzepotanie, tak samo jak na początku naszej znajomości, posyłam mu więc spojrzenie „niegrzeczny chłopczyk", które on odwzajemnia. O nie, muszę koniecznie znaleźć znów jakiś pretekst, by włożyć te spodnie.

– Wiesz – mówi do mnie – rozmawiałem dziś rano z Courtney.

Deloris mruży oczy. Spoglądamy na siebie.

– Tak? Jakimiż to głębokimi przemyśleniami chciała się z tobą podzielić?

Andrew patrzy nierozumiejącym wzrokiem.

– A co mają do tego głębokie przemyślenia? W każdym razie, chyba ucieszy cię to, że nie może już przychodzić na agility. Zatrudnili ją w Peninsula, i w soboty musi pracować.

„A więc Marley wykonała zadanie. Niesamowite".

– Naprawdę? – udaję głupią. Andrew kiwa głową, a ja się uśmiecham. – Wspaniale, pewnie jest w siódmym niebie – przerywam, niepewna, czy pytać, czy nie pytać. Ale chcę to wiedzieć, patrzę więc na niego z ukosa, żeby uniknąć spojrzenia prosto w oczy. – Jest ci przykro? – pytam, ale zanim kończę zdanie, Andrew kręci głową.

– Cieszę się, że dostała tę pracę. I, prawdę mówiąc, właściwie trochę mi ulżyło, bo zaczynała mnie już denerwować. Ciągle paple o niczym. Poza tym jest zbyt miła.

Szczerzy się, klepiąc mnie w pośladek.

– Wolę trochę bardziej nerwowe kobiety.

Spoglądam na niego i śmieję się.

– Dobrze wiedzieć. Bardzo dobrze wiedzieć. Na pewno zapamiętam.

– Tak. I jeszcze pomyślałem, że będziesz zadowolona z takiego obrotu spraw – zdejmuje marynarkę i rozluźnia krawat. – Muszę zdjąć ten garnitur – oznajmia. – Zaraz wracam.

Andrew biegnie na górę, a gdy tylko znajduje się poza zasięgiem naszego głosu, Deloris odwraca się do mnie i rozkłada ręce. Na twarzy ma szeroki uśmiech. Bardzo szeroki.

– No i co? Deloris jednak wie, co robi, prawda?

– To znaczy? – nie rozumiem, o co jej chodzi.

– To znaczy? – powtarza urażonym głosem – To znaczy, że nie słyszała pani, co powiedział przed chwilę pan Andrew? Courtney nie przyjdzie już na agility.

Splata ręce i z zarozumiałym uśmiechem na twarzy opiera się o zlewozmywak.

I nagle uświadamiam sobie, o co chodzi. „Boże. Więc ona myśli, że to wszystko sprawiły idiotyczne zaklęcia wudu?" Śmieję się.

– Deloris – próbuję jej wytłumaczyć. – Osoba, która ją zatrudniła, to przyjaciółka Nadine. Wiesz, przyjaciółka narzeczonej mojego ojca? To ona wszystko zorganizowała.

Deloris potakuje.

– Oczywiście, ponieważ Deloris wysłała w kosmos wiadomość – tłumaczy, pukając się w pierś. – Jak inaczej wyjaśni pani, że etat był akurat wolny? Nadine na pewno nie wpłynęła na układ gwiazd.

Wzdycham, przypominając sobie, co Nadine mówiła o Deloris. „Odrobina pobłażliwości może zdziałać cuda. Nic ci się nie stanie, jeśli po prostu się z nią zgodzisz".

Uśmiecham się do Deloris.

– A wiesz, że masz rację – mówię, jakbym pierwszy raz się nad tym zastanawiała. – Jeśli w ten sposób na to spojrzeć, to rzeczywiście – kręcę głową. – Jesteś niesamowita.

Deloris się rozpromienia, wniebowzięta, że wreszcie ją doceniono.

– To nie tylko moja zasługa. To pani wypowiedziała życzenie. Bez tego kosmos nie wiedziałby, jak wykorzystać energię lalki.

Uśmiecham się do niej z uznaniem.

– Tak czy inaczej, dziękuję. Chociaż, prawdę mówiąc, to dość zabawne. Tak długo chciałam, żeby zniknęła, a teraz, kiedy to się dzieje, wcale już mi na tym nie zależy.

Deloris kiwa głową.

– Zawsze tak się dzieje. Kiedy uświadomisz sobie, że to ty masz moc, twoje wcześniejsze zmartwienia wydają się zwyczajnie śmieszne.

Obdarzam Deloris zaskoczonym spojrzeniem. Wiecie, że, pomijając te bzdury z wudu, w tym rzeczywiście może coś być. Boże, jaka ja byłam głupia. Jak nawet przez chwilę mogłam pomyśleć, że Deloris będzie moją Mary Poppins? Oczywiście, że Deloris to nie Mary Poppins. To Strach na Wróble z *Czarnoksiężnika z Krainy Oz*. Uśmiecham się znów do niej.

– Masz rację, Deloris. Masz całkowitą rację.

25

Nie uwierzycie, ale za oknem pada. W sierpniu. I wcale nie jest to jakaś tam mżawka. To prawdziwa ulewa, wymagająca włączenia wycieraczek i rozłożenia parasola. Lokalne stacje telewizyjne wariują. Mają gotowe wszystkie możliwe mapy i co tylko się da. Nazywają to „letnią burzą". W tle słychać, a jakże, brzmiący groźno podkład muzyczny, a na ekranie pojawia się facet od pogody w błyszczącym płaszczu przeciwdeszczowym, relacjonując z Malibu, gdzie zaczepia zszokowanych i rozczarowanych niedoszłych plażowiczów. Z tonu, którym mówią, można by wnioskować, że na ulicach zalegają pięciometrowe zaspy śnieżne.

Tak czy inaczej, twierdzą, że to sprawka El Nino, ale ja osobiście uważam, że to znak. Jakby Bóg mówił do mnie, żebym się uspokoiła i skończyła z poczuciem winy z powodu powrotu do pracy. To już za dwa tygodnie. Ale zaraz, chwileczkę. Przecież nic nie wiecie o tym, że czuję się winna. OK, cofnijmy się w czasie.

Oto, co się wydarzyło. Wyszłam przed dom, żeby wyciągnąć ze skrzynki pocztę – wtedy właśnie odkryłam, że z nieba spadają krople wody, to nie przypadek – ale oparłam się pokusie zawołania tych wszystkich mądrali z obozu letniego i powiedzenia im: „I co, a jednak pada latem w LA", i wróciłam do domu. Między nadesłanymi rachunkami i reklamówkami znalazłam wypchaną kopertę z Bel Air Prep. Nawet nie musiałam jej otwierać, żeby wiedzieć, co znajduje się w środku. Dostaję to co roku, w drugim tygodniu sierpnia, a treść jest zwykle bardzo podobna. To plan organizowanego przed rozpoczęciem roku szkolnego tygodnia organizacyjnego. Jak tylko zobaczyłam kopertę, mój żołądek wypełniło przerażenie. Wyobraźcie sobie całodniowe sesje na temat roli społeczności lokalnej, wagi szacunku lub też innego, równie nudnego zagadnienia, które akurat wybiorą na ten rok. Potem szkolenia, jak posługiwać się nowym oprogramowaniem, na którego zainstalowanie wydali tego lata dziesiątki tysięcy dolarów, a które z całą pewnością będzie przyczyną chaosu panującego przez pierwsze trzy miesiące, bo nie będzie kompatybilne z tym, co już mamy, i albo usunie połowę planów wynikowych, albo też, jak to się stało rok temu, drukując adresy rodziców na kopertach, pominie adresy drugiego rodzica, czego nikt nie zauważy, niedługo potem zadzwoni więc do nas około stu wściekłych rozwiedzionych tatusiów, domagających się wyjaśnień, dlaczego nie otrzymali wyników swojej pociechy i o dwójce z biologii musieli dowiadywać się od cholernych byłych żon. Nie zapominajmy też o rozrywkach, które nieodzownie towarzyszą nam w ciągu tygodnia organizacyjnego, służąc rzekomo bliższemu poznaniu się pracowników. Na przykład rzucanie do siebie gotowanym jajkiem w czterdziestostopniowym upale albo wzięcie udziału w grze pod tytułem „Dowiedz się, który nauczyciel spędził wakacje w Ekwadorze oraz który pracownik niedydaktyczny w trakcie studiów zatrudniał się jako goniec". W każdym razie, rozumiecie, o co chodzi. To okropne. Naprawdę nie wiem, co to ma na celu. Oprócz torturowania nas.

Ale do czego zmierzam. Kiedy już otworzyłam kopertę i przejrzałem program (będziemy się zastanawiać, co z naszych czasów chcielibyśmy zostawić potomnym – hurra), pojawiło się poczucie winy. Nie, zaraz – cofnijmy się jeszcze dalej. Bo, widzicie, tego ranka Parker obudziła się wcześniej niż zwykle, bawiłam się więc z nią przez jakąś godzinę, zanim Deloris wyłoniła się ze swojego pokoju. Prawdę mówiąc, umierałam już z głodu. Oddałam więc dziecko niani, by sama czym prędzej udać się do kuchni, gdzie mogłabym połknąć porcję płatków, ale kiedy się odwróciłam, Parker zaczęła płakać. Wiem, że brzmi to dość nieszkodliwie – dzieci przecież wciąż płaczą, kiedy ich mamy wychodzą – ale u Parker to był pierwszy raz. Nigdy wcześniej nie płakała, kiedy ją zostawiałam, a ja tak się tym denerwowałam, zamartwiając się, że nie zawiązała się między nami odpowiednia więź. Wszystko zaczęło się od zajęć Susan, kiedy mówiła o lęku przed rozstaniem. O, kurczę. Nie mówiłam wam jeszcze o tym. Chyba jednak muszę cofnąć się jeszcze kawałek.

Jakiś miesiąc wcześniej tematem zajęć był lęk przed rozstaniem. Susan wyjaśniała nam, co to takiego: Dziecko boi się, kiedy mama wychodzi, ponieważ nie zdaje sobie sprawy, że ona wkrótce wróci, płacze więc za każdym razem, gdy się oddala. Potem opisała typową scenkę: Odchodzisz, dziecko płacze, wracasz, uspokaja się, odchodzisz, ono znów płacze, jeszcze mocniej, itd. W końcu jednak, powiedziała, dziecko nauczy się ufać mamie i nie będzie płakać, ponieważ zrozumie, że ona zawsze wraca.

Kiedy Susan mówiła, wszystkie mamunistki kiwały głowami, jakby przytakując: „Tak, moje dziecko zawsze płacze, kiedy wychodzę z pokoju, chociażby na dwie sekundy, żeby odebrać telefon", a ja byłam zupełnie zdezorientowana, aż do dzisiejszego ranka, ponieważ wcześniej Parker zdawała się w ogóle nie zauważać, że opuszczam pokój. Pamiętam, że po zajęciach zadzwoniłam do Stacey, powiedzieć jej, że mam lęk przed lękiem przed rozstaniem – właściwie to lęk z powodu braku lęku przed rozstaniem – bo, według Susan, jeśli dziecko nie wykazuje żadnych oznak lęku przed rozstaniem, oznacza to, że nie zawiązała się właściwa więź z matką. Cholerna Susan, nawet nie potrafię wyrazić, jaka byłam przez to zestresowana. Przepraszam, że nie wspomniałam o tym wcześniej, ale wszystko wydarzyło się, zanim uznałam, że Susan to głupia ciućma, a nie mogłam znieść myśli, że uznacie, że Parker nie wie, kim jestem, szczególnie po tym, jak się przechwalam, że spędzam z nią więcej czasu, i że tak bardzo ją kocham, tra la la la, tra la la la.

Ale wróćmy do koperty. Teraz więc, kiedy Parker w końcu już wie, że jestem jej matką (Ona mnie kocha! Naprawdę mnie kocha!), ja wracam do pracy, dokładnie na czas, żeby znów mogła o mnie zapomnieć. I tu dochodzimy do winy. Znacie to: „Czy ja na pewno dobrze robię? Czy to egoizm z mojej strony? Powinnam zostać z nią w domu, żeby trzy razy w tygodniu nie myślała, że ją opuszczam? Jeśli nie będzie mnie przy niej codziennie, czy zaprzepaszczę to wszystko, co dotąd osiągnęłyśmy?". I w tym momencie uznałam, że ta dziwaczna ulewa, która objęła ogromny pas lądu znany jako Południowa Kalifornia, zdarzyła się przeze mnie, tylko i wyłącznie dlatego, że Bóg chciał powiedzieć Larze Stone z Los Angeles, żeby przestała się zamartwiać, ponieważ czasami i w Kalifornii może latem spaść deszcz.

Tak więc wybrałam jedyne rozsądne wyjście z tego rodzaju sytuacji, która zdarza się raz w życiu. Przyjęłam ofertę Boga i położyłam się do łóżka, mając zamiar przez resztę dnia rozkoszować się padającym za oknem deszczem i leniuchowaniem, przynajmniej do czasu, aż obudzi się Parker.

Ale wtedy, dokładnie dwie sekundy temu, ktoś zadzwonił do drzwi, dlatego Zoey szaleje.

„Boże, błagam, nie". Nigdy nie sądziłam, że to powiem, ale czasami mam ochotę zabić tego psa. Przysięgam, wystarczy, że wiatr zawieje, ta już szczeka jak oszalała, że nie wspomnę, co się dzieje, kiedy rozlegnie się dzwonek: zachowuje się, jakby na nasz dom przypuszczono szturm. I jest na tyle głupia, że nie potrafi odróżnić prawdziwego dzwonka od takiego w telewizji, za każdym więc razem, kiedy puszczają tę idiotyczną reklamę Pizzy Hut – tę, w której dziesięć razy dzwonią do drzwi – muszę lecieć po pilota i wyciszyć fonię, bo Zoey mogłaby paść na atak serca.

– Ciii – wołam, zbiegając po schodach. – Zoey, zamknij się!

Ale Zoey całkowicie mnie ignoruje, stercząc przy drzwiach i szczekając nieprzerwanie.

– Zoey, ciiiisza!

Pochylam się i chwytam ją za pysk. Przytrzymując go jedną ręką, drugą otwieram drzwi. Nadine. Zoey natychmiast cichnie, zaczynając merdać ogonem i domagając się pieszczoty. Puszczam jej mordkę i patrzę z obrzydzeniem. Cholerny pies. Przysięgam, jeśli obudzi Parker, wysyłam ją na wielką niebiańską farmę, gdzie będzie mogła biegać cały dzień i szczekać do woli.

– Cześć – zwracam się do Nadine. Ma na sobie czarne spodnie i biały, lekki sweterek, w dłoni trzyma duży złożony parasol, ociekający wodą. Nie bardzo rozumiem, co ona robi na moim progu. Mają z ojcem przyjść dzisiaj na kolację, o siódmej, kiedy to omówimy resztę szczegółów przyjęcia przedślubnego. W każdym razie wydawało mi się, że taki był plan. Może coś źle zrozumiałam.

– Nie umówiliśmy się dziś na kolację? Czy ja odchodzę od zmysłów?

Nadine kręci głową i podaje mi kopertę z moim imieniem.

– To do ciebie – mówi dziwnym głosem. W ogóle nie zaciąga, nic a nic, a kiedy raz jeszcze jej się przyglądam, zdaję sobie sprawę, że płakała. Sięgam po kopertę i rozpoznaję pismo ojca.

– Co się dzieje? – pytam, czując, jak serce przyspiesza w ekspresowym tempie. – Co jest w kopercie?

Ale Nadine milczy. Stoi tam tylko, kręcąc głową.

– Nadine – mówię natarczywie. – Powiedz mi.

Wzrusza ramionami i rozkłada ręce.

– Odszedł – szepcze. – Po prostu.

Kiedy to mówi, czuję napływające do oczu łzy, a kolana za chwilę się pode mną ugną. W głowie mi się kręci, myśli krążą od jednej do drugiej, w kółko. Od: „Musi być jakieś wyjaśnienie, nie zrobiłby tego drugi raz" do: „Ty głupia, głupia idiotko. Jak mogłaś pozwolić, żeby zrobił ci to po raz drugi?"

Rozrywam kopertę, rozkładam kartkę i czytam rozmywające się przez łzy litery.

Kochana Laro,

Napisanie tego listu to najtrudniejsza rzecz, jaką kiedykolwiek robiłem, ale uznałem, że tym razem należy ci się przynajmniej wyjaśnienie. To popołudnie, które spędziłem z Tobą oraz Twoją prześliczną córeczką, było jednym z najlepszych i najgorszych dni w moim życiu. Wiem, że masz rację. Zanim będziesz mogła mnie znów pokochać, najpierw musimy odbudować nasz związek, od nowa się poznać, ale ja nie jestem zbyt dobry w tych sprawach i obawiam się, że nie polubisz tej osoby, kiedy ją poznasz. Mam nadzieję, że zrozumiesz, że to nie ma nic wspólnego z Tobą. Kocham Cię i zawsze będę o Tobie myślał. Ale lepiej radzę sobie, kiedy jestem sam. Zawsze tak było. Zaopiekuj się Nadine. To wspaniała kobieta i cieszę się, że się zaprzyjaźniłyście.

Kocham Cię,
Ronny

Po przeczytaniu podnoszę głowę, patrząc na Nadine pustym wzrokiem. Ona robi krok do przodu i obejmuje mnie, a ja jestem wdzięczna, że mogę się o nią oprzeć.

– Bardziej martwię się o ciebie niż o siebie. Tak mi przykro, że ci to zrobił. Nigdy nie pomyślałam… – nie kończy zdania. Jestem pewna, że zdaje sobie sprawę, że nie ma sensu go bronić, czy próbować cokolwiek wyjaśniać.

Odsuwam się od niej.

– Wejdźmy do środka – zapraszam ją. – Muszę usiąść.

Trudno mi wykrztusić słowo. Mówię tak cicho, ledwie sama siebie słyszę. Nadine bierze mnie za rękę i prowadzi do salonu. Obie siadamy na kanapie. Wtedy wchodzi Deloris.

– Parker się nie obudziła – informuje mnie. – Ale musi pani zamykać psa, kiedy mała śpi. Tym razem miałyśmy szczęście.

Kiwam głową na znak zgody, prawie jej nie słuchając.

– OK. Dzięki, Deloris.

Deloris przygląda mi się zdziwiona – zwykle w takiej chwili przez piętnaście minut rozprawiam, jak to każę wyciąć Zoey struny głosowe, jeśli nie będzie ich pilnować – i wychodzi z pokoju. Spoglądam na Nadine.

– Pokłóciliście się?

Ale ona, zdumiona, kręci głową.

– Ależ skąd! Wręcz przeciwnie. Kiedy wychodziłam dziś rano, powiedział, że odbierze swój smoking i że po powrocie urządzimy mały pokaz. Miałam tylko zrobić manicure. A kiedy wróciłam... już go nie było. Znikły wszystkie jego rzeczy, zostały tylko te dwie koperty. Na stole. Jedna dla ciebie, jedna dla mnie.

Kręci głową, oczy zachodzą jej łzami.

– A przecież jeszcze w nocy rozmawialiśmy o naszym wspólnym domu, mieliśmy zacząć poszukiwania zaraz po ślubie. Mówiłam, że czas zapuścić korzenie, mieć coś stałego... – Zakrywa usta dłonią. – O mój Boże, czyżby tego się tak wystraszył? – potrząsa głową, jej twarz staje się jeszcze smutniejsza – Och, Ronny – zawraca się do nikogo w szczególności. – Dlaczego po prostu nie powiedziałeś, że nie jesteś gotowy?

Tymczasem ja ochłonęłam już po pierwszym szoku i teraz dochodzi do głosu złość.

– To tchórz, Nadine. Zawsze nim był. Lepiej nam będzie bez niego. I tobie, i mnie.

Nadine zaczyna się rozklejać, po policzku spływa jej łza.

– Właśnie to napisał w liście do mnie. Nigdy nie mógł zrozumieć, że ludzie go kochają i potrzebują. Uważa, że jeśli nie jest doskonałym ojcem czy doskonałym mężem, jeśli nie potrafi sprostać oczekiwaniom, to lepiej, żeby go w ogóle nie było. Myśli, że to zniknięcie rozwiąże wszystkie problemy. – Nadine wzdycha. – Nic bardziej mylnego. Taki krok może tylko pogorszyć sprawy.

Patrzy mi prosto w oczy.

– Wiem, Laro, że jesteś zła. Nie winię cię za to. Ale bez niego wcale nie będzie ci lepiej. Nawet jeśli nie jest doskonały, zawsze lepiej będzie ci z nim, i naprawdę mam nadzieję, że pewnego dnia oboje będziecie w stanie to zaakceptować.

Zastanawiam się chwilę nad tym, co powiedziała. Oczywiście ma rację. To znaczy – z wadami czy bez, na pewno wolałabym, żeby ojciec pozostał częścią mojego życia. A już na pewno wolałabym, żeby pozostał w życiu Parker, gdyż jest jej jedyną nadzieją na posiadanie dziadka. Ojciec Andrew zmarł piętnaście lat temu. I nagle staje mi przed oczami ta chwila, kiedy Parker płakała, bo chciałam wyjść z pokoju.

Lęk przed rozstaniem. Świetna nazwa. Chyba miałam dorosłą wersję tej choroby. Od kiedy się pojawił, przy każdym spotkaniu gdzieś w zakamarkach mojej głowy czaił się niepokój, że już więcej go nie zobaczę. A ostatnio, kiedy przyszedł do nas, w końcu poczułam, że mogę mu zaufać. Uwierzyłam, że już zawsze będzie wracał. Cóż za ironia, że właśnie tego dnia postanowił coś wręcz odwrotnego.

Boże, jak mogłam tak optymistycznie podejść do tego deszczu? Przecież na studiach jednym z moich głównych przedmiotów była literatura. Powinnam wiedzieć, że deszcz zawsze zwiastuje nadejście czegoś złego. Powinnam się domyślić w momencie, kiedy poczułam na twarzy pierwszą kroplę.

– Po prostu nie rozumiem – odzywam się ponownie. – Ostatnio, kiedy się widzieliśmy, powiedział, że kocha mnie najbardziej na świecie. Powiedział, że kiedy człowiek jest rodzicem, nigdy nie przestaje kochać.

Twarz Nadine wykrzywia ból, jakby moje słowa łamały jej serce.

– Tak ci powiedział? – jeszcze nigdy nie słyszałam takiego cichego głosu. Kiwam głową, a ona kładzie mi dłoń na kolanie.

– On naprawdę tak myśli, skarbie. Naprawdę.

Gapię się na nią, coś zaczyna mnie dławić w gardle.

– Wiem. Wiem, bo przecież wiem, jak bardzo kocham Parker. – Kręcę głową. – Ale nigdy nie mogłabym jej opuścić w ten sposób. – Biorę głęboki oddech i patrzę Nadine w oczy. – Raczej bym umarła.

Nadine kiwa głową.

– Tak, Laro, ty tak. I to czyni cię wspaniałą matką. Ale, skarbie, każdy jest inny. Nie bronię go, lecz musimy pamiętać, że każdy okazuje miłość na swój sposób. A twój ojciec uważa, że odejście to największa ofiara, jaką może ponieść dla twojego dobra, bo woli cię opuścić, niż rozczarować do siebie, kiedy już byś go poznała od nowa. – Przerywa, patrzy na podłogę. – Jeśli jest coś, czego się o nim dowiedziałam, to że nie lubi sam siebie. Myślałam, że potrafię to zmienić. Że uda mi się go podbudować, popracować nad jego poczuciem własnej wartości, ale teraz już wiem, że nie mogę zrobić tego za niego, a on sam najwyraźniej jeszcze nie jest gotów.

Wzdycha, znów na mnie patrzy. Odnoszę wrażenie, że nie wie, co jeszcze mogłaby mi powiedzieć.

– Nie martw się o mnie, Nadine. Wszystko w porządku.

I rzeczywiście tak jest. Mam teraz mocny dowód, że zdecydowanie nie jestem ani odrobinę do niego podobna. Uff, co za ulga. Ale właśnie sobie uświadomiłam, że nie zapytałam Nadine, jak ona sobie radzi. Ostatecznie facet zmył się prawie spod ołtarza. Musi być załamana.

– Ale co z tobą, Nadine? Radzisz z tym sobie?

– Och, skarbie – odpowiada, tym razem już zaciągając. Uśmiecha się i puszcza do mnie oko. – Ludzie doskonali nigdy nie pozwalają, by sentymenty mąciły ich uczucia.

Patrzę na nią podejrzliwie. Brzmi to cudacznie, wypowiedziane z udawanym południowym akcentem, a nie czystym brytyjskim, ale to zdanie z całą pewnością pochodzi z *Mary Poppins*. Dziwne, że to właśnie powiedziała. Jestem przekonana, że w rozmowie z nią nigdy nie wspominałam o moich porównaniach jej do Mary.

– Czy to znaczy „tak"?

Śmieje się.

– Dokładnie.

OK. Zrozumiałam. To przecież ostatnie zdanie, które na końcu filmu wypowiada Julie Andrews, tuż przed swoim odlotem. Przygryzam wargę, bo zaczyna do mnie docierać, że prawdopodobnie już więcej nie zobaczę Nadine.

– Jakie masz plany?

Wzrusza ramionami.

– Chyba wybiorę się w podróż, może odwiedzę Vegas. Na jakiś czas muszę się wyrwać z LA. Nie ma sensu tkwić pośród smutnych wspomnień.

Kiwam głową. Wiedziałam, że to powie. A potem, tak po prostu, Nadine wstaje.

– Cóż, skarbie, czas się zbierać. Czeka mnie sporo telefonów, jeśli do końca tygodnia chcę zdążyć odwołać to wesele.

„Boże. Nawet o tym nie pomyślałam".

– Jestem starościną – przypominam jej. – Czy to nie mój obowiązek?

Nadine kręci głową.

– Nie, skarbie. Dziękuję, ale myślę, że powinnam zrobić to sama. Nie masz pewnie ochoty tłumaczyć tym wszystkim ludziom, dlaczego twój ojciec mnie zostawił.

Hm, nie pomyślałam o tym w ten sposób. Ale chyba ma rację. Odprowadzam ją do drzwi, a ona szybko wychodzi na ganek. Deszcz w końcu zelżał, przechodząc w delikatną mżawkę, pojawiła się za to gęsta mgła, właściwie ledwie można dojrzeć chodnik. Wychodzę za Nadine i wyciągam ręce, by ją uściskać, ale ona mnie powstrzymuje.

– Nie lubię długich pożegnań, skarbie. Są zbyt smutne. Po prostu powiedz mi, żebym na siebie uważała, a ja zrobię to samo.

Znów czuję dławienie – cholerny Luthor – i wiem, że jeśli się odezwę, zacznę szlochać, tylko więc kiwam do niej głową. Wtedy Nadine bierze swoją parasolkę, rozkłada ją i nie oglądając się za siebie, schodzi po schodach mojego domu. Nie spuszczam z niej oka. Nadine stopniowo jakby rozpływa się we mgle, tylko jej czarny parasol odcina się na tle nieba. Przez moment wygląda nawet, jakby się unosiła. Uśmiecham, się do siebie.

„Żegnaj, Mary Poppins. Wracaj prędko".

26

We wtorek po Święcie Pracy wychodzę z domu o siódmej trzydzieści rano. Dziś zaczynam życie Matki Pracującej. (Pomijam tydzień organizacyjny, bo połowę zajęć opuściłam, a w pozostałe dni wychodziłam o dwunastej. No co, przecież mnie za to nie wyleją.) Oczywiście zaraz po obudzeniu byłam na granicy łez, a potem, w drodze do szkoły, rzeczywiście się rozryczałam, bo kiedy wychodziłam, Parker jeszcze spała, i nie mogłam pozbyć się myśli, że w końcu stało się: oto początek mojej wiecznej nieobecności w jej życiu.

W każdym razie, jest punktualnie ósma. Parkując przed szkołą, straszliwie tęsknię za małą, a wyrzuty sumienia nie dają mi oddychać. Zresztą, jestem w pełni świadoma, że nie ma w tym najmniejszego sensu, bo przecież przez większość tygodnia i tak o tej porze jestem już na sali gimnastycznej. I nigdy nie czułam się z tego powodu winna. Ale ponieważ to mój pierwszy dzień pracującej mamy, uważam, że lekki akcent melodramatyczny jest tu jak najbardziej na miejscu, a nawet niezbędny.

Pierwsza rzecz, którą robię po wejściu do gabinetu, to rozstawienie zdjęć Parker na każdej możliwej powierzchni płaskiej. Następie gapię się na nie i ryczę. Ale już po kilku sekundach wpada do gabinetu jedna z uczennic. Ma na sobie jasnoniebieską bluzkę Lacoste'a z krótkimi rękawkami i kołnierzykiem, przynajmniej o trzy rozmiary za małą, można więc w całej okazałości podziwiać kolczyk w jej pępku. Na nosie gigantyczne różowe okulary, a spod długaśnych nogawek dżinsów wystają noski espadryli na dziesięciocentymetrowym koturnie. Nogawki są tak długie, że ciągną się po podłodze i dziewczyna następuje na nie, potykając się przy każdym kroku. Jasne włosy częściowo zakrywają twarz, w dłoni trzyma jednorazowy kubek z kawą.

„Jezu – myślę, przyglądając się jej. – Chyba jednak lubię niemowlęta bardziej, niż mi się wydaje". Panna Modna od razu mnie napada.

– O Boże, pani Stone, dzięki Bogu, że pani wróciła. Pokazałam naszemu angliście szkic wypracowania dla Michigan, a on w ogóle nie załapał, o co chodzi. Stwierdził, że jest zbyt prowincjonalne. Nawet nie wiem, co znaczy to słowo, i w ogóle. Chcę studiować sztukę, muszę im więc opowiedzieć o swojej sztuce, tak czy nie?

Ocieram łzy, uspokajam się, a potem proszę, żeby zostawiła mi swoją pracę. Kiedy wychodzi, zerkam na zegarek. Jest ósma zero trzy, a ja już czuję się, jakbym nigdy nie była na macierzyńskim.

Siadam przy biurku i zaczynam przeglądać pięciomiesięczną stertę listów, e-maili oraz wiadomości zostawionych na automatycznej sekretarce. Dodatkowo moja asystentka – która już chyba pięćdziesiąt razy zdołała mnie zapewnić, że wyglądam lepiej niż kiedykolwiek, co, jestem pewna, należy tłumaczyć jako „jesteś okropnie gruba, ale za nic ci tego nie powiem" – uświadamia mnie, czym muszę zająć się w pierwszej kolejności. Wykazy ocen czternastu naszych uczniów nie dotarły na Uniwersytet Kalifornijski i jeśli nie wyślemy ich dziś, dzieciaki nie będą w stanie zapisać się na zajęcia. Szkoła obcięła nasz budżet na ten rok o tysiąc pięćset dolarów, nie mamy więc funduszy, by zapłacić prelegentowi zaproszonemu na spotkanie rodziców ostatnich klas, które odbędzie się w przyszłym tygodniu, i musimy natychmiast znaleźć kogoś innego. W ulotce informacyjnej, którą w tym tygodniu wysyłamy starszym rocznikom, błędnie podano daty egzaminów, w zawiązku z czym należy natychmiast odzyskać oryginał, zanim zostanie powielony w siedmiuset egzemplarzach.

Sięgam po pióro znajdujące się tuż obok telefonu i ze zdziwieniem dostrzegam Parker, spoglądającą na mnie z fotografii w srebrnej ramce. Boże, tak mnie pochłonęły te wszystkie sprawy, że zupełnie o niej zapomniałam. Znów sprawdzam zegar: Nie minęły nawet dwie godziny, a ja czuję się tak, jakbym nigdy nie miała dziecka. Uznaję, że lepiej na tym wyjdę, jeśli przestanę analizować tę kwestię.

Zanim jednak mogę cokolwiek zrobić, dzwoni telefon.

– Doradztwo akademickie, Lara Stone.

„Błagam, Boże, niech to nie będzie rodzic. Jeszcze nie jestem gotowa".

– Hej – słyszę znajomy głos. To nie rodzic. Oddycham z ulgą.

– Hej, Stacey. Czy to nie za wczesna pora dla ciebie?

– Przyzwyczajenie drugą naturą człowieka. Dobra, jak leci?

Spoglądam na stertę papierzysk.

– Dobrze. Jestem tu od półtorej godziny, a już wpadłam po uszy w robotę.

– Miałam na myśli ojca, Nadine i ślub.

O, rozumiem. Tak. Ślub. O tym też chyba zapomniałam. Miał się odbyć w miniony weekend – w niedzielę.

– W porządku. W piątek czułam się trochę przybita, bo miało być przyjęcie przedślubne, a w niedzielę rano nawet się pobeczałam, ale ogólnie jakoś przeżyłam, nawet całkiem nieźle. Tak naprawdę to nie miałam zbyt wiele czasu na rozmyślania. Deloris wyjechała na długi weekend, byłam więc zajęta Parker.

W głosie Stacey pobrzmiewa zaskoczenie.

– Czyli dobrze się czujesz? Nie jesteś zdenerwowana i zmartwiona?

– Wiesz, jestem. Jasne, że jestem, ale co ja mogę zrobić? Nie mam czasu, żeby siedzieć i rozczulać się nad sobą. Właściwie to bardziej mi żal jego niż siebie. Sama powiedz, czy to możliwe, żeby człowiek był tak nieszczęśliwy sam ze sobą, że decyduje się opuścić wszystko, co najbardziej kocha? To przecież strasznie smutne.

– Chyba tak. Dziwi mnie tylko, że nie wariujesz. Bo ostatnim razem, kiedy odszedł, byłaś strzępem nerwów. Miałam wątpliwości, czy dasz radę skończyć pierwszy rok.

Wzdycham.

– Wiesz, Stacey, chyba zdaję sobie sprawę, że on jest taki, jaki jest, i ja go nie zmienię. Zresztą, szczerze mówiąc, nie mam teraz siły, żeby robić z tego aferę i zastanawiać się, gdzie zawiniłam. Czuję, że nie jestem już dzieckiem, wiesz? Mam teraz własną córkę i muszę skupić się na byciu jej mamą.

– OK – słyszę, że Stacey jest pod wrażeniem. – Kto by pomyślał, że masz tyle samoświadomości?

– Wiem, wiem. Trochę śmiesznie się czuję w roli dojrzałej osoby. Dobra, a co u ciebie? Jak knajpa?

– Sprzedaję ją – wyjaśnia rzeczowo Stacey.

– Co takiego? Dlaczego? Przecież dopiero ją kupiłaś.

– Tak, ale kończę z tym. Mam kupca, który daje dwa razy więcej niż to, co zapłaciłam Jimmy'emu, myślę więc, że powinnam zgarnąć kasę i się zmywać.

– Ale co będziesz robić? Przecież nie możesz przejść na emeryturę. To by cię zabiło.

– Nie mam zamiaru. Rozmawiałam z kilkoma moimi klientami i chyba otworzę własną firmę. Wiesz, tylko ja, ewentualnie jakiś asystent.

Przerywa na chwilę.

– Jestem prawnikiem. Taki mam zawód. Knajpa, owszem, niezła zabawa, ale to nie moja działka. Rozumiesz?

Spoglądam na zdjęcie Parker i uśmiecham się.

– Pewnie. Bardzo dobrze cię rozumiem.

Kilka godzin później rozmawiam z rozhisteryzowaną matką, próbując jej wyjaśnić, dlaczego nie mogę wymazać z wykazu ocen jedynki, którą jej córka otrzymała z algebry, mimo tego, że podeszła do egzaminu ponownie, zdobywając trójkę, kiedy wchodzi posłaniec z ogromnym koszem ciasteczek od Mrs. Beasley.

„Kto mógł to przysłać?" Podczas gdy matka ciągnie swoje („Ale jeśli nie wykreśli pani jedynki, nie ma szansy dostać się do Stanford"), otwieram załączoną karteczkę.

Kochana Laro,

Miłego pierwszego dnia szkoły i dzięki za pomoc w sprawie Instytutu – jesteśmy przyjęci! Pozdrowienia, Julie, Jon i Lily.

„No, no, proszę bardzo. Czyli jednak Nadine jej to załatwiła". Kręcę głową. Od wieczoru panieńskiego rozmawiałam z Julie kilka razy. Julie, jak to ona, udawała, że nic się nie wydarzyło, kiedy zaś próbowałam naprowadzić rozmowę na wiadome tory, zmieniała temat, zaczynając opowiadać, jak planuje urządzić pierwsze urodziny Lily. Ale oczywiście nie zapomniała o Nadine, która ma jej pomóc z Instytutem. Zadzwoniła do mnie trzy razy jednego dnia, żeby się upewnić, że przypomniałam Nadine o telefonie do Dana Gregoire'a, a potem jeszcze dwa razy następnego dnia, żeby się upewnić, że Nadine dzwoniła.

Ale teraz uświadamiam sobie, że nie rozmawiałam z nią od odejścia ojca. Pewnie myśli, że byłam na weselu i wszystko gra. Chyba do niej zadzwonię.

Muszę obiecać rozhisteryzowanej matce, że w swojej opinii dla uniwersytetu wspomnę o nieporozumieniach na linii córka – jej nauczyciel matematyki, zapewniając ją, że tak, to robi różnicę (ale nie zawracając sobie głowy wyjaśnieniem, że z jedynką i trójką na świadectwie i tak nie ma żadnej szansy dostać się do Stanford). Wtedy daje mi wreszcie spokój, wybieram więc numer Julie, która odbiera po pierwszym dzwonku.

– Cześć. Dostałaś kosz?

– Tak. Dzięki. Chyba jesteś zadowolona, co?

– Raczej wniebowzięta. Jon też nie może usiedzieć na miejscu. Naprawdę, Laro, nie masz pojęcia, jak ci jestem wdzięczna. Jeśli kiedykolwiek będziesz czegoś potrzebowała, wystarczy, że powiesz słowo. Aha, masz adres Nadine? Bo jej też chciałabym coś przesłać. Może butelkę szampana? Jak myślisz, wystarczy?

– Wiesz, Nadine wyjechała. Nie ma jej w mieście.

– No jasne! – wykrzykuje Julie. – Przecież w niedzielę był ślub! Spędzają miesiąc miodowy. Jak było? Pewnie fantastycznie bajecznie?

Wzdycham. Na myśl, że znów muszę powtarzać całą historię, czuję zmęczenie.

– Nie ma żadnego miodowego miesiąca. I nie było żadnego wesela. Ojciec wyniósł się cichcem kilka dni po naszej imprezie.

– Co? – słychać, że Julie przeżywa szok. – O mój Boże. Gdzie więc jest teraz Nadine?

– Nie wiem. Chciała wyjechać z Los Angeles. Powiedziała, że pokręci się trochę po świecie.

– Boże, to musiało być dla niej upokarzające – zniża głos, jakby dom był usiany pluskwami, a ona nie chciała, żeby coś podsłuchali. – Była załamana?

– Nie. Raczej nie. Miałam wrażenie, że trochę się tego spodziewała. Chociaż byłoby miło, gdyby zdradziła mi te przeczucia wcześniej, a nie pojawiła się w drzwiach z listem pożegnalnym od niego.

Julie cmoka językiem, okazując mi swoje współczucie.

– Laro, tak mi przykro.

Następuje długa cisza, a ja wyobrażam sobie, jak Julie zbiera się na odwagę.

– Zostawił list? – pyta w końcu. – I co napisał?

Wiedziałam. Boże, Julie jest dwustuprocentową mamuśką. To zabawne, bo przecież zanim pojawiła się Parker, brałam ją za niezwykle rzadki okaz.

– No wiesz. Takie tam, normalne pożegnanie.

Chociaż bardzo lubię Julie, mam opory przed wprowadzeniem ją w szczegóły. Nie chcę po prostu stać się następną pikantną historyjką opowiadaną podczas kolejnego lunchu po zajęciach „Mama i ja".

„O, rany, dziewczyny, a posłuchajcie tego..."

– Wiesz, muszę kończyć – informuję ją, zerkając na wciąż obecną na biurku stertę dokumentów. – Robota czeka.

– Jasne, jasne – mówi z wyraźnym rozczarowaniem w głosie. – Masz ochotę na lunch w środę, po zajęciach z Susan? Moglibyśmy spokojnie porozmawiać. Oczywiście jeśli chcesz.

– Wiesz, nie, ale dzięki. Chyba już się z tym uporałam. Naprawdę. A poza tym, raczej nie wybiorę się już do Susan.

– Nie? – tym razem słyszę konsternację. – Ale dlaczego?

„Widzisz, Jul, w tej chwili w moim życiu jest miejsce tylko dla jednej mamunistki..."

– Cóż. Uznałam ostatecznie, że po prostu tam nie pasuję.

27

W drodze do domu nie mogę się doczekać spotkania z Parker. Cały czas wyobrażam sobie tę chwilę, tak często wykorzystywaną w filmach. Wchodzę frontowymi drzwiami, a ona, mimo że jeszcze nie chodzi, zaczyna podskakiwać z radości i śmiać się w głos, a wszystko po to, by pokazać, jak bardzo się cieszy z powrotu (po raz kolejny, jak obiecano) swojej ukochanej, jedynej na świecie mamy.

Wpadam przez drzwi i biegnę na górę, do jej pokoju. Deloris siedzi w bujaku z Parker na kolanach, potrząsając przed nią grzechotką.

– Cześć – mówię entuzjastycznie. – Mamusia wróciła!

Parker odwraca główkę i patrzy na mnie przez sekundę, a potem jej wzrok wraca do grzechotki, którą próbuje wepchnąć sobie do ust. Zero uśmiechu, nic. To tyle na temat ciepłego powitania. Czuję w sercu lekkie ukłucie i przypominam sobie inną rzecz, którą powiedziała Susan na zajęciach o lęku przed rozstaniem:

– Dzieci nie rozumieją pojęcia ciągłości istnienia przedmiotu. W ich pojmowaniu świata, jeśli nie ma cię w pobliżu, to nie znaczy, że nie ma cię w pobliżu tylko przez kilka godzin. Jeśli nie ma cię w pobliżu, przestajesz istnieć.

„Świetnie. A więc ona po prostu o mnie zapomniała. To chyba sprawiedliwe. Przecież ja też o niej zapomniałam, prawda?". Z kolei Deloris, dla odmiany, bardzo cieszy mój widok. Kiedy wchodzę, ona dosłownie wyskakuje z fotela.

– Och, pani Laro. Jak dobrze, że już pani jest. Nie wiem, ile jeszcze mogłabym czekać.

Patrzę na nią, nic nie rozumiejąc.

– Czekać na co? Co się tutaj dzieje?

Deloris promienieje i kładzie Parker na podłodze.

– Cały dzień próbowała się dziś przewrócić na brzuszek i w końcu już by się jej udało, ale Deloris podniosła ją czym prędzej i powiedziała, że nie może tego zrobić, zanim mama nie wróci do domu, bo mama musi zobaczyć ten pierwszy raz.

Spogląda na Parker.

– Deloris trzymała cię całe popołudnie, prawda, kochanie?

Patrzę na podłogę i – tak jak powiedziała Deloris – Parker próbuje unieść ciężar swojego ciała i przewrócić się na brzuszek. Za każdym razem, kiedy już, już ma się jej udać, opada jednak z powrotem na plecy. Ale przy czwartej próbie udaje się jej.

– O mój Boże! – wykrzykuję. – Udało się, udało się. Przewróciła się na brzuszek!

Obie z Deloris zaczynamy wariacko klaskać.

– Dobra robota, skarbie – chwalę Parker. – Jestem z ciebie taka dumna! Sama przewróciłaś się na brzuszek!

„Ha! – myślę sobie. – W końcu i tłuściochowi się udało".

Po raz pierwszy chciałabym mieć obok siebie kilka mamunistek.

Ale Parker wcale nie wydaje się specjalnie uszczęśliwiona swoim osiągnięciem. Na twarzy ma pełno dywanowych nitek i natychmiast zaczyna płakać.

– Ojej, dziecinka nie potrafi odwrócić się z powrotem – stwierdza Deloris, po czym delikatnie przywraca jej poprzednią pozycję. Przyglądam się jej z uniesioną brwią.

– Naprawdę zrobiła to po raz pierwszy?

Deloris potakuje.

– Tak – potwierdza raz jeszcze.

W sekundę później Parker znów się przewraca i znów miauczy. Podnoszę ją. Widzę, że będzie niezła zabawa.

– Dzięki, Deloris, że poczekałaś. To naprawdę dużo dla mnie znaczy.

Deloris uśmiecha się.

– Jest pani dobrą mamą – mówi, idąc do drzwi. Wychodzi do przedpokoju, a potem zatrzymuje się i odwraca do mnie.

– I nie przyszło to pani łatwo.

Nie mam pojęcia, czy chodzi jej o moje problemy z ojcem, czy z nią, a może z samą sobą, ale to bez znaczenia. Po dzisiejszym dniu – nie, zaraz, lepiej będzie: po tych pięciu miesiącach – właśnie to chciałam usłyszeć.

EPILOG

Idę ulicą w Beverly Hills, pchając przed sobą Parker w jej nowym wózku z parasolką, Maclaren Quest (Wyrosła z pierwszego fotelika, dzięki Bogu, żegnaj więc, Snap-N--Go!), i czuję się dziś ze sobą naprawdę dobrze. Pozbyłam się w końcu tych ostatnich dwóch kilogramów i świadomość, że wróciłam do normy, dodała dziś moim ruchom sprężystości. W dodatku moje włosy też mają dobry dzień – wysuszyłam je wczoraj wieczorem, a dziś rano okazały się po prostu doskonałe. Nie mokre od potu i sterczące na wszystkie strony ani pogięte od leżenia, jak zwykle. Włożyłam nawet spódniczkę, a nie zdarzyło mi się to od tamtego dnia, kiedy spotkałam się z Julie na lunch, zaraz po urodzeniu Parker, gdy nic innego mi nie pasowało. Boże, wydaje się, że to było wieki temu.

Wybieram się na spotkanie z nową znajomą. Umówiłyśmy się na lunch. Ma syna w wieku Parker, mniej więcej, a poznałam ją w centrum handlowym, jakby rzeczywiście nie było lepszych miejsc. Pewnego dnia obie znalazłyśmy się w sklepie z eleganckimi dziecięcymi ubraniami: ja szukałam czegoś dla Parker na Święto Dziękczynienia, a ona kupowała prezent. Jej dziecko płakało, nerwowo przeszukiwała więc torbę i chyba zauważyła, że się jej przyglądam, bo krzywo na mnie spojrzała. Jej oczy mówiły: „Spadaj. Co, może twoje dziecko nigdy nie wrzeszczało jak oszalałe?". Rozpoznałam to spojrzenie, bo takim samym obdarzam bliźnich, gdy jestem wkurzona i wykończona i nie potrafię uspokoić Parker. W każdym razie, nie chciałam, żeby wzięła mnie za mamunistkę ani pomyślała, że ją osądzam, podeszłam więc i zapytałam, czy mogę jej jakoś pomóc.

– Zapomniałam pieprzonej odżywki – odrzekła. Zabrzmiało to tak, jakby zaraz miała się rozpłakać. – Wyjęłam dwie z paczki, z tych małych, jednorazowych porcji, i miałam włożyć je do torby, ale chyba zostały w kuchni. Boże, co za idiotka ze mnie. Teraz już oficjalnie mogę wystąpić w konkursie o tytuł Najgorszej Matki Roku.

Pamiętam, że zerknęłam do jej torby – panował tam kompletny chaos. Jakieś papiery wystające ze wszystkich stron, no i podkładka do przewijania, tak zwyczajnie wepchnięta, nieposkładana, niezrolowana. Nic.

Wreszcie jakaś pokrewna dusza.

Okazało się, że obie używamy tej samej mieszanki, wyciągnęłam więc swoją porcję i podałam jej.

– Naprawdę? Nie żartuje pani?

– Tak. Proszę. Natomiast co do tytułu Najgorszej Matki, niestety, zdobyłam go ja, nie ma się więc czym martwić. Parker miała raz biegunkę, w sklepie, a ja nie miałam dodatkowej pieluchy ani ubrania na zmianę, ani w ogóle nic, i wiozłam ją przez supermarket nagą, przykrytą papierowymi ręcznikami.

Gapiła się na mnie chwilę.

– Więc to pani? – zapytała w końcu, a potem wybuchnęła śmiechem. – Stała się pani sławna, wie pani o tym? Ta historia krąży po mieście od miesięcy. – Kiedy to powiedziała, chciałam zapaść się pod ziemię, ale potem powiedziała coś innego i poczułam się lepiej. – Ilekroć słyszę tę historię, zawsze myślę sobie: „Gdyby nie Bóg litościwy, to byłabym ja".

I tak się to zaczęło. Przez ostatnie dwa miesiące w każdą środę jemy razem lunch, dzieci i my – nazywamy te zajęcia „Mama i martini", chociaż żadna z nas, na razie, nie potrzebuje jeszcze martini o jedenastej trzydzieści rano – i spędzamy czas na pogawędkach o wszystkim, począwszy od tego, jak bardzo nie cierpimy Jaffa z The Wiggles, do tego, jak bardzo martwi mnie, że Parker będzie gruba, i tego, jak bardzo stresuje ją to, że Luke (jej syn) ciągle nie potrafi przewrócić się na brzuch. Pochodzi z New Jersey, zajmuje się obligacjami w Merrill Lynch, cztery dni w tygodniu. Aha, i pięć lat temu przestała rozmawiać z rodzicami, bo okazało się, że kradli pieniądze z funduszu powierniczego, który babcia zostawiła jej w spadku, kiedy ona była jeszcze dzieckiem. Zwie się Erica. Erica Daniels. Stacey za nią przepada.

Dobra, to chyba już piąta osoba, która najpierw mi się przygląda, a potem się do mnie uśmiecha. I nie chodzi tu o przelotne spojrzenie. Mam na myśli poświęcenie mojej osobie dłuższej chwili, następnie minięcie mnie i odwrócenie się, by spojrzeć raz jeszcze. „No, no. Muszę rzeczywiście nieźle wyglądać". Wiecie, Nadine miała rację. To niesamowite, co się dzieje, kiedy uda ci się wyemanować nieco pewności siebie.

Wchodzę do restauracji. Erica już jest, siedzi przy naszym stoliku. Karmi Luke'a prosto ze słoika – Susan mówiła, żeby nigdy tego nie robić, ponieważ ślina, która zostaje na łyżce, może spowodować zepsucie się reszty jedzenia, a w konsekwencji całkowite jego marnotrawstwo. To niepojęte, jak bardzo się cieszę, że już mnie tam nie ma. Nie cierpię samego faktu, że posiadam informacje tego typu. Już wolę zanieczyścić ten słoik i stanąć przed perspektywą, że Parker zatruje się jadem kiełbasianym, czy czym tam dziecko może się zatruć, jedząc pożywienie skażone własną śliną, a czego prawdopodobieństwo wynosi jeden do miliardów miliardów miliarda – i uśmiecham się.

– Hej – pozdrawiam ją, odwracając się tyłem, by wyciągnąć Parker z wózka, kiedy słyszę za sobą chichot.

– Ładne stringi – mówi Erica. – Zdecydowanie do twarzy ci w różowym.

„Co?!" Odwracam głowę, żeby zobaczyć swój tyłek. To nie może być prawda! Dół mojej spódnicy zahaczył się o elastyczny pasek majtek i całe siedzenie mam na wierzchu. Szybko poprawiam spódniczkę i siadam, chowając twarz w dłoniach.

– Boże – jęczę. Podnoszę głowę i mimowolnie zaczynam się śmiać. – Nie mogłam zrozumieć, dlaczego wszyscy tak mi się przyglądają. Cały czas myślałam: „Do licha, dziewczyno, niezły z ciebie kociak". Rany, ale mi wstyd.

Erica uśmiecha się.

– Hej, nie przesadzaj. Spójrz na to z innej strony: przynajmniej ci się przyglądali. Wyobraź sobie, jak byś się czuła, gdyby zakrywali oczy i uciekali, gdzie pieprz rośnie.

Prawda. Takie ujęcie sprawy rzeczywiście nie przyszło mi do głowy.

– I to właśnie tak w tobie lubię – oznajmiam. – Nieustający optymizm.

Śmieje się, a potem zaczyna opowiadać historię, jak to w sobotę przejechała dwadzieścia kilometrów, zanim się zorientowała, że zapomniała zapiąć pasy bezpieczeństwa w foteliku Luke'a. Kiedy tak jej słucham, spoglądam na Parker, która rączką próbuje pociągnąć kolegę za włosy, i nagle zdaję sobie sprawę, że taka szczęśliwa nie czułam się już od dawna.

Hm. Kto by się spodziewał? Wychodzi na to, że jednak jestem szczęśliwą mamą, mimo wszystko.

poleca

Risa Green

Notatki przyszłej matki

Lara Stone pracuje w elitarnej szkole w Bel Air. Każdego dnia ma styczność z zepsutymi bachorami i zdecydowanie nie jest gotowa, by mieć takowe na własność. Przynajmniej nie teraz, kiedy jej życie tak świetnie się układa, a już na pewno nie, zanim dzięki Tae-Bo osiągnie perfekcyjny rozmiar trzydzieści sześć.

Ale jej mąż, Andrew Stone, ma inny pomysł – kategorycznie domaga się, by zostać ojcem. W przeciwnym razie poszuka sobie innego materiału na matkę…

Lara decyduje się więc na ciążę, za sprawą której przyjdzie jej zmagać się z tyciem, hemoroidami i niekontrolowanymi zmianami nastrojów. Ponadto na drodze jej kariery stanie rozkapryszona nastolatka – córka znanego reżysera filmowego, której przyszła mama musi zapewnić studia na elitarnej uczelni.

Risa Green w zabawny, ale i ciekawy sposób opowiada o tym, jak trudna może być ciąża dla współczesnej kobiety, pragnącej robić karierę zawodową, ale zdającej sobie też sprawę z upływającego nieubłaganie czasu…